海の底

有川 浩

角川文庫 15659

CONTENTS

一日目、午前。 7

一日目、午後。 77

二日目。 151

三日目。 217

四日目。 285

五日目。 353

最終日。——そして、 415

あとがき 474

番外編　海の底・前夜祭 479

解説　大森　望 513

春、寧日《ねいじつ》。
天気晴朗なれど、波の下には不穏《ふおん》があった。

一日目、午前。

　米軍横須賀《よこすか》基地には、年に数回市民に開放される日がある。春の桜祭りもその一つだ。情勢によっては中止になる年もあるが、音楽隊のパレードや野点《のだて》などのイベントも用意されていて、開催のたびに好評を博している。市民のみならず展示艦船目当てのマニアも押しかけるので、ゲート前の手荷物検査は長蛇の列になることが常だ。

　ゲート前で記念写真を撮ろうとして、ゲートに隣接する交番の警官に注意を受ける行楽客も毎度のお約束である（もっとも最悪の場合は基地警備員にしょっぴかれて厳重注意とフィルム没収の沙汰《さた》になるので、そのくらいで済めばマシと思わなければならない）。

　だが、そんな桜祭りの盛況も停泊中の海上自衛隊潜水艦の乗務員にはあまり関係のない話だ。

＊

　長浦《ながうら》・横須賀両港の軍用施設のほとんどは米軍籍である。

　しかし、建蔽《けんぺい》率は圧倒的に低いが海上自衛隊の施設もある程度は存在しているし、その中の逸見《へみ》庁舎には横須賀地方総監部が置かれている。

　基本的に米軍基地を対岸に見る長浦港の港湾沿いにそれらの施設は位置しているが、中には米軍基地の中に置かれている施設もある。

　楠ヶ《くすが》浦《うら》と泊《とまり》の両町を占める米軍横須賀基地内の海自施設として代表的な物が、対潜水艦作戦《ASW》

センターと第二潜水隊群司令部である。

　米軍基地に入ってすぐ、隣接するダイエーのすぐそばに建っている窓の少ない四角い建造物が対潜水艦作戦センター、そこからさらにドライドックを二つほど挟んだ奥に、第二潜水隊群司令部と潜水艦埠頭《ふとう》がある。

　この日、潜水艦埠頭には海上自衛隊が誇る最新のおやしお型潜水艦が二日前に入港し停泊中だった。近年就役したばかりの十一番艦『きりしお』である。

　停泊中は三交替制になるので艦内員数は出航中の三分の一になる。『きりしお』内の乗員はこのとき二十数名。

　その中に二名の実習幹部が含まれていた。夏木《なつき》大和《やまと》三尉と冬原春臣《ふゆはらはるおみ》三尉である。


「今日は景色が華やかだな」

　艦上で腕立てをしながら夏木が呟《つぶや》く。

　その隣で、同じく腕立てをしながら答えるのが冬原だ。

「桜祭りだし女性客も多いんじゃない？　遠目でも人波がカラフルだよね……っと一九三回」

「何でこんな日に俺ら甲板で腕立てよ……っと一九四回」

「理由を忘れたとおっしゃいますか、夏木君。一九五、と」

「お前が原因だろが、冬原！　一九六ッ」

「俺は実地でやってみようなんてバカなことは言っとらんもの、一九七」

と、ハッチの近くで立ち番をしていた年配の先任海曹《かいそう》が怒鳴った。

「こらぁ、ごちゃごちゃ喋《しゃべ》っとらんでテキパキやらんか！　懲罰だぞ！」

もともと階級より年季が物を言う海上自衛隊、しかも叩《たた》き上げの先任海曹相手では実習幹部など子供も同然である。特にこの村田《むらた》一曹には弱みをいろいろ握られているので頭が上がらず、階級差も無視で怒鳴られてばかりだ。

了解、と二人は同時に叫んで残りの三回を一気にやっつけた。

二百回の腕立てを終わらせ、できることなら潰《つぶ》れたいところだが、艦の黒い外殻は太陽光線を実に効率よく吸収してほどよい床暖房になっている。夏木と冬原はせめて甲板に座り込んだ。

村田一曹の強面《こわもて》がじろりと二人を睨《にら》む。

「これに懲りたら艦内を騒擾《そうじょう》させぬこと！」

と言っても無駄だろうがな、という一言は苦虫を噛《か》んだような顔で付け加えられる。夏木と冬原は叱られた悪ガキのように首をすくめた。

「有志による対テロ想定訓練だと思ってほしかったなァ」

ぼやいた夏木に、また村田が目を怒らせた。

「なーにが有志訓練だ、このバカどもが！　ああいうのは単なる悪ノリと言うんだ！　うちの艦長じゃなきゃお前ら免職モンだぞ！」

事の発端は夏木と冬原の雑談である。「もし停泊中にゲリラに乗り込まれたらどうする？」というお題を冬原が夏木に投げたのだ。

夏木が艦、冬原がゲリラ設定で話を展開しているうちに白熱し、周囲の若い者を巻き込んで食堂で一大ディスカッションとなった——までは良かった。ここまでは村田や幹部も若い連中の熱意を微笑ましく見守っていたのである。

問題はその後だ。

夏木は防衛できると主張し、冬原は制圧できると主張し、後に引かない性格の夏木が引金を引いた。「じゃあやってみようぜ」——後の流れは推して知るべしである。

「大体さ、ああいうのは仮定の話だから盛り上がるんでしょうよ。夏木はちょっと雅《が》を解することを覚えないとね」

しれっと夏木に罪を被《かぶ》せる冬原も、やめようとは一度も言い出さなかったのだから実は同罪である。

有志を募って明け方に決行された模擬戦は、事情を知らない乗員（主に幹部と先任海曹）を巻き込んで大パニックとなり、在艦の全員が喧嘩《けんか》傷という大騒ぎとなって幕を閉じた。

主犯として二人を艦長室に呼び出した艦長は、こめかみにミミズが這《は》っているんじゃないかと思うほど見事な血管を浮かせていた。

ええと、もしかして俺たちクビですか。窺《うかが》った夏木に艦長は怒鳴った。「上に報告できるか、こんなこと！　俺の首が先に飛ぶわ！」——まったく道理である。

結局、夏木と冬原が二百回の腕立てと一週間の上陸禁止を食らってオチとなった今回の艦内騒動である。

「あーあ、夏にそのかされなかったら上陸がちょうど桜祭りに重なってたのにな。カワイイ女の子とお近づきになれたかもしれないのにね」

「夢だけ見てろ、どうせ遠くから指くわえて見てるだけだったろうよ」

「夏木と一緒にしてほしくないね、その気になったらお持ち帰りくらいは軽いよ」

確かに冬原は優男《やさおとこ》風の外見もさることながら、その愛想のよさで女性受けすることが多い。夏木のほうはと言えば、基本的な顔立ちが無愛想に見えることと女性の扱いに不慣れなせいでそっちのほうはからっきしだ。

「夏木に出会い作ってやったのに」

「大きなお世話だ！」

夏木が怒鳴ったとき、開放中のハッチから乗員が上がってきた。顔だけ覗《のぞ》かせ、

「出航です！　全員艦内へ！」

外にいた三人は怪訝《けげん》な顔になった。しかし誰も何も言わずに係留索と舷梯《タラップ》を外しにかかった。


艦内には警報が鳴り響いていた。

ラッタルを滑り降りた村田がハッチ下から一階層降りて機械室に飛び込む。夏木も中を窺うが、内燃員や機械員が慌しく動き回っており、話しかける隙などない。

出航予定は二週間ほど先だし、そもそも停泊中なので乗員は三分の二が上陸している。その状態で出航など、相当の非常事態が発生したことだけは分かるが——

ハッチを閉めて最後に降りてきた冬原が夏木に訊《き》いた。

「何だって？」

「訊ける状態じゃねえ、発令所行くぞ」

二人の実習カリキュラムは現在水雷関係だが、まさか湾内で水雷発射にはなるまい。どこかの部署を補助しようにも、まだ単独作業が許可されないような状態では足を引っ張るだけだ。

狭い艦内を駆け抜け、発令所にたどり着くと、艦長が潜望鏡を使っているところだった。

「夏木、冬原、参りました！」

敬礼しながら、とりあえず二人とも航行作業の邪魔にならないナビゲーションセクション側に立つと、潜望鏡を戻した艦長が後ろに回した帽子の向きを直しながら二人を振り返った。

「来たか、ガキども。邪魔になるなよ」

つまり何もするなということだ。実習の出る幕などない、という状況なのだろう。

「一体何が」

訊いた夏木に、艦長は分からんと率直に答えた。

「司令部からとにかくただちに出航せよとの命令だ。タグもなしでな」

「タグなしですって？」

基本的に艦の離岸にはタグボートの牽引《けんいん》が必須《ひっす》だ。タグなしでは岸壁に外殻をこすったり、横舵《おうだ》やスクリューを破損する恐れもある。実戦ならいざ知らず、平時ではあり得ない指示だ。

「それだけじゃないぞ、出航不能なら艦を退去して基地外へ避難せよとのお達しだ」

夏木は言葉を失った。艦を捨てろ、とは一体どういう命令か。タグなし以上にあり得ない。

「――襲撃、ですか」

あり得ない事態を訊いてみる。返事は肯定でも否定でもない、すなわち「分からん」だった。

「外を見る限り、敵影らしきものはないが」

「水上航行開始！」

操舵員が叫び、立っていた全員が姿勢を確保した。自力離岸などどんな衝撃が来るか――分からないなりに鈍くて重い衝撃を予想していた夏木だが、来たのは予想外だった。

小刻みで鋭い衝撃が艦体を振動させた。全員が耐ショック姿勢を取っていたにも拘わらず、何人かが転倒する。

「スクリューに何か噛み込みましたッ！」

操舵員が悲鳴のように叫び、破損を警告する鋭いビープ音が艦内に満ちる。

「外せるか！」「やってみます！」

スクリューを逆回転させて噛み込んだ障害物を外そうということだろう。だが――

「駄目です！　外してもまたっ！」

何か固い物を噛み込んでいるらしいが、逆回転で外しても順回転に戻すとまた新たな障害物を噛み込むらしい。艦内にはその小刻みで不吉な振動が何度も繰り返された。

それだけではない、キシキシという固い音が艦体を包みはじめた。何の音か。その不気味な音に全員が聞き入る。外殻を引っ掻くようなその音が全周囲を包む。

「何かに——囲まれた……？」

呟いた夏木の声は、意外と辺りに大きく響いた。地声の大きさと周囲の沈黙の相乗効果だ。

こういうことか、と艦長が唸った。艦を捨てろとはこの事態を想定した指示だったらしい。

艦長の決断は早かった。

「全員退去！　陸《おか》へ上がれ！」

湾の中に何かがいる。それも凄《すさ》まじい数だ。噛み込んだのも音の主か。

この状況に限っては乗員が減っていたのが幸いだ。全員が艦上に出るまで五分とかからない。

夏木と冬原は上がる順が最後になった。しんがりは艦長だ。上がるのを待つ間に降ってくる驚愕《きょうがく》の叫びが緊張をかきたてる。一体外では何が起きているのか。

ようやく順が来て上がった夏木も漏れなく叫んだ。

「何だこれ！」

誰も答えてくれるわけでもないのにそれを言ってしまうのは人の常らしい。「何これ……」後ろから上がってきた冬原もやはり唖然《あぜん》として呟いた。

陸上を巨大な赤い甲虫——否、甲殻類が這い回っている。ザリガニをそのままメートル級に引き伸ばしたような。途方もない大群だ。

一体どこから。エビ類なら海か。とっさに夏木が湾を見回すと、黒く翳《かげ》った水中にぼんやりとした赤が滲《にじ》んでいる。湾を見やると水面全体が薄赤い。一体どれだけ潜んでいるのか。陸上を這っているものは海から上がったものらしい。

居住区と米軍施設の方面から、赤い絨毯《じゅうたん》のようにその甲殻類がガシャガシャと這ってくる。その這ってくる方向を見るにどうやら上陸は基地の東側かららしい。追い立てられて逃げ惑う人々が津波のようだ。

ところどころで甲殻類が団子になって立ち止まり、ハサミを振るっている。巨大なハサミの振るわれるその下には、——もはやぴくりとも動かない人体がある。追いつかれたのだ。

「——食ってる……！」

反射的に夏木も冬原も口元を押さえた。胃の腑《ふ》から吐き気がジャンプするようにこみ上げる。

「何ぼさっとしてる、走れ！」

艦長に叱咤《しった》され、二人は舷梯《タラップ》に駆け寄った。先に出た者が何とか引っ張り寄せたらしい。

「各自、民間人の避難を援助しつつ基地外へ退去！　集合は四庁舎いずれか、どれも駄目なら管内の自衛隊施設いずれかを階級上位者が判断せよ！　急げ、取り残されるぞ！」

お先、と軽く声をかけた冬原が夏木をかわして舷梯を降りた。

乗員たちが後先になって走り出す。ゲートまではちょっとした中距離走並みの距離がある。最後方になった夏木たちがその競走に加わると、

絹を裂くような悲鳴が上から降った。

見上げると海自宿舎の外階段に子供が何人か追い上げられていた。巨大ザリガニがすぐ下の二階に迫っている。

舌打ちをした艦長が叫んだ。

「夏木、冬原、行くぞ！」

「ええ～、俺もですかぁ？」

一応不平を漏らす冬原に、艦長が怒鳴った。

「何のために厄介者の半人前に一人前の給料を払ってると思ってるんだ！　肉体労働くらいは役に立たんか！」

「不満を表明する権利くらいくださいよ、俺は命が惜しいです」

一向に悪びれない冬原は、逆にこの緊張を緩和している。

「夏木行きます！」

手近に転がっていた鉄パイプを拾い、夏木は外階段を駆け上がった。

「てめえこっち向きやがれぇぇッ!!」

怒鳴りながら赤いキチン質の背中に鉄パイプを面の要領で振り下ろす。

ガツンと鉄パイプが撥《は》ね返されて、危うくパイプを取り落としそうになる。殴ったところは砕けるどころかへこみもしない、凄まじい強度だ。角度によっては拳銃弾《けんじゅう》くらい撥ね返せそうである。

ダメージはなさそうだが、気づきはしたらしい。ザリガニが狭い階段で窮屈そうに振り返る。

怒ってブクブク泡を吹くその面構えは、夏木が子供のころによく釣ったザリガニそのものだ。

スケールだけが狂っている。

「食らえッ！」

振り向きざまの泡吹く口に鉄パイプを突き込む。全体重をかけた突きに、殻の砕ける感触で鉄パイプが口にめり込む。さすがに痛かったかザリガニは怒ってハサミを振り回した。致命傷にはなっていないことが恐ろしい。

ハサミが夏木の鉄パイプをがっちり挟み、ねじ上げる。こらえようと腰を据えるが、パイプごと引っこ抜かれそうになり、夏木は慌ててパイプを離した。階段を踏み外しそうになるのを壁に手をついて何とか支え、膝《ひざ》を突いただけでこらえる。

ザリガニは甲殻をあちこちにぶつけながら夏木を振り向こうとする。敵認定はされたようだ。相手は狭さが不利してなかなか振り向けないが、こちらも武器は取られて丸腰だ。

夏木はザリガニを睨みながら、一段ずつ後ろ向きに階段を降りた。ここで夏木を見失ったら、ザリガニは再び子供たちに向かうだろう。

「冬原ぁ！　ガキ降ろしたかー！」

「あと二人！　もちょっと頑張ってー！」

軽く言うなよ、と夏木は苦笑した。多分、飛び降りろという指示に子供が怯《おび》えて手間取ったのだろう。

ザリガニの方向転換が早いか、子供を回収するのが早いか。

ザリガニが取り上げたパイプを後ろへ放り捨てた。途端、踊り場の向こうから悲鳴が上がる。どうやら冬原たちの位置を直撃したらしい。

「危ねぇぇ！　ちょっと夏木さん何投げてんの⁉」

「取られたんだよバカ！」

間抜けなやり取りに、艦長の声が飛んだ。

「丸腰か⁉」

「そのとおりです！　睨み合ってます、急いでください！」

「よし、きみ最後だ！　飛んで！」

冬原の指示とほとんど同時に最後の一人は飛んだらしい。「夏木逃げろ！」艦長の声が同時に重なる。

ザリガニに背を向けて階段を駆け降りた夏木は、一階と二階の間の踊り場でたたらを踏んだ。新手だ。ちょうど地上から階段を上り始めたところである。踊り場から飛び降りようと夏木は段を駆け上がったが、上から追ってきたのが踊り場を塞《ふさ》いだ。挟み撃ちだ。

「夏木！　何してる！」

艦長の叫びに腹を括《くく》った。——ままよ。

階段を数歩駆け降りて、そのまま海に飛び込むように地上へ飛び込む。下で踏ん張る新手の上を飛び越し、——受身は失敗しかけの成功だ。

痛さをぼやく暇もなくゲートを目指すほうへ走る——と。タイトルをつけるとすれば絶望の赤い海だ。赤い甲殻類の絨毯は、子供たちを回収している間にゲートへの退路を完全に塞いでいた。

ゲートまでかいくぐって走りきれるほどの距離ではなく、さりとて群司令部や宿舎はすでに玄関が破壊され内部に甲殻類の侵入を許している。逃げる方向は潜水艦埠頭しかない。

「艦だ！　立てこもるぞ！」

叫んだ艦長が埠頭へ走り出す。子供たちも釣られて走り、足の遅いチビを夏木は横から小脇に抱えて走った。

「ハッチ開けます！」

冬原が叫んで先行した。お前も行けと艦長に怒鳴られ、夏木もそれを追った。

脇に抱えた子供が泣き出す。泣きたいのはこっちだ。

夏木が舷梯《ラッタル》を渡ると冬原はもうハッチを開けていた。艦の外殻にはザリガニが群がっているが、手がかりがないためかなかなか上れないようだ。それにしても時間の問題である。

「冬原降りろ！　俺と艦長で降ろす！」

下で受け止める役が要る。冬原がラッタルを滑り降り、夏木は脇に抱えてきた子供をハッチの中に降ろした。

「ハシゴあるだろ、摑《つか》んで降りろ！」

子供は泣きじゃくって夏木の腕にしがみついた。垂直のラッタルが恐いのだろう。そんな場合か、と夏木はキレた。

「冬！　投げ落とすぞ！」

言うなり子供を腕から振り払う。狭い坑内では回転して頭を打つ空間もない、打ち身くらいは我慢しろ。けたたましい音を立てて子供が坑内を落下し、冬原から「取った！」と回収報告。同時に下から凄まじい泣き声が響いた。

後ろに追いついてきた子供たちを夏木は振り向いた。

「こんなザマになりたくなきゃテキパキ降りろ」

低い恫喝《どうかつ》は、実際に「こんなザマ」が実演されたこともあってよく効いた。

小柄な順に並べた十数名の子供たちを艦内へ叩き込み、最後に残った華奢《きゃしゃ》な一人を降ろそうとしたとき、甲板にザリガニが這《は》い上がってきた。一匹上がると次々だ。上がってきた個体はさっきのものより小さく、体の軽いものから上がってきたのだろう。小さいとは言っても人間と同じくらいの大きさはあるが。

「くそっ!」

突進してくるザリガニに艦長と二人がかりで蹴《け》りを入れる。小柄だから何とか押し戻せるが、艦上から蹴落とすには至らない。何度も蹴飛ばして時間を稼ぐ間に、最後の一人の頭が坑内へ消えた。

「夏木下りろ!」

「艦長が!」

譲り合っとる場合か、と艦長が夏木に容赦ない蹴りをくれた。蹴り込まれるようにハッチに入り、夏木がラッタルの手摺《てす》りに靴をかけて滑り降りると、上から絶叫が降った。

「艦長!?」

上を見上げると——生温かい雨が降った。夏木の肩にどすっと何かが当たって落ちる。床に転がったそれは、肘《ひじ》から切断された艦長の腕だった。

「艦長ォォォ――――――――――ッ!!」

叫んだ夏木がラッタルを駆け上がる。下では子供たちの悲鳴が爆発する。

「艦長ッ!」

ハッチを出ようとした夏木の顔面を艦長が踏みつけた。

「バカが、閉めろ! 閉めんか!」

何度も何度も夏木の顔を踏みつけ蹴飛ばし、外からハッチを突き倒す。夏木に突っかかって開いた隙間に、ザリガニがハサミや頭を突っ込もうともがく。この大きさならハッチを潜れてしまう。

「入られたら終わりだぞ、バカが!」

顔面にもう何度目か分からない蹴りを食らって夏木は叫んだ。

「あんた回収しないで閉められますかッ! 入ってください!」

「俺が入ったら閉める前にこいつらが続けて入り込む! 湾に何万おるか分からんのだぞ! 中の子供を食わせる気か!」

「食わせとけよそんなもん! 見も知らんガキなんざ知るかよッ」

「艦長命令だ、夏木三尉は頭を降ろせ!!」

年季の違う怒号にとっさに体が反応した。坑内に頭を降ろした瞬間、ハッチが倒れた。

わずかに浮いた隙間から艦長の絶叫が忍び込む。絶叫の中にハッチを閉めろと言葉が混じる。

艦長はハッチの上にわざと倒れた。

濁音のみで構成される人のものとは思えないような絶叫に、脳のどこかが焼き切れた。

このまま済ますか。

「冬、前部ハッチだ！　回収するぞ！」

回り込めるとしたら艦前部の発射管室に続くハッチだ。甲板前部にそびえる十メートル弱の艦橋セイルがちょうど目隠しになる。ラッタルを滑り降りた夏木は下に溜《た》まっていた子供たちを突き飛ばすように押しのけ、狭い通路を駆けた。

冬原がやがて追いつき、機械室から持ち出してきたらしい大型の工具を夏木に渡した。艦内にろくな得物がないことは、先日の有志訓練騒ぎでも話題になったことだ。

人が行き合うのもやっとの通路を駆け抜け駆け降り、魚雷の詰まった発射管室へたどり着く。魚雷の間を縫うようにハッチのラッタルへよじのぼる。

ハッチの丸いハンドルをねじ開け、わずかに浮かして外を窺う——と。

反射が頭をのけぞらせた。寸前まで夏木の目があった空間に、赤いハサミがねじ込まれる。目をえぐろうとしたハサミの切っ先が左の頬をざくりとかすめた。鋭利でないだけにその痛みは原始的に弾《はじ》ける。

「くそっ！」

ハサミが引かれた瞬間、何とかハッチを閉める。

艦上はもう奴らでいっぱいだ。後はどこがある。どこなら艦長を回収できる。

「発令所だ」

冬原が低く呟いて縦孔を降りた。成程、発令所から上れるセイルなら高さがあるから奴らもまだ登れていないかもしれない。

しかし発令所へ入った冬原は、セイルへの昇降筒へは向かわず通信席へ向かった。

「何やってんだ冬原！」

「総監部へ艦長の回収を依頼する」

何をバカな、と夏木は声を荒げた。

「救出が来るまで保《も》つと思ってんのか！」

「夏。もう無理だ」

冬原の声は冷水をかけるようだった。厳然とある覆せない事実をただ指摘することのみで。

だがその冷水は夏木を止めるには足りない。

「——無理とか——言うなッ！　艦橋ならまだ、」

「まだ奴らは上がってないかもしれないな。でも人が下りたら気づいて来る。奴らの体長なら潜舵《せんだ》を足がかりにして登れる」

「その前に回収するんだよ！」

「降りるのは簡単だわな、一人なんだから。でも帰りはどうする？　セイルは外から昇降する前提になってない、足がかりなんて申し訳程度だ。艦長はもし生きてたとしたって瀕死《ひんし》の重態だ、そんな艦長を担いでどうやって昇る？　命綱つけてクライミングでもするのか？　奴らで満杯の艦上で悠長に？」

正論を重ねて退路を断つのは議論を手早く片付けるときの冬原の戦法だ。いつもならそれに負けてはいない、だが今は強調された「もし」が夏木を打ちのめす。

もし、生きていたとしても。もう仮定をつけねば語れない生存。

「……だからって艦長を見捨てろってのか！　もしかしたらまだ——」

「生きてるかもしれないって言うのか？　生きてたほうがいいって言うのか？」

冬原の指摘が容赦なく現実を突きつける。

奴らが迷いなく人体を解体して食らうその速さを考えれば、艦長ももう食われている。まだ生きていたとしたら——そのほうが地獄だ。

「聞き分けろ」

この場で最も痛烈な叱咤に、夏木はようやく口を閉ざした。


総監部に無線連絡した結果、庁舎のほうも大混乱のようだった。港湾沿いを中心として市街は恐慌状態に陥っているらしく、またその恐慌は拡大する一方らしい。

艦長の回収については「善処する」。生存が望めない以上、後回しになることは確実だった。それまで艦長の遺体が残っているかどうかは謎だが。

潜望鏡の俯角《ふかく》では甲板を確認できないため、艦長が今どうなっているかさえも分からない。ただ艦の外殻を引っ掻く耳障りな雑音が、艦が完全に奴らに包囲されたことを示していた。

艦内に未成年者が取り残されていることも報告したが、これも即時救出は望めないようだ。立てこもりが可能である現状から、市街の混乱をある程度鎮静させてからの対処になるだろう。

ひとまずは待つしかない。予想どおりの結果に着地して、夏木は我に返った。物も言わずに発令所を飛び出して艦長が閉めた通用ハッチへ向かう。冬原が何も訊かず続いたのも、夏木と同じことに思い至ったからに違いなかった。

ハッチから続く士官居住区に入ると、子供たちはフロアの隅に溢《あふ》れ出して立ち尽くしていた。狭い空間で少しでもハッチの真下を遠巻きにしようとしている位置取りだった。

ハッチの真下には艦長の腕が転がっている。——切り落とされて落下したその状態のままで。

やり場のない怒りが腹の底にくぐもった。

誰一人、拾い上げもしなかったのか。

子供にそこまで求めるのは酷だと理性では分かっているが、遠巻きにしているそのこと自体も気に食わなかった。

夏木がハッチへ向かうと、子供たちが恐いものを避《よ》けるように道を空けた。その慄《おのの》いた様子も気に食わない。

拾い上げるために跪《ひざまず》いたのは無意識だった。両手を下に差し入れて静かに抱え上げたのも。破れた袖《そで》の中の腕はもう温《ぬく》もりが失《う》せている。

夏木が腕を抱えて振り返ると子供たちがまた道を空けた。恐々と夏木の背中から窺っていたこともやはり気に食わない。

大人ではすれ違うこともやっとの狭い通路で壁に貼り付いた子供たちは、夏木を通すときは更に身を縮める。腕に体が触れないように避けているのだ。

冬原が先に立ち、一階層降りて食堂へ向かう。夏木の後ろから子供たちもそろそろと続いた。

食堂は一度に平均二十数名を詰め込む前提なのに、厨房《ちゅうぼう》まで合わせてもうっかりすると建売のＬＤＫよりも狭い。冬原はその狭い厨房からラップを取ってきて夏木に渡した。

受け取った夏木は、艦長の腕を袖ごとラップで何重にもくるんだ。爪が短くちびたよく働く手は、もうぴくりとも動かずただの物のようだった。

腕が真っ白な棒になるまで夏木はラップを巻き、厨房に入った。冷蔵庫を開けて、その中に腕をしまおうとする――と。

子供たちから小さな悲鳴が上がった。

ええっ。

そこまでで後は辛うじて飲み込まれたが、何を言わんとしているかは分かりすぎた。

冷蔵庫に死体を入れるなんて。

ぶつりと血管の切れる音が、自分のこめかみの辺りで確かに聞こえたような気がした。仏の顔も三度までだ、自分は三回どころか四回気に食わなさを我慢した。

「声上げた奴は前に出ろ！」

夏木は腕を持ったまま怒鳴った。もちろん出る奴などいない。厨房の中から食堂の子供たちを睨みつける。

「何でこれを冷蔵庫にしまうのか教えてやろうか⁉　俺たちの艦長がお前らを助けたせいで、今甲板で食われてるからだよ！　骨が残るかどうかも分からねぇからだよ！　これは現時点で一つだけ残った艦長の遺体なんだよ！　艦長の家族に腐った腕を渡せってか！　お前らなんか助けなきゃ、今ここにいるのは艦長だったんだッ！」

息が切れたように夏木は肩を上下させた。もっと怒鳴ってやる、詰《なじ》ってやる。言葉を探すが、頭が空転して更なる罵倒《ばとう》が思いつかない。怒鳴れ、怒鳴れ、怒鳴れ——でないと艦長の最期を考えてしまう。

食われはじめたとき艦長の息は絶えたのか。せめて絶えていてくれ。頼むからそのときにはもう死んでいたと言ってくれ。どうせ助かるはずなどないのだから、

せめて最後まで意識があっただなんて残酷なことは言わないでくれ神様。

敬愛する上官がさっさと死んでいることを願わなくてはならないこんなクソな状況を、この子供たちが連れてきた。

「——夏」

冬原の声で、もう子供たちが水を打ったように静まり返っていることに気づいた。

頼む黙るな。黙らすつもりで怒鳴ったくせに夏木は裏腹なことを思った。聞き分けられると静かになる、艦長の息がどこで絶えたか考えてしまう。頼む俺を怒らせてくれ、怒鳴らずにはいられないほど——

と、冬原が子供たちに向かってにこりと笑った。

「あのね」

穏やかに話しかける人懐こい声。しかし夏木は知っている。その顔とその声は、一番怒った冬原の組み合わせだ。

「真冬ならともかく、今の陽気で生肉を室温で放置しといたら、どれだけ保つと思う？」

わざとえげつない言葉を選んでいる。冬原は子供に気など遣わない。

「君たち、肉が腐った臭い嗅《か》いだことあるかなぁ？　潜水艦の中って空気の循環悪いんだよね。さっさと冷蔵庫に入れないと、一晩もしたらそこらじゅう肉の腐った臭いでいっぱいになるよ。これ、血抜きとか防腐処理まったくしてないから腐るのも早いし、救助がいつ来るか現時点で全然分からないしね。救助が来るまでの食糧が入ってる冷蔵庫に死体なんか入れたくないって気持ちはすごくよく分かるけど、冷蔵庫に死体が入ってるのと艦内に腐臭が充満してるのと、君たちはどっちがマシかなあ？　俺たちはどっちでも大丈夫だから君たちが我慢できるほうに合わせてあげる」

艦長の腕を腐らす気などないくせに、冬原はわざとそう言った。冬原の言葉だと到底冗談に聞こえない。

「何だったらエアコン切ろうか？　底冷えするけど腐りにくくなるだろうし。君らが決めな。俺たち自衛官だからね、民間人の意志は尊重するよ」

とことんえげつない。子供たちは声一つ発しない。

「どうするの。早く決めな」

追い打ちで一番のチビが泣き出した。釣られて年少の子供たちが次々泣き出す。上は中学生くらいの少年たちが、唇を嚙んで俯《うつむ》いている。

もういいだろう、と見かねた夏木が止めようとしたときだ。

「艦長さんの腕を冷蔵庫に入れてください」

口を開いたのは、背の高いショートカットの少女だった。服装がジーンズでやせぎすなので、彼女が口を開くまで夏木は女子が混じっているとは気づかなかった。

最後に降ろした背丈の割に華奢だったのが彼女だったらしい。高校生くらいでどうやら一番年上のようだ。

「私たちが失礼でした。ごめんなさい」

もともと声が細いのか、懸命に張った声は震えて夏木のところまでは届きにくい。それでも、夏木を生真面目にまっすぐ見つめている。そして、その頭が深く下げられた。

周囲の小さな子供たちも彼女ほど深くはないが頭を下げた。中学生らしい何人かは悔しそうに首だけ下げる。

「――だ、そうですよ。夏木君」

冬原に促され、夏木はようやく艦長の腕を開けっ放しにしていた冷蔵庫にしまった。

これからどうするか、何をすべきか。

「発令所で話そう、冬」

今後の相談をする必要があるが、無線待ちも兼ねて発令所で話すべきだろう。

厨房を出た夏木は歩き出しかけてふと子供たちを振り向いた。なす術《すべ》もないような心許《こころもと》ない眼差《まなざ》しが一斉に刺さる。

大丈夫だ。安心しろ。どちらか言うべきだ。だが、すがる眼差しに答える言葉が出てこない。言葉をかける気持ちが追いついてこない。

「——時間くれ」

考えあぐねた挙句、ようやく言えたのはそれだけだ。

冬原が子供たちに声をかけた。

「お兄さんたちは話し合いがあるから、君たちはこの辺から動かないこと。テレビくらいなら見てもいいけど機械類は絶対触らないようにね。厨房は水道以外触るの厳禁。それからそこの君、ちょっと来てくれる?」

謝罪した少女を手招きした冬原が、食堂のそばのトイレに少女を伴った。

「トイレここ。使い方がちょっと特殊だから覚えて。みんなに教えるんだよ」

潜水艦のトイレは大用と小用の洗浄手順が違う。少女は冬原の説明を真剣に聞いている。

夏木は二人を残して先に発令所に向かった。やがて冬原が追いついてくる。

「いやいや、聞き分けのいい子がいてよかったよ」

冬原の声に夏木は足を止めた。振り返って冬原の足元を睨む。——どれだけ聞き分けのいい良い子でも、あの子自身に何の罪もなくても、

「……そんでも、あの子が死んで艦長が助かったらよかったって思う俺は、ひどいか」

冬原はしばらく無言になり、それから答えた。

「ばかだねえ、夏木君は。わざわざ訊くまでもないことを」

弱音を率直に見抜いた言葉だ。

「ひどくねぇよ。全然ひどくねぇよ、俺らは」

珍しく荒くなった言葉が、冬原の心情を表している。

夏木は冬原の肩に頭《こうべ》を落とした。

「――お前がいてくれてよかったよ」

「俺もだよ、とか一応言っとく？」

「気持ち悪いから遠慮する」

軽口で流したが、夏木一人では子供たちに待機の指示を出すこともできなかっただろう。

日頃なら絶対口には出さない。だが、自分より優れた悪友の自制に感謝した。

＊

米軍横須賀基地ゲートは押し寄せる避難者で暴動寸前の混雑になっていた。

車両ゲートの突破防止フェンスはとっくに強行突破する車で撥ね飛ばされ、そちらにも人が殺到しているが、ボトルネック現象で流れが鈍い。それだけにボトルネックを抜けた後の奔騰ぶりや凄まじい。

「皆さん落ち着いてッ！　走らないで！　転んだ人を踏まないで下さい！」

ゲート警備員と交番の警官が交通整理に当たるものの、花見客と住人・職員合わせて数千人が押し寄せてくる前では流れの中の小石にもならない。数百人に踏みしだかれて息も絶え絶えの転倒者を助け起こし、物陰へ回収するのがやっとだ。

ゲートから流れ出す人の奔流で車道も完全に堰《せ》き止められ、基地前の交通は完全に麻痺《まひ》した。信号の色は何の意味もなさず、けたたましいクラクションは恐慌の空気をかきまぜる役にしか立たない。

一体なにが起こっているのか。勤続三十五年目を迎える八幡《やはた》巡査部長は、交通整理を諦《あきら》めて基地警備員へと泳ぎ寄った。

「一体何があったんだね！」

警備員は日本人の民間雇用だが、迷彩服を着用して拳銃を携行している。警察官からすると少々複雑な心地がする存在だが、こだわっている場合ではない。

警備員も誘導は諦めた様子で八幡に答えた。

「分かりません、突然人が殺到して……何か事件かもしれません。警察に通報はしたんですが、まだ何も」

基地内の事件や異変についてはまず警察に通報するようになっている。

事情が分からないなりに交番からも県警への通報はしているが、続報が入れられないと適切な配備に差し支える。県警本部には市民からの通報も殺到し、ほとんどパニック状態らしい。

「君ら基地雇われだろう、何か聞いてないのか？」

「さっき米軍兵士がゲート職員を避難させに来ましたけど……警備員《おれたち》なんかそっちのけですよ、さっさとどっか行っちゃいました」

自分本位なアメちゃんらしいことだ、と八幡は眉《まゆ》をしかめた。俺たち持ち場放棄していいんでしょうかね、などとまだ若い警備員は八幡に尋ねてくるが、答えようがない。

人の流れがやっと収まりはじめたとき、作業服姿の海上自衛官たちがその中に現れた。子供や老人など足が遅い者を支えるようにやってくる。

内の一人がゲートのそばの八幡を見つけて駆け寄ってきた。

「機動隊を！　陸自の出動も要請してください！」

物騒な請求に八幡は息を飲んだ。機動隊はともかく陸自の出動要請とは。

一体、中ではどれほどのことが起こっているのか。

自衛官たちが最後尾だったらしく、避難者を引率した一団がゲートを潜《くぐ》るや数名が歩行者・車両両方のゲートの門扉を閉めはじめた。

「あんたたち勝手に何を！」

警備員が食ってかかるのを、門扉を閉めた一人が逆に怒鳴りつける。

「あれ見てまだ言えるかッ！」

ゆるやかに上ってカーブする道の向こうに、赤い影が射した。

何だあれは。

巨大なザリガニに似た甲殻類の群れが坂をザクザクと駆け降りてくる。

アーケードになっている歩行者ゲートは閉じた門扉の上にザリガニが乗り越えられるほどの隙間はないが、車両ゲートは完全に屋外になっており門扉も低い。ザリガニの群れは車両用の側から容易に門を乗り越えはじめた。

「逃げろッ！」

残っていた自衛官たちが口々に叫び、警備員や警官も釣られて駆け出す。八幡も逃げ出そうとして、歩行者用ゲートの門扉の前で警備員の一人が硬直しているのに気づいた。八幡と言葉を交わしていた青年である。ゲートの向こうで蠢《うごめ》くザリガニを見ながらがたがた震えており、完全なパニック状態だ。

「何してるんだ、逃げなさい！」

肩を強く揺すると、警備員はがくがく震える唇から意味不明の声を漏らして腰のホルスターからオートマチックの拳銃を抜いた。米軍からの貸与品だ。ゲートの中にたむろするザリガニどもにその銃口を向ける。切実な危機の迫り来る背後を決して振り向かないのは、現実を見ることを拒否しているのか。

めちゃくちゃに引金を引いた轟音《ごうおん》に重なった喚《わめ》き声は、かろうじて「来るな」と聞き取れた。

撃ち尽くされた弾は半分以上が門扉の鉄格子に当たって跳弾と化し、格子をすり抜けた弾丸も甲殻類の甲羅に弾かれる。狙いがめちゃくちゃなので甲殻に対して射線が斜めになっているのだ。

頭を抱えて身をすくめていた八幡の前で、銃を撃ち尽くした警備員の体がぐらりと傾《かし》いだ。

「おい！」

八幡が支えると警備員の上体が血まみれになっている。跳弾に貫かれたのだ。

車両ゲートを乗り越えたザリガニが歩行者ゲート前に回り込む。退路を断たれた。

八幡は警備員を地面に寝かせて拳銃を抜いた。38口径、一発目は威嚇の空砲なので弾は四発だけだ。ザリガニどもを振り向き、警備員を庇《かば》うように立ちはだかる。

おまわりさん、とかすれた声が地面から呼んだ。

「念仏でも唱えとけ。どうせ死ぬのが何秒か延びるだけだ」

年老いた妻の顔が脳裏をよぎる。娘を去年嫁に出し、第二の人生ねお父さん、と笑った顔だ。だからあと少し、無事に勤め上げてくれなくちゃいやですよ。

すまないな。

八幡は突進してくるザリガニたちの先頭を睨んだ。こう見えても昔は射撃でオリンピックの強化選手に選ばれたこともある。長い警官人生で、賊相手には一度も抜く機会のなかった拳銃だが。

引きつけて射線は甲殻と直交に。急所はやはり頭か。

引金を絞る——空撃ち含め五回。狙いは過たず、弾丸はほぼ同じところを四回貫いた。

撃たれたザリガニの足は止まらない。穿《うが》たれた頭部の銃創からうす黄色い体液を撒《ま》き散らし、歩いてきた勢いのまま八幡に突っ込む。

無造作に歩く足に貫かれて、体のあちこちに激痛が走った。生臭さは貫かれた傷から噴いた自分の血か、頭から被ったザリガニの体液か区別がつかない。

ガシャンと門扉に体を叩きつけられたところでザリガニの足が止まり、八幡にノシリと壮絶な重みが掛かった。その重みと鉄の門扉に挟まれた苦痛が、八幡が最後に感じた感覚となった。

＊

■電子掲示板：神奈川県民ＢＢＳ
名前：目撃者@横須賀　投稿日：04/07（日）10:25
おいおい！　横須賀基地見た⁉
名前：神奈川県民　投稿日：04/07（日）10:26
何かあったの？　桜祭りでしょ今日。
名前：神奈川県民　投稿日：04/07（日）10:26
桜祭り人いっぱいでウザいよな。
行く奴の気が知れないや。

名前：目撃者@横須賀　投稿日：04/07（日）10:27
すげーんだって！　俺今逃げてきたとこだけど

名前：神奈川県民　投稿日：04/07（日）10:27
何？　事件？

名前：神奈川県民　投稿日：04/07（日）10:27
テロか！

名前：神奈川県民　投稿日：04/07（日）10:28
んなわきゃない。

名前：目撃者@横須賀　投稿日：04/07（日）10:29
でも近いかも＞＞テロ

名前：神奈川県民　投稿日：04/07（日）10:30
＞＞目撃者@横須賀

何だよ？　もったいぶるな

名前：神奈川県民　投稿日：04/07（日）10:30
ムカツク>>目撃者@横須賀

名前：目撃者@横須賀　投稿日：04/07（日）10:31
横須賀が襲撃されてる

名前：神奈川県民　投稿日：04/07（日）10:31
マジかよ！　とうとう横須賀にも来ちゃったかアル○イダ!?

名前：神奈川県民　投稿日：04/07（日）10:31
自衛隊出動したか!?　うわめっちゃ見に行きてえ！

名前：神奈川県民　投稿日：04/07（日）10:32
ニュースの速報出てないよ。ガセじゃないの。
ソースは？

名前：目撃者@横須賀　投稿日：04/07（日）10:32
　襲撃されてるけど、相手は人じゃない。

名前：神奈川県民　投稿日：04/07（日）10:32
はぁ？　意味わかんない。人じゃなきゃ何なのよ。

名前：神奈川県民　投稿日：04/07（日）10:33
ロボットか!?　無人兵器か!?

名前：神奈川県民　投稿日：04/07（日）10:33
　オタクは引っ込んでろ。

名前：目撃者@横須賀　投稿日：04/07（日）10:34
エビ。巨大エビ。大群。チョー大群。人食ってた。

名前：神奈川県民　投稿日：04/07（日）10:34
はい、釣り確定しましたー。お疲れさま。

名前：神奈川県民　投稿日：04/07（日）10:34
エイプリルフールには一週間遅かったな（笑）

名前：神奈川県民　投稿日：04/07（日）10:34
一瞬信じた。ヤラレタ！

名前：目撃者@横須賀　投稿日：04/07（日）10:35
マジだって！

名前：神奈川県民　投稿日：04/07（日）10:35
はいはい、引っ張るとシラケルよー。
こういうのは引き際が肝心よー。

名前：目撃者@横須賀　投稿日：04/07（日）10:36
マジだって！　何かザリガニみたいの！

名前：神奈川県民　投稿日：04/07（日）10:36
しつこい。

名前：神奈川県民　投稿日：04/07（日）10:36
バーカ。

名前：目撃者@横須賀　投稿日：04/07（日）10:37
チクショウほんとだって！　おまえら基地前来てみろよ！
すげえパニクだぞ今！

名前：神奈川県民　投稿日：04/07（日）10:37
>すげえパニクだぞ今！
タイプミスするほど必死？　笑えるんですけど。

名前：神奈川県民　投稿日：04/07（日）10:38
いや待て。そいつの言ってることマジかも。
今桜祭り行った身内から電話かかってきたけど
おんなじこと言ってる。

名前：神奈川県民　投稿日：04/07（日）10:39

便乗バカ出ました。

名前：神奈川県民　投稿日：04/07（日）10:39

ソース出せソース。

■電子画像掲示板：基地ウォッチ情報交換BBS

〔桜祭り〕：ｒｙｕ　投稿日：04/06（SAT）22:50

明日は横須賀の桜祭り行ってきまーす。

知り合いのツテで奥のドック見れるかも。

楽しみ〜。

〔いいなあ〕：ファルコン　投稿日：04/06（SAT）22:55

いいなあ、私は地元なのに仕事を持ち帰ってしまったので行けません。

悔しいなぁ。

いい写真が撮れたらアップしてくださいね。

〔任せてください〕：ｒｙｕ　投稿日：04/06（SAT）23:03
デジカメしっかり持っていきますからね。
とりあえず、キティーホークとブルーリッジ狙いで行ってきます。
確か原潜はこないだ出航しちゃったんですよね。隠し撮りしたかった（笑）
ではまた明日〜。

〔ディーゼル艦なら〕：イージス　投稿日：04/06（SAT）23:25
二日前におやしお型入ってるってよ。最新の『きりしお』だって。
ってもう今日は来ないか。

〔無題〕：ｒｙｕ　投稿日：04/07（SUN）10:30
こんにちはｒｙｕです　予定どおりヨコスカさくらまつりにいったんですが
いまたいへんなことになってます　この写真みてください　ほんとうにいまこ
ういうことになってます

〔確認〕：ファルコン　投稿日：04/07（SUN）10:35
ｒｙｕさん、念のために聞きますが気を悪くなさらないでください。
特撮じゃないですよね？

〔無題〕：ｒｙｕ　投稿日：04/07（SUN）10:36
ここのみんなをだましたりしませんよ！
〔ナニゴト?.〕：トム猫☆　投稿日：04/07（SUN）10:37
ｒｙｕさん今無事なの⁉
〔無題〕：ｒｙｕ　投稿日：04/07（SUN）10:40
ぶじです　けいびの米軍兵にゆうどうされてひなんしました　今シェルターら
しいばしょにいます　携帯なんで改行できなくてすみません　モバイルもある
けどいまこんざつしててひろげられない。
〔アドバイス〕：イージス　投稿日：04/07（SUN）10:41
横レスごめん、モバイルはやめとけｒｙｕさん。
そこがシェルターなら目立つことしないほうがいい。
軍事機密のカタマリみたいな施設に日本人収容するなんて多分めちゃくちゃ非
常事態だし、モバイルで実況みたいなマネしたら絶対目ェつけられるぞ。
目立つな。

〔イージスさんに賛成〕：ファルコン　投稿日：04/07（SUN）10:42
そうですね、機密漏洩《ろうえい》で取調べとか機材没収とかややこしくなるかも。
こんなときに何か没収されたら絶対返してもらえませんよ。
携帯使うのは大丈夫そうなんですか？

〔無題〕：ｒｙｕ　投稿日：04/07（SUN）10:45
携帯はまわりのひとほとんどつかってるから　まだ使用きんしやボッシュウはないです　でもめだたないように気をつけます

「こりゃぁ……エビか？」

明石亨《あかしとおる》警部は空いた机で開いたノートパソコンを眺めながら首を傾げた。

手ブレが入ったのか、微妙にピントがずれているその写真には、赤い殻を持ったザリガニ状の生物が写っている。一匹ではなく群れで、一緒に写り込んでいる乗用車と比較すると体長は小さいもので一メートル強、大きいものだと三メートルにも及ぶようだ。

件《くだん》の写真が投稿された掲示板をざっと遡《さかのぼ》ると、投稿者はコミュニティの数年来の常連らしく、頻繁な書き込みには長年なじんでいる者でないと分からないような内輪ネタが多い。

先に回った匿名型の地域情報掲示板でも似たような内容が書き込まれていたが、この投稿者が今さらこのコミュニティから追放されるような悪質なデマゴギーを撒く可能性は低そうだ。

だとすると、

「意外とこれがビンゴか？」

神奈川県警には先ほどから一一〇番通報が殺到している。わずか十分ほどの間に通報は百件を越え、回線はパンク寸前だ。

いずれも横須賀管区からであり、横須賀基地前の本町交番からも応援の要請が再三来ている。横須賀基地周辺でパニック発生とのことで、管区のパトカーを含めてもう数十台が現場に急行しているが、到着の第一報はまだ入っていない。

事情は不明だが不穏な気配は濃厚で、出動のあり得る部署は自主的に待機に入っている。

横須賀で怪物が出たらしいんだけどこれホントかい？　県警は動いてるの？

先ほど馴染《なじ》みの新聞記者から明石宛てに掛かってきた電話からすると、マスコミにも同様の通報が相次いでいるらしい。普通はイタズラとして一蹴《いっしゅう》されるような内容だが、明石に探りを入れにきたということは向こうの通報件数も並ではないのだろう。

記者によると救急と消防も既に出動したらしく、これがイタズラだとすると主だった通報先を全て同時に押さえた上にネット上の仕込みも怠りないということで、よほど大規模な愉快犯のグループが存在するということだ。愉快犯というよりむしろテロの先触れを警戒したほうがいいレベルである。

「公安からは妙な話は聞こえて来てないはずなんだがな、と……」

公安は明石の所属する警備課と同じ警備部である。同じ部とはいえ体質がクローズな公安の情報はあまり表立って流通しないが、それにしてもこんな大規模な情報攪乱《かくらん》が予見されているのならまったく県警本部内に注意が喚起されないということはあり得ない。

警備部外事課。刑事部国際捜査課。明石の知る限りこの一件に直結しそうな話を握っているところはないはずである。

「明石！」

パソコンに首っ引きの明石を怒鳴りつけたのは、通信指令課の課長である。

「お前、このくそ忙しいのによそまで来て何遊んでる！」

「いえ、ここが一番情報が集まるかと思いまして」

明石が居座っているのは一一〇番通報の受理と指令を一手に引き受ける通信指令室の一角だ。先ほどから数十人のオペレーターが通報受理に精力を傾けており、最新情報はここが最も把握しやすい。

大規模事件が起きると必ずここに潜り込むのだが、課長にはそれがまた不愉快の種らしい。

「邪魔だ、警備課に戻れ！　この慌しいのにパソコンなんかで遊んでる場合か、電話代もタダじゃないんだぞ！」

「一応、回線は自前ですが」

言いつつ明石はパソコンに繋《つな》げた携帯電話を持ち上げて見せた。課長は目を怒らせた。

「だからと言って遊んでていい理屈はない！」

「今は遊んでおりません。情報収集中です」

若造が、と苦々しげに吐き捨てられる。確かにこの課長より十は若いが、四十も過ぎて若造呼ばわりは却《かえ》って光栄だ。もともと上層部に覚えがよくない明石なので、その程度の皮肉では一向にこたえない。

しかし、禿《は》げ上がり気味の頭から湯気が上りそうな様子を見ているとそろそろ撤退したほうがよさそうである。

「明石さん、戻ったほうがいいですよ。何か分かったら僕知らせますから」

近くの席のオペレーターが、明石に潜めた声を投げた。課長の人望が微妙に少ないためか、この課には明石の協力者が多い。

「すまんね」

言いつつ明石はノートパソコンを畳んで腰を上げた。そして出口に向かいかけて足を止める。

「ところで横須賀の通報、真偽のほどは」

何気なく投げた問いに、課長がむっつりと答える。

「数が数だけにまったくのガセじゃないんだろうが、イタズラもかなり混じってそうだな」

「なるほど」

そりゃあイタズラにも聞こえるでしょうな——横須賀に巨大エビが出たなんて話じゃ。とは言わずに明石は通信指令室を後にした。

同日、十一時〇五分。

横浜《よこはま》市金沢《かなざわ》区の県警第一機動隊庁舎へ県警本部から電話が入った。

取り次がれた第一機動隊長・滝野《たきの》錬太郎《れんたろう》警部が応じると、受話器から悠然たる声が聞こえてきた。

「滝ちゃん、暇？」

相手は県警本部警備課の明石警部である。滝野とは同期で、友人というよりは腐れ縁に近い間柄だ。上からの覚えがそろって良くないところが長続きの所以《ゆえん》だろう。

滝ちゃん、暇？　この台詞《せりふ》で始まったかつての事例の数々を思い返し、滝野はいかつい強面を渋くした。

「今度は何だ」

「そっち、出動命令来てるかなぁ」

答えは否だ。第一機動隊では朝から通常どおり訓練が行われている。中原区の第二機動隊も同様だろう。二機に出動命令が出ているなら一機にも同時か先に出ているはずだ。

そう答えると、電話の向こうで明石は返事が分かっていたように「やっぱり」と一人ごちている。

「何があった」

県警の問題児筆頭ではあるが、明石の嗅覚《きゅうかく》は鋭い。こういうアプローチをしてくるからには何か含むところがある。

　横須賀で何かあったらしい、という明石の一言で滝野の心身は一気に緊張した。

「米軍か」

　時節柄、思考はテロに直結した。もし横須賀基地でテロが発生するとすれば、それは介入が非常にデリケートな問題になる。横須賀有事の際に自衛隊に出動が要請されるガイドラインは一応の周知をされており、そのガイドラインに従った自衛隊の訓練も行われてはいるらしいが、実際の運用局面では混乱必至である。

「軍は動いてないしテロとは言い切れんが、基地で何やらわけの分からんことが起こってる。市民からの通報が関係各所に殺到してる状態だ」

　正面切った軍事侵攻ではなく小規模なゲリラ活動だった場合、基地住民や近隣住民の通報がまず警察に寄せられることはもちろん想定されているが、そこから自衛隊へのリレーは具体的に詰められてはいないのが実情だ。また、米軍自体の自己活動やその場合の日本側との連携も白紙の状態である。

　これはややこしいことになる。状況が不透明ながらも、その予感だけはひしとした。明石の話はその間にも続いている。

「俺の見たところ、かなりの非常識事態だな。多分、話だけ聞いたらホラ話で一蹴される系統だ。県警本部も通報件数は看過できないものの悪質なデマによる混乱と見てる」

「お前はホラじゃないと見たんだろうが。何があったかすぱっと言え」

「巨大エビの大群、横須賀に来襲」

リクエスト通りすぱっと言われたにも拘わらず、滝野は「嘘を吐《つ》け」と反射で言い返した。

「いくら何でも信じられるかそんなこと。怪獣映画じゃあるまいし」

「お前さんに嘘は吐《つ》かんよ」

いきり立つでもなく穏やかに返され、滝野は言葉に詰まった。確かに無意味な嘘を吐《つ》かれたことは長い付き合いの中で一度もない。少なくとも明石は本気で信じており、そうでなくては滝野にこんな話を持ちかけてくるわけがないのだ。

「――分かったよ」

「じゃあそんなことで。まずは前進待機ってことで横須賀の近くまで出張《でば》ってみてくれんかね。そしたらなし崩しに介入できると思う。装備は最大限で人数は百、いや二百は欲しい」

「おいおい、命令もなしに二個中隊動かせってか！」

明石の手引きで無茶な出動をしたことは一度や二度ではない。しかし、それにしてもこれはダントツだ。

「それでも足りないくらいだ、すぐ総力戦の運びになるさ。命令は警備課からの応援要請ってことで何とかするから」

「警備課長の承認は出てるのか」

明石の役職は課長補佐である。年齢と経歴からすると昇進が遅いのはこのテの人材のお約束だ。滝野にしても他人事《ひとごと》ではない。

「すぐ承認せざるを得なくなるから大丈夫」

甚だ怪しい保証に滝野は溜息《ためいき》を吐《つ》いた。デマだった場合の処分は自分までで食い止めねばと内心で腹を括る。

電話を切る寸前に、明石が「滝ちゃん」と不意に呼びかけた。

「死ぬなよ」

明石の口から出たとも思われない真剣な声の色に、滝野の表情は知らず険しくなった。

シャレにならない激励は当然のように部下を死なせてたまるかという決意に転化された。


十一時三十五分。

国道16号線を大型バスの輸送車三台と四駆の指揮官車で南下していた第一機動隊第一中隊に、機動隊庁舎から無線連絡が入った。

『県警本部より出動命令が出ました！　横須賀基地近辺にて市民の救助及び避難誘導に当たれとのことです！』

庁舎の留守を命じた副隊長からのその報告に、滝野はほぅっと溜息を吐《つ》いた。出動を命令が追いかけた形だが、これで先走った形の前進待機は不問に付されるだろう。

だが、思ったより早い正式命令は状況の厳しさを同時に語っている。巨大エビ来襲と語った明石の話は本当なのか。部下には一応そのままを話してあるが、全員が半信半疑で聞いていた。明石の嗅覚に実績が伴っていなければただの与太《よた》で終わる話である。

『未確認の巨大甲殻類が大群で市街を徘徊《はいかい》中だそうです！』

滝野の指揮官車に同乗の中隊長と二人の伝令が息を飲む。

頭の固い県警本部がそれを認めたか。だとするといよいよ本物だ。

残留部隊も追って出動するように指示し、滝野は一旦《いったん》通信を終えた。

「隊長……」

西宮《にしみや》中隊長が何を問いかけるでもなく声をかける。その硬い声に含まれた意味合いは一つだ。

、、、、、、、
機動隊で勝負になるのか。機動隊で想定されている警備対象は、人間と災害だけだ。未知の巨大生物など想定外もいいところである。

『ウルトラ警備隊ですね、我々は』

全車共通の無線に乗った飄々《ひょうひょう》とした声は、後続の輸送車に乗っている住之江《すみのえ》第一小隊長だ。

『違いない！　ヒーローとしゃれ込みましょう！』

すかさず応じたのは魚崎《うおざき》第二小隊長である。一機でも一、二を争うお祭り気質は部隊の士気を上げる重要な個性だ。

滝野は西宮中隊長の生真面目な顔に唇の片側で笑った。「ここはお調子者どもに乗せられておこう」そして助手席から手を伸ばして無線のマイクを取る。

「何かと不祥事の多い我が県警だ、たまには活躍して汚名返上と行こう。気張れ！」

やがて部隊は、横須賀本港を目前にした横須賀トンネルの手前で完全にその前進を停めた。

ちょうどJR横須賀駅を左手に見る位置である。

隊の車列はトンネル（恐らくトンネルの向こう）から続く大渋滞の最後尾に着けた形であり、詰まった車の間を逆行して逃げてくる人々も少なくない。

「こりゃ動きませんよ」

運転していた滝野付きの伝令、立花《たちばな》巡査部長がハンドルを手放す。路上にぎっしり詰まった車は既にほとんどが乗り捨てられた後だ。

「全隊降車！」

滝野も指示と同時に指揮官車を降り、伝令二名はポータブルの無線機を肩にかけた。

県警本部が現場指揮所を設置するまで、滝野が発令所となり中・小・分隊長の伝令を介して全体の警備を指揮することになる。情報を集約する本部がない状態での指揮など混乱必至だ。その状況で一体どこまでやれるか。

とっとと来やがれよ、明石。

しゃしゃり出てくるに決まっている明石に滝野は内心毒づいた。のらりくらりと立ち回って最前線の指揮所に割り込むのは明石の得意技で、今も割り込もうとしているところだろう。

そして明石が割り込めるかどうかで滝野たちの運命も変わる。

「先に出てる警邏《けいら》が現場にいるはずだ、何とか連絡取れ！」

指示を出しながら滝野は指揮官車のトランクから大盾を出した。クリア素材の新式ではなく旧式のジュラルミン盾だ。銃弾相手では二枚重ねても貫通するが、取り回し次第で武器になるので被弾の心配がない状況ならこちらのほうが使い勝手がいい。

「エビってガス効きますかね⁉」

「持てるもんは持ってけ、いざとなりゃ目視照準で飛び道具にしろ！」

人が相手でないだけにガス分隊も戸惑い気味だ。

全員が大盾を装備し、滝野が隊長陣頭指揮の伝統に倣って最前列に立った。

と、そのとき立花が叫んだ。

「警備課、明石警部より！」

このタイミングなら警邏からの情報まとめの報告だ。そうしたところは抜け目がない。

「急行した警邏は現時点で殉職九名！」

全隊が大きくどよめいた。一機出動までに三十分と掛かっていない、そのわずかな間に殉職九名とはただごとではない。

「市民を救助しようとして……食われたとのことッ」

立花の声が震えた。人に対して食われるという表現が使われたことは衝撃だったらしい。

「射撃は距離と着弾数によりある程度有効！　単独での対処は不可能、複数で当たられたし！　逃げ遅れた避難者は横須賀ダイエー及び横須賀プリンスホテルに誘導中！　以上！」

「これより二手に分かれて本町三丁目歩道橋付近へ向かう！　ダイエー側と横須賀プリンス側から回り込み、現地の避難を援助！　単独行動は厳禁、必ず分隊単位で活動せよ！」

ショッキングな報告に現実的な指示を畳みかけて、滝野は隊を二つに分けた。滝野は海際に近いダイエー側を率い、横須賀プリンス側は西宮中隊長に一任する。

西宮の隊は反対車線側のトンネルを抜けるルートに向かい、滝野は隊を率いてトンネル手前の踏切から湾沿いのヴェルニー公園に入った。踏切を渡る道は裏路地のように細く、こちらを流れてくる避難者は少ない。

駅舎前のロータリーを突っ切り公園内へ入るや、

マジかっ！　若い隊員たちの叫びがいくつも重なった。気持ちは分かる、話は聞いていても実際見るとなると——これは何という非現実な。

赤い殻の巨大なザリガニが行く手のあらゆるところを蠢いている。ブロックがモザイク模様に組まれた遊歩道。植え込みの芝生。手入れの行き届いた花壇。有料道路の高架下。

逃げ惑う人々を追ってありとあらゆる場所を我が物顔に這い回り、群れて地面をつつき合う。つつかれているのは人体だ。路面に生々しい赤が滴り、あるいはずるりと長い内臓が地べたに引き出されている。

げえっと数人が反射的に嘔吐《おうと》した。事故現場などで凄惨《せいさん》な遺体を見る機会はあっても、現在進行形で食われている最中の人体は衝撃が段違いだった。

近くでつつかれていた人体の手が動いた。隊のほうへ向けて。

はらわたをつつき出されている最中で、もはや声も出ない。しかし弱々しいながらも明らかに意志を持った動きで、瞳孔《どうこう》の開きかけた虚《うつ》ろな目は確かに隊を向いている。

その虚ろな眼差しを受けて滝野は迷った。

助けるべきか。

ほかにもザリガニから逃げ惑っている市民が大勢いる。広域避難場所に指定されているこの公園へ逃げ込んでくるのだが、避難場所とはいえシェルターのような防護施設があるわけではない。ザリガニの足から逃げ切れずあちらこちらへ追い詰められる。年配者や女子供は群れをかわして振り切る脚力もないだろう。

この状況でもう助からないと明確に分かっている者を『救助』すべきか。

見放すほうへ天秤《てんびん》が傾きかけたとき、魚崎小隊長が叫んだ。

「隊長！　要救助者は俺たちを見ていますッ‼」

その怒号は建前を完遂させる決断へ滝野を突き飛ばした。

見捨てられたことを要救助者の最期の記憶にするのか。

ヒーローとしゃれ込もうと言った魚崎の鼓舞を承認したのは滝野だ。

「各分隊は市民をダイエー店内へ誘導せよ！　一分隊俺に続け！　突入ッ！」

叫んだ滝野は、男か女かさえもう分からない瀕死の要救助者へ突進した。走った勢いのまま、要救助者に圧《の》し掛かるザリガニの顎《あご》を大盾の角で撥ね上げる。人間相手に本気で振るえば頸椎《けいつい》への致命傷になりかねない打撃であり、それゆえに本気で振るったことはない。しかし、今回ばかりは手加減なしだ。

要救助者をつつき食らうことに没頭していたザリガニが不意を打たれて後ろへよろめいた。そのすぐ横で魚崎がもう一匹を退《しりぞ》かせる。

追いついた隊員たちが数匹のザリガニを相手に盾を振るいはじめる。力任せの打撃を次々と重ねられ、怪物がさすがに怯《ひる》んだ。

「要救助者、引っ張り出せ！」

伝令役で盾を持たない立花が救助者の上体を羽交い締めに確保する。引っこ抜こうとするが、

「駄目です、引っかかって……！」

「保たせろ！」

周囲の隊員にザリガニの支えを任せ、滝野は自分も要救助者を引っこ抜く側に回った。

「全員、エビを押しやれ！　一、二の三ッ！」

三カウントで全員が猛打に出た。その隙に滝野と立花で力一杯引き抜く——と。

ボキリと嫌な音がして、要救助者を引き抜く手応《てごた》えがずるりと軽くなった。

ヒッと立花が息を飲む。

要救助者は腰から引きちぎれて上体だけが引き出されていた。つつかれて腰椎が脆《もろ》くなっていたのか。見ると、引きちぎられた腹の中は素人目にも部品の欠落がありありと分かるほどにがらんどうだ。

滝野らが駆け寄るところは見たのか。救助が来たと思いながら逝ってはくれたか。

滝野は手袋を取り、救助者の鼻孔《びこう》の下に指を当てた。息はない。虚ろに開かれたままの目を閉じさせる。

許してくれよ。心中呟いて黙禱《もくとう》する。ここに残せば欠片《かけら》も残さず食われるだろう、だが隊に遺体の回収ができるほどの余裕はない。

死者に生者を優先させるほかないのだ。

「要救助者、死亡！　他隊救助活動の援助に移る！」

滝野の宣言に、「よーし、弾けッ！」魚崎の号令でもう一度隊員たちがザリガニを押しやる。押しやった隙に全員が離脱した。

ザリガニどもは差し当たっての餌があるからか、追いすがろうとはしない。上下のちぎれた人体にのその這い寄るザリガニに全員が目を眇《すが》める。

しかし、どうにもできないことは全員が理解していた。餌を確保していない個体が既に隊を新たな獲物として認識し、こちらへ向かってくる。

「隊列組め！　盾にて防護しつつ前進！」

滝野率いる分隊は、市民の救助に当たる仲間たちとの合流を目指して凄惨な現場を駆けた。

＊

事態が発生して二時間——発令所の無線は沈黙したままだった。

「どこもかしこも……」

夏木は潜望鏡を一周させて冬原と交替した。埠頭はもちろんのこと、対岸のヴェルニー公園にも巨大なザリガニがぞろぞろ歩き回っている。

その公園を機動隊が突っ切っていったのは三十分ほど前である。

市民を救助しつつダイエーへ逃げ込んだようだが、それまでに出た犠牲者は公園内だけでも少なくない。十五分に一度潜望鏡を上げていた夏木たちが確認しただけでも数十名は下らないはずだ。

それにしても潜望鏡で視認できる範囲はごくわずかで、地域でどれだけの犠牲者が出たのか想像するだけで空恐ろしい。そして観察するだけで何もできない状態もきつかった。

「警察は案外動きが速かったけど、我が自衛隊はどうなってんだか……」

冬原が潜望鏡の倍率を把手《とつて》のダイヤルで変えながら呟く。潜望鏡の向きは逸見庁舎のほうだ。潜水艦隊司令部のある船越《ふなこし》庁舎はこの埠頭からでは見えない。逸見には地上と湾から敷地内に入り込まれたようだが、騒ぎが起きている様子はない。

その代わり桟橋に停泊していた艦が数隻動いており、その動きからすると艦を湾側に対するバリケードにするつもりらしい。

だとすると逸見庁舎は放棄して、地上の防衛線は奥まった長浦庁舎以降か。敷地が一般道に接している逸見庁舎で火器による迎撃は避けたいところだろう。

「逸見はどうやら放棄されたね」

冬原も夏木と同じ結論にたどり着いたようだ。つまり、この推測はそう外していないということである。

「向こうはスクリュー回るのかな」

「動いてるのが大型艦だけだからな、質量と出力に物言わせて無理矢理動かしてんだろ」

潜水艦と水上艦では排水量が同クラスでもエンジン出力が一桁《けた》違う。『きりしお』に不可能な力技も多少の破損を覚悟すれば押し通せる計算になる。

「警備隊で守りきれるかねえ」

「どっちにしたって陸自が出なきゃどうにもなるか」

夏木はつまらなそうに吐き捨てた。横須賀警備隊は総員四百名を数えるし、地上戦用の装備もある程度は持っているから、防衛線の設定によっては基地防衛くらいは可能だろう。

だが、基地だけ防衛して済む話ではない。市街に上陸した群れに対処するのはどう考えても陸自の分野だ。警察では荷が重すぎる。

「正直なとこ、救助はどうなると思う」

夏木が尋ねると、冬原はしかめ面で頭を掻《か》いた。その表情が難しいと答えている。

「横須賀じゃなきゃよかったんだけどね」

第二潜水隊群司令部が米軍側の敷地にあることが事態を一層複雑にしている。自衛隊の出動許可に加えて米軍基地への立ち入り許可の問題が出てくるが、艦が『敵』の包囲下にある以上、救助活動は同時に軍事活動にならざるを得ない。

自衛隊法八十一条の二により、自衛隊及び米軍施設の警護のための出動は認められているし、実際有事を想定した訓練も行われてはいるが、在日米軍司令部が存在する横須賀基地で事実上の軍事活動を米軍が自衛隊に許可するかどうか。

「かと言って米軍に救出依頼しても相手にその余裕があるとも思えないしね」

ザリガニの群れの掃討と『きりしお』救出、一つでさえ難しい案件が二重に絡んでいることが悲劇だ。

「救助、来ないんですか」

夏木と冬原は弾かれたように発令所の入口を振り返った。そこに立っていた少女がその勢いに飲まれたように体を引き加減にする。背の高いショートヘア、子供たちの中で唯一の女子だ。

冬原が非常時の連絡のために発令所の場所を教えていたのだが、口頭だけの説明でここまでたどり着いたようである。聞き分けがよくてしっかりしているのはいいことだが、この場合はそれが仇《あだ》だ。

「何しに来た、食堂で待機つったろ」

聞かせたくない話を聞かせてしまった引け目で反射的に威嚇の声音になった夏木に、少女は軽く唇を噛んで不本意そうな顔をした。

「子供たちが……そろそろおなかすいたみたいなので。お二人とも全然戻って来ないし」

控えめながらも抗議めいた声の色に、夏木も皮肉で返す。

「そりゃ申し訳なかった、こっちゃガキのミルクの時間を気にする癖はついてないもんでな」

少女の表情がもう一段不本意になった。

「大人気ないよ、夏。食事を気遣ってやらなかったのはこっちのミスだ。悪かったね、君」

冬原が割って入り、座っていたソナー席から立ち上がる。

「食事の用意しようか、俺たちも不慣れだけど」

だが、逆に少女は発令所の中に踏み込んできた。

「救助は来ないんですか」

繰り返された問いに、冬原が一瞬顔をしかめてから笑った。面倒なことを端的に片付けようとするときの表情の流れである。

――でも、こういうのに女はころっと騙《だま》される。

夏木は処理を冬原に任せて静観した。

「来ないわけじゃないよ、安心して。通信が混乱してるだけだからね」

冬原の優しげな声に少女は頑《かたく》なな表情で首を振った。

「嘘。そういう話はしてなかった」

冬原に煙《けむ》に巻かれない女は初めてだ。しかもガキのくせに、と夏木は少し姿勢を正して少女に向き直った。

「おなかがすいたのもあるけど、みんな不安になってるんです。全然説明してもらえないし。食堂のテレビ見てたら市内すごいことになってるし」

「あ、もうニュースになってるんだ？」

訊いた冬原に少女が頷《うなず》く。

「街中、あのエビが這い回ってて。犠牲者もいっぱい出たって」

犠牲者という言葉を口に載せた瞬間、少女の顔が失敗した表情になった。

そっと夏木を窺ったその眼差しは艦長の件を気遣っていることが分かりやすすぎて、夏木は険を含んだ溜息と共に横を向いた。

小娘に気遣われるほど落ちぶれていないことをどのように思い知らせてやろうか、と投げる言葉をいくつか考えるが、気の利いた言葉が浮かばないので結局何も言わない。

少女が冬原に言い募る。

「救助はいつ来るんですか。私たち、いつまでここにいることになるんですか」

「しっかりしてそうだとは思ってたけど、やっぱりチョロくないねぇ君」

冬原が苦笑混じりにそう言って少女を手招きした。

「適当にその辺座って」

冬原は説明する気になったらしい。冬原が最初から妙にこの少女に甘いのは気に食わないが、夏木も異議は差し挟まなかった。

適当に座っても何も、所狭しと機材が詰め込まれた部屋だから座れる場所は限られている。少女は恐る恐る入ってきて手前の通信席に腰を掛けた。


「そう言えばそっちのことも全然まだ聞いてなかったよね。君、名前は？」

尋ねた冬原に、少女は「もりお・のぞみ」と名乗った。字面は森生《もりお》望《のぞみ》。

子供たちは町内会のイベントで桜祭りに来ており、望は弟の付き添いで参加していたという。自由行動で一度引率の大人たちと別れたところへこの事態が勃発《ぼっぱつ》して、望が目に付いた近所の子供たちに声をかけて逃げていたらしい。

「じゃあ、君が子供たちの引率責任者ってことで話すよ」

手加減をしない声になった冬原が、率直に述べる。

「現時点で早い救助は望めない」

その話に森生望はさすがに青ざめたようだった。

「どうしてですか。市民が乗ってるのに」

責める手前で踏みとどまっている口調が彼女の必死の自制を示している。

「場所が難しすぎるんだ、ここは。これが海自側の埠頭なら何とでもなったんだけどね。それに市街の被害を収束しないとこっちまで手が回らないと思う。この艦は食糧も水も電池も充分残ってて当面の立てこもりが可能だからね。安全なほうが後回しになる理屈は分かるだろ？」

「いつまで後回しになるんですか？」

「それは市街の収束次第。明日か、三日後か、十日後か、一ヶ月後か……望ちゃんはどの辺に賭《か》ける？」

おどけた冬原の言葉に望は応じる余裕もないらしい。鼻白んだその様子に夏木はそっけなく言い放した。

「何しろ、遺体が食われてなくなることが分かってるのに艦長の回収もできないんだからな。どれだけ状況が厳しいか分かるだろ」

「こらこら夏木、無駄にいじめない」

「単なる事実だ」

望は唇を噛んで俯いた。何かこらえるときの癖らしい。

あーあ、という表情で冬原が夏木を一瞥《いちべつ》する。大人気ない、と目で言われるのが癪《しゃく》だ。

「でも、子供が取り残されてるのに——警察も自衛隊も動いてくれないんですか」

大人への不審を率直にぶつけられ、夏木は苦い思いで望から目を外した。弱い者を守るために存在している組織が何もしてくれない、しかもそれは主に政治的な問題による。安全なほうを後回しにするというのは大人の側には態《てい》のいい言い訳だが、結局弱い者に割を食わせているだけの話だ。冬原も痛かったのか、笑顔が苦くなっている。

子供や子供たちの親からすれば、ザリガニの群れの中に孤立した潜水艦内など「安全」には程遠い。その事実は何のために自衛隊が存在するのだという自戒を迫らずにはいない。

今すぐに子供たちを助ける手段も人員も戦力も存在するのに、それができないのはただ偏《ひとえ》に「大人の都合」だ。

「……お前らが取り残されてるの、ニュースで言ってたか」

夏木の問いに望が首を横に振る。まあそんなとこだろうな、と夏木は呟いた。実にまったくつまらないほど予想の通りだ。

怪訝な顔をした望に冬原が答える。

「つまりね、俺たちが総監部に入れた民間人未成年の艦内置き去りの報告は、まだ内部で秘匿されてるってこと。警察のほうにもまだ話は伝わってないんじゃないかな」

「どうしてですか？」

「握りつぶしたほうが話が面倒くさくないからに決まってんだろ」

夏木が言い放す口調に、また望が唇を嚙む。夏木は構わず続けた。

「湾内に孤立した潜水艦に子供が取り残されてるなんて世間に知れたら、救出しろって大騒ぎになる。けど状況と場所柄的にすぐに救出できるかどうか難しい、もたつけば世論に叩かれることは目に見えてる。できることなら情報が混乱していて知りませんでしたってシラ切りたいだろうさ」

「そんな……」

望の悪気なく愕然《がくぜん》とした声が痛くて夏木の声はますます素っ気なくなった。

「今の状況だと桜祭りに来た子供たちの安否なんて確かめる方法はないからな。市街の混乱に巻き込まれてるのかもしれないし米軍基地の中で保護されてるのかもしれない。あるいは既に犠牲者の中に入ってる可能性だってある。知らぬ存ぜぬを押し通すのは簡単だし、そのほうが楽だ」

「自衛隊ってそういうところなんですか」

咎《とが》めるような声に夏木は答えなかった。政治的判断によっては「そういう」方針に流れないと言い切れないのが辛《つら》いところである。

そういうところじゃなくありたい、と願っているのはどこまでか。

今、この艦の中から自分たちには何ができる。

「安心しろ。お前らは無事に帰す」

夏木は席から立ち上がり、発令所を出ながら冬原に声をかけた。

「森生と食堂に戻って子供たちの名簿作っといてくれ」

居住区に寄った夏木が食堂へ戻ると、冬原と望が子供たちに連絡先と名前を書かせてリストを作っている最中だった。

「名簿できたらこっちくれ」

声をかけると、望が夏木に向き直った。

「携帯、私も持ってますから。私が家に電話します」

唐突な主張に夏木が怪訝な顔をすると、冬原が口を添えた。

「やりたいことは分かるけどさぁ。おんなじ結果が出るなら、もうちょっと巧《うま》く立ち回っても許されんじゃないの？　別にお前が泥被らなくてもさ。セイル出りゃ電話なんて誰でもできるんだし、事故に巻き込まれた子供が家に連絡すんのってすげぇフツーのことじゃん。別に誰も責めやしないよ。ねー？」

ねー？　というのは望に向けられ、望もこくりと頷く。

何だ、いつの間にかつるみやがって。夏木は毒づきながらも手に持っていた携帯をポケットに突っ込んだ。

望の表情がほっとしたように少し緩む、それがまた癪で夏木はますます腐った。冬原が夏木の意図をどういうふうに望に吹き込んだか予想はつく。

ああ見えて、けっこう情に篤《あつ》いからさ。君たちのために自分の将来フイにしようとしてるんだよね一。想像するだに痒《かゆ》い。そんなことを吹き込みながら、だから自分が代わろうとは絶対言い出さないのが冬原だ。

別にお前らのためじゃない、と言い訳するタイミングは見つからない。

やがて手書きの名簿が出来上がった。

森生　望　高3（17）
遠藤《えんどう》圭介《けいすけ》　中3（15）
高津《たかつ》雅之《まさゆき》　中3（14）
吉田《よしだ》茂久《しげひさ》　中3（14）
坂本《さかもと》達也《たつや》　中2（13）
木下《きのした》玲一《れいいち》　中1（12）
芦川《あしかわ》哲平《てっぺい》　中1（12）
森生《もりお》　翔《かける》　小6（12）
中村《なかむら》亮太《りょうた》　小6（11）
平石《ひらいし》龍之介《りゅうのすけ》　小5（10）
野々村《ののむら》健太《けんた》　小4（9）
西山《にしやま》　陽《あきら》　小4（9）

西山《にしやま》　光《ひかる》　小1（6）

住所は全員横須賀市内の同じ町内で、森生姉弟の他に一番年下の西山姓の二人が兄弟だ。

名簿ができたところで発令所に移動する。全員が入ると壁際に寄らせてもかなり窮屈だ。

冬原が潜望鏡をセイルからわずかに出した位置で一周させて、上にザリガニが乗っていないことを確認する。

そして夏木がまず昇降筒を上った。

ハッチを開けてセイルから上半身が出る構造になっている上部指揮所に出ると、眼下の海は見渡す限り薄赤く染まり、埠頭にも対岸の公園にもザリガニがうじゃうじゃ蠢いている。一体何の冗談かと思うような光景だ。

艦長の閉めたハッチを窺うと、もうそこには何かが起こった痕跡《こんせき》さえも残っていなかった。

その何事も残していない光景が逆に目を眇ませる。

やがて望が冬原に後ろをフォローされる形で上ってくる。上部指揮所は三人も上れば一杯だ。望が恐々と下を見下ろす。ザリガニが上ってくる様子はないが、甲板にぎっしりと這い回っている。

「オッケー、じゃあ電話して。言うこと分かってるね？」

最後に上がった冬原が望に指示し、望も頷いて腰に付けたバッグから携帯を取り出す。夏木が外していた間に打ち合わせまで済ませていたらしい。

回線が混雑しているためか繋がりにくかったようだが、数回掛け直して何とか繋がり、望が話し出した。

「もしもし、望です。……はい、大丈夫です。翔も一緒。今、米軍基地で自衛隊の潜水艦の中に避難してます。……うん、米軍基地の中だけど自衛隊なの。潜水艦だけは米軍基地のほうにいるんだって」

ソツのない事前情報は冬原が与えたのだろう。微妙に棒読みだ。夏木が冬原をちらりと見ると、冬原はにっと笑って組んだ腕の下から小さくVサインを出した。

「今、湾の中がエビでいっぱいで、潜水艦が動けないんです。だから閉じ込められちゃってて。町内会の子も何人か一緒で……そう、遠藤くんたちや亮太くん。あと、よく知らない子も何人か。全員の名前と住所言うから控えてください。……ああそっか、住所は町内会で分かるんだ。じゃあ名前だけ」

家族と話しているにしては改まった口調だが、的確に話を進めている。子供としては充分に使える人材だろう。

「で、このこと、警察とか県庁とか……あとテレビ局や新聞社に通報してもらえますか。うん、何か……無線の調子が良くないみたいで、ちゃんといろんな機関に連絡行ってるかどうか確認できないんだって。だから念のため。……あ、そうですね。エビが外にいっぱい取り付いてるからアンテナとか変になってるのかも」

うまい！　と冬原が手を叩く。それが聞こえたのか、望は話しながらちょっと照れ笑いした。

艦に逃げ込んでから初めての笑顔だろう。

　当面の水や食糧があること、エビが艦内に入ってこられないことを説明し、大丈夫だからと言いながら望が電話を切る。

　これで子供たちが艦内に取り残されている状況が外部に知れ渡る。しかもごく自然な成行きで。子供が家に連絡したいと言うのをこの状況で禁ずる自衛官などあり得ないし、夏木や冬原が直接外部へリークするよりもずっと「お叱り」は軽いだろう。

　再び発令所に下りてから冬原が子供たちに訊いた。

「携帯持ってる子、望ちゃんのほかに何人いる？」

　冬原の問いに年かさの少年二人が手を挙げた。中三のうちの二人だ。

「俺らのも貸すからみんな順番に上がって家に電話しな。それ終わったらごはん作ろうね」

「オレ、貸さねーぞ」

　声を上げたのは遠藤圭介だった。望の次に背が高く、我の強そうな顔立ちをしている。

「充電器、持ってきてねぇもん。どうせみんな話が長くなるに決まってるし、電池減っちゃうじゃん。いつまでここに閉じ込められてるか分からないんだろ？」

　冬原が軽く片目を眇めた。

「随分と合理主義なお子だね君。その教育は誰の賜物かな？」

「やめろ、冬原」

　夏木は言いつつじろりと圭介を睨んだ。

「細いクソしかひり出せないようなケツの穴のガキ相手にすんな、大人気ない。持ってない奴には俺とお前が貸せば済む」

「うるせーよおっさん！」

圭介が顔を真っ赤にして怒鳴る。思春期の少年に下品な揶揄《やゆ》は痛烈だったらしい。

「お前は自分の電話を後生大事に使ってろ。ただしそういう了見で人の持ち物は当てにしない
よな？　こっちは充電器持ち込んでるから電池切れの心配はないけどな」

悔しそうに唇を歪《ゆが》める圭介。冬原が呆《あき》れた顔をする。

「どっちが大人気ないんだよ」

「うるせえ！　早くお前も携帯持ってこい！　持ってないのはどいつだ⁉」

近くに立っていた少年に夏木が携帯を突き出すと、圭介が怒鳴った。

「そんな奴から借りるな、茂久！　お前にはオレらが貸してやる！」

受け取りかけた吉田茂久は慄いたように手を引っ込めた。

夏木は携帯を持っているというもう一人の少年を睨んだ。やはり中三の高津雅之である。

「お前も貸さないクチか」

雅之は圭介と夏木を素早く見比べて、夏木からふいと目を逸《そ》らした。

「オレ、電池減ってるもん」

「じゃあお前も後生大事に使っとけ」

吐き捨てて夏木は別の子供に携帯を渡してセイルを上った。待っていると一番に上ってきた

のは中三の三人である。

「聞くなよ、人の電話！」

圭介に噛みつかれて一瞬怒鳴りつけてやろうかと思ったが、それも大人気ないのでセイル上に上って距離を取る。

三人が話し終わって下に戻ると、今度は年下の子供たちが冬原の補助付きで上がってきた。全員が話し終わってから最後に夏木がハッチを閉めて下に戻ると、

「あの、これ」

望が夏木のところへ来て、厨房から持ち出してきたのか絞ったタオルを渡した。怪訝な表情をした夏木に、自分の左頬をとんとんと指で叩く。

その仕草で、前部ハッチを開けたときザリガニのハサミにやられた傷を放置していたことをようやく思い出す。鈍い痛みは慣れてしまってもう意識しなくなっていた。

「……悪い」

タオルを受け取って傷の上に走らす。と、強くこすり過ぎたのか予想以上に鋭い痛みが弾け、思わず体が前屈する。

「あの、叩くようにして……」

ありがたい忠告に従って傷を叩くが、望の目が夏木の頬から離れない。血糊《ちのり》が取れていないようだ。見当だけで下顎を拭《ぬぐ》うが、もどかしいのか望が「すみません」とタオルを取り上げた。

夏木の拭っていた場所とややずれたところを軽く拭きとる。

「使いますか」

次に差し出されたのは絆創膏《ばんそうこう》だが、何やらファンシーな色柄がプリントされている。

「……いや、それはいい」

望は素直に引っ込めたが、冬原がにやにや笑いながら声を掛けた。

「なになに、もらえばいいじゃん」

「てめ、分かって言ってんだろ」

男がこんなもん顔に貼れるか、とはさすがに望の厚意の手前言いにくく、夏木は苦って冬原を睨みつけた。

一日目、午後。

*

命からがら、であった。

市民の誘導保護とは言いつつ機動隊に甲殻類を圧倒する装備がない以上、基本的には相手をかわして逃げるしかない。催涙弾も人間を死傷させせない程度の成分でしかないので大した効果は上がらず、近距離で発射される弾丸そのものの打撃力を飛び道具として使用するのみだ。

それも初速が速くないので当たっても敵を一瞬怯《ひる》ませるだけ、振り撒《ふま》かれる催涙ガスが逆に隊員たちを苦しませるというおまけ付きである。

それでもその怯む一瞬を稼ぐためにガス筒を多用せざるを得ず、本町三丁目の交差点近辺は催涙ガスの煙幕が立ち込めた。ネットガンや高圧放水銃もあるにはあるが、ネットガンは混乱した現場で再装塡《そうてん》の余裕がなく一発撃ちっ放し、放水銃も配備数が少ないため全体を援護するには至らず、自分の首を締めると分かっていても飛び道具としてのガス筒に頼るしかない。

基本的にガス筒が敵陣に撃ち込む前提のものである以上、ガスマスクは機動隊の基本装備に入っていない。白い絹マフラーでせめて鼻口を覆うがガスを完全に防ぐことは不可能だったし、そもそも目は覆いようがない。

涙と鼻水にまみれ、激しく咳《せ》き込みながら隊員たちは煙幕の中を駆けた。救助誘導する一般市民はガスの猛威で呼吸困難に陥って動けなくなることもしばしばで、その場合は要救助者を担ぎ上げての疾走である。気持ちの上では壊走に近い。

くそっ、お前らなんか、
滝野《たきの》は老人を負ぶいながら歯を食い縛った。

俺がガキの頃にスルメで釣ってたような奴らのくせに。

実際、甲殻類は間近で見れば見るほどザリガニそっくりだった。

目は熱く腫《は》れ上がり、鼻水は最早することもできない量で、マフラーはぐっしょり濡《ぬ》れている。特攻隊を模して採用したという絹マフラーが鼻水漬けとは泣ける話だ。

「隊長ッ、あと少しです頑張ってください！」

隣で支えるのは魚崎《うおざき》か。

「こっちです！」

煙った敷地を仲間の声を頼りにダイエーの正面玄関に駆け寄る。開け放たれたガラス扉の中に転がり込むと、待機する隊員がすかさず扉を閉める。吹き抜けガラス張りの出入り口ホールは、店舗資材で内側からバリケードを築いて補強されている。

リノリウムの床に膝《ひざ》を突き、滝野が負ぶった老人を下ろすと、テナント飲食店の協力でもう数が準備されているのか、すかさずバケツ水が運ばれてきた。

「顔を洗ってください、よく目をすすいで！　終わったらすぐに二階へ！」

老人が隊員の指示で顔を洗い、滝野も別のバケツに顔を突っ込んだ。頭ごと沈めて水の中で激しく目をしばたたく。

突入してからほぼ一時間が経つ。全隊がひっきりなしに救助を続けて、そろそろ要救助者は見当たらなくなってきた。

後から出動した一機本隊も被害範囲を区域分けして一個中隊以上の単位で担当し、民家などに取り残された市民の避難誘導に当たっている。中原区の二機は防衛線を固める任務に就いているらしい。異例に手早い采配《さいはい》には明石《あかし》の影がちらつく。

「どうだ」

自分の出動していた間の救助状況を省略しすぎの問いで尋ねると、入り口を固めていた隊員の一人が答えた。

「隊長の回収した救助者を含めて新たに四名回収、内一名が重傷者です。レスキューにヘリを要請しました」

その報告に滝野は思わず目を見張った。

「よく今まで……」

重傷者が生きていたものだ、という述懐は胸に収める。

回収し得る重傷者は初期段階であらかた回収したはずだった。それらの重傷者はレスキュー隊のヘリ出動を要請してすでに屋上から搬送済みである。この時点で発見されなかった重傷者は運がなかったのだと救助側が割り切るしかない状況だった。救助が間に合わぬまま事切れて貪《むさぼ》られた者も多かっただろう。

しかしそれはもう気にしても仕方がない。自分たちは義務を果たしたし果たしているところなのだと敢《あ》えて目を逸《そ》らすほかなく、救助活動は車などに取り残された者の回収に移行した。

今まで発見されなかった重傷者がザリガニの捕食を免れて救助されたのはほとんど奇跡的な話であった。

「警察官です」

「会おう」

滝野の率いる分隊は突入以来立て続けの救助をこなしており、そろそろ休憩が必要なところだ。これを機に十分間の小休憩を命じ、滝野はエスカレーターを二階に上がった。

商品が撤去されたフロアにはエアキャップやビニールシートが敷かれ、負傷者が休んでいる。ほとんどが命に別状のない怪我で、横たわっているのは催涙ガスで具合を悪くした者が主だが、そんな中に血まみれで臥《ふ》せった人影が一つあった。

歩み寄るともう定年が近いような老警官である。滝野が来たことに気づいて右手が敬礼の形を取ろうとぴくりと動いた。それを手で制し、滝野はその枕元にひざまずいた。

満身創痍《そうい》である。

既に応急処置が終わっているので傷は見えないが、体中が包帯で縛られている。脱がされてそばに置かれた紺の制服は真っ黒に濡れ、絞れば赤く迸《ほとばし》りそうな有り様だ。処置を受けるまでの出血がひどかったらしく、顔色は土気色を通り越して死人の色に近い。

「よく生きていてくださった」

このまま逝ってくれるな。その思いがその言葉を選ばせた。死なないでくださいではなく。

「すぐにレスキューのヘリが来ます。頑張ってください」

老警官はかすかに頭を傾《かし》いだ。頷《うなず》いたらしい。

滝野はまた立ち上がり、下りのエスカレーターに向かった。エスカレーターのそばに立ち番をしている警官二名に敬礼をする。

「すまんが諸君にはまだまだ職務を継続してもらう。気張ってくれ」

救助、または自力で逃げ込んできた警官は、軽傷者まではそのまま店内の警備に就いている。

まだ若い二名の警官はかすかに笑って生真面目な敬礼を返した。

横須賀《よこすか》プリンス側を受け持った西宮《にしみや》隊も、着々と確保する要救助者の数を増していた。

住之江《すみのえ》小隊長率いる分隊が、市バスの中に取り残されていた乗客数名を回収したときのことである。

催涙ガスでたちまち咳き込みはじめた乗客のうち、住之江が抱えていた男児が異様な呼吸音を響かせはじめた。ヒュウヒュウと笛の鳴るような苦しげな息だ。

「この子っ……喘息《ぜんそく》で……」

説明するのは母親か。子供を抱きかかえていた住之江は、自分の胸に子供の頭を押しつけた。少しはマシなはずだ。

「頑張れ、もう少しだからな！」

這《は》い回るザリガニを煙にまぎれてかわしつつ、横須賀プリンスの通用口を目指してひた走る。

隊員に支えられながら乗客たちもよくついてくる。

と、喘息児童の母親が途中で悲鳴を上げた。

「バッグ……！」

どうやら落としたらしい。

「諦《あきら》めて！」

周囲から寄ってたかって諭されるが、母親は抵抗するように足を止める。

「駄目です、要るんですあれ！」

戻ろうとする母親を隊員が両側から脇を固めて引きずる。抗《あらが》いようもなく引きずられながら母親が叫んだ。

「やめてッ！　吸入器入ってるんですッ！」

「すぐレスキューのヘリを手配しますから！」

「何分っ……かかるんですかッ！」

噛《か》みつきながら母親が激しく咳き込む。保《も》ちません、とその咳《せき》の下から訴える。涙と鼻水にまみれた母親の顔は壮絶で、子供の息はますます異様な音を立てていた。

鈍った速度に乗客の一人が苛立《いらだ》ち叫ぶ。

「我慢させりゃいいだろう、死ぬわけじゃあるまいし！」

一人叫ぶとあとは連鎖だ。「そんな大事なもんなら何で落とすんだ！」言っても仕方のないことを責める論調が臆面《おくめん》もなく叫ばれる。

そう名乗りを上げたのは長田《ながた》隊員だ。「駄目だ！」住之江が言下に禁じる。

「別隊を出して拾わせる！」

「視界が悪すぎます、通ったルート知らなきゃ探せません！　行きます！」

「許さん、分隊行動が絶対原則だ！」

「大丈夫です、自分は短距離で国体に出ました！」

返事になっていない返事を一方的に残し、長田が来た道を駆け戻る。

「関目《せきめ》、守口《もりぐち》、追えっ！」

とっさに隊を分ける指示を住之江が出したとき、長田はその声をはるか後ろに聞いていた。

足で覚えているルートをしばらく戻ると、白い煙の中に女物の茶色いバッグが転がっていた。

が、その上をまたぐようにザリガニが一匹待ちかまえている。

蹴《け》られて中身がどこかへ飛び出したら探せなくなる。決断はほとんど反射だった。

「うおおおおお!!」

吠《ほ》えながら長田は盾ごとザリガニに体当たりした。全体重と加速度を乗せた渾身《こんしん》のタックルに、ザリガニがわずかによろめいた。その瞬間バッグを引ったくり、盾を捨てて飛び離れる。

バッグを脇に抱え込んだまま一転して立ち上がり、長田は前へつんのめるように走り出した。

盾を捨てて身軽になった体は力強いストライドで加速する。重い出動靴も物ともせず、まるで軛《くびき》を逃れたように。

今までで一番速かった。

国体には三度出て一度も勝てなかったが、今日は――ああ、俺はまるでヒーローみたいだ。苦しむ子供のために吸入器抱いて、白いテープ切るよりかっこいいじゃないか。

――と、軽快に流れていた白い景色が突然転倒した。

横転した煙る景色の中を、凄《すさ》まじい形相をした関目と守口が駆けてくる。

おかしい。何で。

膝を何度か蹴り、足が空転していることに気づいた。蹴るべき足が繋《つな》がっていない。

見ると、――右膝から下が消えていた。

膝から滴る赤い海の中、膝と膝下の距離は約一メートル。

そして右側からザリガニが長田にのしかかろうとしていた。立ちこめる煙にまぎれて接近に気づかなかったのだ。

「長田――――――ッ!!」

突っ込んできた関目がザリガニに盾で打ちかかる。その隙に守口が長田を引き起こした。

「持てッ!」

持たされたのは切断された自分の膝下だ。

呆然《ぼうぜん》として受け取りながら、長田は呟《つぶや》いた。

「鞄《かばん》は」

「持った!」

見ると、小さな女物のバッグが守口の肩にかけてある。ごついガタイと華奢《きゃしゃ》なバッグの落差がおかしい。何というユーモラスな。

俺もか。

国体に出たなんて見得を切り、あえなく転倒失格。

ふ、と笑みが漏れた瞬間に、麻痺《まひ》していた痛みが知覚野に押し寄せてきた。

「ああああああああああああああああああああああああ!!」

「頑張れっ、痛い、痛いなっ、頑張れっ!」

守口の励ましも支離滅裂だ。ザリガニを押しやって盾を捨てた関目が反対側を支える。二人に吊《つ》られて運ばれる形だ。

住之江が新たに分隊——いやそれよりはるかに多い人数を率いて駆け寄ってくる。

「ガス隊撃て!」

わずかな時間でどれだけかき集めたのか、射撃目的の水平撃ちが多段に繰り返される。血の臭いに引かれてか集まってきたザリガニどもが怯み、催涙ガスの煙が新たに周囲に立ち込める。

追いついた隊が全員がかりで長田の体を抱え上げた。そのまま駆け足。

「足持ってやれ!」

誰かが長田の抱えた膝下を取り上げようとしたが、

「駄目です離しません!」

長田は切断された足を抱きしめたまま既に失神していた。

ホテルロビーは一気に騒然となった。

「ヘリ要請しろッ！　長田重傷！」「右膝切断！　自呼吸あり！」

人海戦術で怒濤《どとう》のように長田が奥へ搬送されていく。

そんな中、守口に件《くだん》のバッグを渡された住之江は、表情を殺して先ほどの母子《おやこ》に歩み寄った。

ロビーの片隅で壁を背に座っている母子の母親のほうが、慄《おのの》いたように住之江を見上げた。

子供の息は今にも止まってしまいそうだった。横になることもできないのか、座り込んだまま苦しげに曲がっている子供の背中を母親の手は休まずさすっている。

無言で住之江はバッグを母親に手渡した。相手が受け取ってから敬礼する。

深く頭を下げた母親が急いた手でバッグの中を探り、吸入器を取り出した。子供が貪るように受け取り、使う。ややあって異様な呼吸音が収まりはじめた。

立ち去りかけた住之江を母親が呼び止める。

「あの、さっきの方は」

振り返ることはできなかった。——母親は吸入器を探し当てて安堵《あんど》の笑みを浮かべていた。

その笑みを思い、長田の奪われた足を思い、表情が取り繕いようもなくひび割れる。

長田が足を失ったことよりも我が子の発作を案じる気持ちが大きいのは親として当たり前のことだ。当たり前のことだが、今とっさにそれを割り切ることができない。

振り向かないまま住之江は答えた。

「あなた方にとっての正義の味方です」

それが母親の求めた答えでないことは承知のうえだ。母親が重ねて尋ねようとするのを制し、住之江は言った。

「それ以上ご存知になる必要はありません。——お察しください」

正義の味方の末路など救われた側が知る必要はない。

歩き出した住之江の背中に、

「おじちゃん、ありがとう」

弱々しい声がかかった。

住之江は足を止めた。振り向き加減に軽く敬礼をし、

「ありがとう」

お礼にお礼を返されて子供は戸惑っている様子だ。ありがとうにありがとうと返した住之江の気持ちをいつか分かる日は来るのか。

来なくてもそれはそれでいいような気がした。


長田隊員、右膝切断の重傷。

その報告を受けて、滝野は眉間《みけん》に深い皺《しわ》を刻んだ。とうとう深刻な犠牲者を出してしまった。単独行動を取った一瞬の惨事らしい。

全隊に集団行動の徹底を再度厳命したところで県警本部からの通信が入った。立花《たちばな》に無線を

回され、出ると明石である。

『重傷出たって？』

「とうとうな」

一瞬の沈黙が敢えて口には出さない悔やみをやり取りする。

「――そっちはどうだ」

『県警対策本部が設立された。不入斗《いりやまず》公園だ。行政の対策本部も不入斗に来てる』

「不入斗公園？」

米軍基地から二、三キロ内陸の、総合体育会館《横須賀アリーナ》や陸上競技場なども備えた大規模な運動公園である。

『市役所と横須賀署は海に近すぎるもんでね』

通常なら市役所と横須賀署に対策本部が設置されるのだろうが、いかんせんどちらも海沿いで基地からも近いため、ザリガニの被害を免れない。双方拠点を捨てて不入斗公園に合同対策本部を作った次第らしい。

『管区機動隊《管機》の出動も決定した。それから上は渋々だが警視庁の応援もな。防衛線は国道16号から内陸は割らないよう鋭意努力、並行して住民の退避も進行中だ。被害区域に取り残された住民の救出については、知事が陸自に災害派遣を要請したからもう少しそっちも頑張ってくれ。今、陸海空から輸送ヘリをかき集めてるところらしい。数日中には全住民を脱出させる目処《めど》で動いてる』

「自衛隊がもう動くのか」

『救助活動についてだけな。軍事行動については棚上げだ。さっき官邸対策室が立ち上がって
やっと協議しはじめたが……』

濁した語尾の言わんとするところは分かる。

「しかし、現地対策本部の設置くらいは即時決定したんだろう？」

先行した県警・行政の対策本部に合流する形になるだろうが、とにかく国からの支援が正式
に立ち上がらないことには終息しないレベルの災害である。当然、協議開始と同時に真っ先に
決定したものとして投げた質問だが、明石は皮肉な調子で笑った。

『聞いて驚け。ありがたくも内閣官房総出で事件の名称を考えて下さってる最中だ』

「ばッ……」

かじゃねえのか、と吐き捨てたいところを何とかこらえる。こんな話が部下に漏れたら士気
に関わる。

「もういい。防衛線ってなァどうやって作るんだ、被害地域全体に奴らを阻止するバリケード
を作るのは骨だぞ」

『そこはそれ、ゴジラ以来の伝統ってことでね』

「……なるほど、電流か」

応急処置で防衛線上に水を流して高圧の電極を入れたところ、かなりの効果があったらしい。

『ただし、決定打にはならんな。怯ます程度だ。怒って逆に凶暴になる個体もあるようだし。

全線に奴らの致死レベルの電圧かけられりゃいいが、さすがに送電線と電源が保《も》たん。しかし、突破されそうなところだけ局地的に電圧を上げれば奴らの行動範囲をコントロールするくらいできそうだ。今、電磁柵《でんじさく》の設置を急いでる』

「他に何か情報はないか、ザリガニの正体とか弱点とか」

特に後者は切実に欲しい情報だ。しかし明石は無情に言い切った。「情報は皆無だ」出現してわずか数時間では無理もないが、それだけに現地対策本部の立ち上げがもたついていることには苛立つ。地方行政や県警レベルでは情報収集力にも限りがあるというのに。

「くそっ、何で横須賀なんだ」

どこかよその県であってくれたら。率直すぎる恨み言が口をついて出る。

『奴らに訊《き》いてみんと分からんな。偶然か、それとも何かの必然性があったのか……ともあれ現状では不明だ。何か分かれば報告する』

愚痴を質問として処理してくれた友人の気遣いをありがたく受け取り、話を変える。

「こっちの食事の手当てをどうにかしてくれ。腹が減っては戦はできぬだ」

テナントに入っている飲食店の協力で、店内に取り残された市民や店舗関係者の食事は供給されているが、機動隊や警察官の分までは回りきらない。

食事の不公平は最も士気に差し支えるので、全員食べられないのならと機動隊は現在食事を返上中だ。それに横須賀プリンス側も逃げ込んだ市民の分まで食事の供給ができるかどうかは怪しい。

『仕出しは手配中だ、昼飯抜きですまんがもうちょっと我慢してくれ。被災者分も県庁で手配が始まってる』

昼には間に合わなくとも、充分に迅速な手配である。これも明石が本部にまぎれ込んでいるからこそだ。上層部は精神論で空腹が凌《しの》げるとでも思っているのか、こんなとき最前線の食事の手配を平気で遅らせる。

「我慢してやるから特急で寄越せ」

憎まれ口の謝意で滝野は無線を切った。

*

『午前中に発生した横須賀の巨大エビ襲来事件なんですが、先ほど我が「2時ドキ！ワイド」取材班により新事実が発覚しました』

『ええっ、一体何でしょうか？』

『ええ、まずはこちらの映像ご覧ください。こちら、ここの埠頭《ふとう》のところに黒い艦体のようなものが見えますがお分かりでしょうか？　上にエビが這い回ってるのでちょっと分かりにくいですけど、ここ、ここのところですねぇ。これ、海上自衛隊の潜水艦「きりしお」なんですが、何とこれに十三名もの子供たちが逃げ込んだまま孤立していることが分かったんです』

『ええっ⁉』

『それは心配ですねぇー。子供たちは無事なんですか？』

『はい、それでは子供たちの状況を整理したこちらのフリップをご覧下さい』
・小学生から高校生までの未成年者13名が孤立。
・艦内には自衛官2名が同乗。
・怪我・健康状態の問題はなし（現時点）。
・食糧、水などの備蓄は豊富。ある程度の期間の立てこもりは可能。
・停泊場所が米軍施設内であることが救出の障害になるか？
『とまあ、このような状況なんですねー』

『一体どうしてこんなことになったんですか？』

『はい、子供たちは町内会の企画で桜祭りに来ていたんですが、騒動で逃げ惑っているうちに海上自衛隊の潜水艦埠頭に迷い込んでしまったらしいんですねー。ええと、この地図のここのところになります。この赤いラインが子供たちが通ったと思われるルートです』

『米軍基地なのに自衛隊の潜水艦があったんですか？』

『ええ、海上自衛隊の施設はほとんど長浦湾《ながうらわん》側に独立して存在しているんですが、潜水艦関係の施設だけは米軍側の敷地にあるんですね。潜水艦の乗務員も避難するところだったらしいんですが、逃げてきた子供たちを保護するために潜水艦に立てこもったようなんです』

『そのとき子供たちを連れて基地の外に逃げておけばよかったのに……逃げ場のないところに立てこもるだなんて浅はかな判断をしたものですねえ』

『いやーそれは、そのときの状況が分かりませんから何とも言えませんね。かなり年の小さい子も混じっていたようですし』

『それで、その子供たちはすぐに救出するわけにはいかないんですか？』

『ご覧のとおり、湾内にエビが満杯で「きりしお」や潜水艦埠頭にも無数に群がっている状態ですからね。本格的な装備と人員を投入しないとすぐというのは難しいでしょうねえ。また、米軍基地が極度に混乱しているこの現状では、救出のための立ち入りの許可が下りるかどうかという問題が出てきます』

『それにしたって子供たちの身が案じられますねえ。密閉空間に長期間閉じ込められていては、精神的な負担も大変なことになるでしょうしね』

『できるだけ早く救出するべきですよ、何のための自衛隊ですか』

『市街の状況も混乱したままですしねえ。一刻も早い解決を願いたいですねえ』

『はい、それでは次のコーナーは「今日の記念日」です』

〔今日の記念日、なぁ〜に？〕（ジングル音）

「やりおった……」

船越《ふなこし》庁舎、潜水艦隊司令室にて。

持ち込まれたＶＴＲは、つい三十分ほど前に放映された民放のワイドショーを録画したものである。

呟いたのは、米軍横須賀基地内から船越庁舎に拠点を移した第二潜水隊群司令部の群司令、富野《とみの》海将補である。

潜水艦隊司令官、福原《ふくはら》海将が富野に尋ねた。

「情報は子供たちの親からの通報だとのことだが」

「そうした建前を整える程度の目先はあるでしょうな、あの連中なら」

不敵な笑みで答えた富野に、福原も笑った。

「『きりしお』の不良実習幹部か……話には聞いているが、一人でも手に余るものを川邊《かわなべ》君はよく二人も御した」

福原が口にしたのは、子供たちを保護して命を落とした『きりしお』艦長の名前である。

「よく二人も育てた、と言ってやりたいところですな」

川邊艦長麾下《きか》の実習幹部、夏木《なつき》三尉と冬原《ふゆはら》三尉は横須賀を拠点とする第二潜水隊群でも屈指の問題児である。成績は歴代の実習幹部の中でも飛び抜けているが、あれが艦を預かることになったら第二潜水隊群は終わるとまで言われ、引き起こす揉《も》め事のスケールはやたらとでかい。免職処分になりかけたことも一度や二度ではなく、その度に川邊に助命されている。

有事の人材は平時にはいびつなものです。我々は有事の人材をこそ育てるべきです。

二人の処分の軽減を願った川邊のその理屈が今証明されつつあるのか。

海上幕僚監部は元より統幕さえ手をこまねいているしかなかったこの状況を、たかが二名の実習幹部が孤立した艦の中から恐らく動かす。

未成年者の湾内孤立の報は統幕から官邸対策室へ上がっているはずだが、その情報は一向に公にされる気配がなく事態は停滞したままだった。

この一報で出動が決定するものと思っていた管内各基地が臍《ほぞ》を噛んでいたところへ不意打ちのワイドショーである。芸能関係がメインの野次馬的な番組だが、それだけに視聴率も高い。報道もこれに触発されて精力的な取材を始めるだろう。

これが状況の推進力になるか。出動命令さえ出れば、とは切実な隊の思いだ。現状では警察が健闘しているが、解決に本格的な軍事力が必要なことは明白だ。警察では荷が勝ちすぎる。

然《しか》るに官邸対策室では恐らく、内閣の存続に重点を置いた下らない会議が延々と踊っている。

「川邊君の遺《のこ》した部下が状況に風穴を開けるか」

福原が呟き、富野の声にも何かの思い入れが籠《こ》もる。

「惜しい男を亡くしました。遺体の回収さえ叶《かな》わなかったことが無念です」

夏木と冬原から状況の報告とともに川邊艦長救出の要請が入ったものの、結果として救出は間に合わなかった。

最も近い救難隊を急行させても現着まで半時間は要する。横須賀に入港中の艦に搭載されていた哨戒《しょうかい》ヘリを向かわせたが川邊艦長は甲板に発見できず、辛うじて制服の残骸《ざんがい》が付近の海面で回収されただけだった。

発見できたとしても、無数のエビに占拠された艦上から重傷の川邊を救出することは不可能だっただろう。海自に限らず陸・空も、敵の攻撃にさらされながら要救助者を救出する装備と技術は養われていないのが現状だ。

実際問題として、艦内の子供たちを救出するには陸戦部隊である陸自の支援が必要になる。市街のエビの鎮圧にしてもそうである。海は海自、街は陸自の共同作戦となるはずだ。統幕はもう作戦立案に入っているのだろうが、それにしても内閣の決定が下らないことには自衛隊は動かせない。

福原は幕僚たちを見渡した。

「せめて川邊艦長の遺児が開けた風穴を我々が広げるとしよう。自衛艦隊司令部も思いは我々と同じはずだ」

件のワイドショーを船越の会議室で見た人々もいた。『きりしお』から避難した乗員である。避難に伴った民間人は長浦庁舎の衛生隊に引き渡し、乗艦中だった二十数名のほぼ全員が無傷で揃っていた。

すっぱ抜きにも近いワイドショーの内容に全員が無言で見入る。ビデオで何度もそれを再生し、やがて一人が誰にともなく問いかけた。

「これ、奴らですかね」

「それ以外に誰かいるか」

吐き捨てるように答えたのは「奴ら」の腕立てを監督していた村田《むらた》先任海曹《かいそう》である。

「こんな無茶をするバカが奴らのほかに誰かいるか」

内閣が伏せた情報をいきなりマスコミに暴露するなど、思いついてもやるのは艦内に残ったバカ二名くらいだ。

有事の人材は平時はいびつ。村田は川邊艦長の口癖を思い返した。

「あいつら、処分されるかなあ」

不安気な呟きに、村田は目を怒らせた。

「これで処分されるなら海自もいよいよ根っこまで腐《と》ったってことだ」

そんなはずはない。義務を果たすため命を賭した艦長の務めた隊だ。それがそこまで腐っているはずはない。――艦長が逃げあぐねた子供たちを助けるために殉職したことは、既に全員に知らされている。

「にしても、あのコメンテーターむかつくよな」

腹に据えかねたような誰かの発言に、全員が我先にと同調した。

逃げ場のないところに立てこもるなんて浅はかな。社会派で売っているそのコメンテーターの発言である。

じゃあお前ならどうした。

見も知らぬ子供たちを守って死んだ艦長の判断を非難するなら、お前は一体どれほどの名案をあの緊迫した状況下で下せるのか。命懸けで艦長の指揮に従った夏木と冬原を浅はかと罵《ののし》るなら、お前は同じ状況で一体何ができた。

ベストを尽くした結果死んでも叩《たた》く奴がいる。それが自衛隊に務めるということだ。

死んだ者を悪く言わないという良識は、いついかなる条件下でも自衛官には適用されない。墜落寸前の機体を住宅地に落とすまいと粘って郊外へ連れていき、脱出のタイミングを失って死んだとしても翼が電線を切って停電を引き起こしたと非難されるのだ。

「気にするな。艦長の殉職が報道されたらどう手のひら返すか見ものだろうが」

それでも理解してくれる人は理解してくれる。そう信じて義務を果たすしかない。

あのコメンテーターに憤ってくれる人は自分たちの他にもきっといる。

「早く救出したいですね」

また誰かが呟く。

せめて、艦長が命懸けで保護した子供たちを一刻も早く無事に救出したい。それは遺された全員の願いだった。

＊

横須賀市の巨大甲殻類襲来は、内閣危機管理センターに設置された官邸対策室にて『横須賀甲殻類襲来事件』と命名された。事態発生のほぼ五時間後、四月七日、十五時のことである。

同時に現地対策本部の設立も決定。ひとまず警察が主導を執ることとなり、既に応援を開始していた警視庁に加え、警察庁と関東管区警察局からも幕僚団が派遣され、神奈川県警による対策本部に合流することとなった。

警察庁警備部参事官、烏丸俊哉《からすまとしや》警視正を団長とする派遣幕僚団が不入斗公園の現地対策本部に到着したのは同日の十六時である。横須賀市内への交通が麻痺状態のため、幕僚団はヘリによる現地入りとなった。

「これはまた随分と若々しいのが来たもんだね」

陸上競技場に降りたヘリの激しいダウンウォッシュを受けながら、明石は降機した小柄な男を眺めた。同時に降りた周囲の者の態度でそれと分かった烏丸参事官は、役職からして年齢は最低限三十代半ばに乗っているはずだが、その端整な顔立ちはうっかりすると三十前でも通用しそうだ。

明石は烏丸に歩み寄り、正対して敬礼した。

「神奈川県警、明石亨《とおる》警部です。本部までご案内を」

「ご苦労。警察庁、烏丸俊哉警視正だ」

年次が上の者が目下になることに慣れた口調はいかにもなキャリア風情を感じさせる。机上で優秀なタイプがこの事態を仕切れるとは思えないが、さてこのお坊ちゃんはいかがなものか。

「状況を聞かせてもらえるか」

「甲殻類の上陸範囲は、横須賀港を中心として西は吾妻島《あづまじま》まで、東は新安浦港《しんやすうらこう》の港湾沿い付近までとなっております。この上陸範囲の両端から国道16号線を結んだラインを防衛線として、これより内陸への侵攻を阻止する構えで機動隊を配置しております」

「阻止する構え、か」

「断固阻止とは言えませんでしょう、そもそもが警察の対処能力を超えてます」

しれっと言い放った明石に幕僚団のスタッフたちが嫌な顔をする。しかし、烏丸だけは薄く笑った。

「防衛線は守れているのか」

「ぼちぼちですかねぇ。あちこち破られたり押し戻したりですが、基本的には大体守れているというところで……取りこぼした分は警視庁特殊急襲部隊《SAT》の狙撃《そげき》にて対処中ですが、頭を破壊しないと沈黙しませんのでこちらもなかなか難儀してます。全線に電磁柵の設置が完了したらもう少し楽になると思いますが、何しろ今は水と電極でごまかしてる状態ですから」

「電流の案はどこから」

「先人に倣いました」

烏丸が怪訝《けげん》な顔をする。この年代にはそろそろ通用しないかと思いつつ、明石は種明かしをした。

「ご存知ありませんか、ゴジラ」

「明石警部、不謹慎にもほどが……」

幕僚陣が咎めるのを尻目に、烏丸が盛大に吹き出した。

「なるほど、確かに先人だ。目の付けどころがいい」

その後、被害地区の住民の救出手配や避難者への手当て、後方支援状況などを説明しているうちに横須賀アリーナ入口に到着した。

横須賀アリーナの会議室で、神奈川県警と派遣幕僚団による最初の合同警備会議が開かれたのは幕僚団到着の直後である。

警備本部長には豊岡《とよおか》神奈川県警本部長を据え、派遣幕僚団は応援という形だが、作戦指揮官には警察庁警備部の芦屋《あしや》管理官が任ぜられていることから暗黙の序列は歴然である。

明石も県警側の警備情報担当者として末席に出席していた。

本来なら明石の立場で出られる会議ではないが、横から差し出口を挟んでは警備計画を誘導するという立ち回りを繰り返しているうちに、明石以上に全体警備を把握している者がいない状況になっているので出席を許されている。

出席したとはいえ発言権が大してある訳でもないが、現場に利する意見を支持するくらいはできるだろう。

お定まりの顔合わせの後、烏丸参事官が口を開いた。

「さて、この警備において最終目的とは何か」

誰とも指名しない問いかけに、全員が互いを窺《うかが》いながら沈黙している。末席の明石に視線を送ってくる者はいないし、そもそも明石の示唆を好んで受けたがる者は県警側にもいないので、明石はひとり他人事《ひとごと》気分で議場を見渡していた。

「明石警部、答えろ」

突然指名を受けて明石は面食らった。烏丸は挑戦的な笑みを浮かべて明石を見据えており、他の出席者も明石を怪訝に注目している。県警幹部に至っては何でこいつが名指しだと言わんばかりの不可解ヅラだ。

困ったなと内心で苦りながら明石は背筋を伸ばした。

「できる限り速やかに状況を自衛隊にリレーすることであります」

明石の発言に議場の全員が目を怒らせた。特に県警幹部陣は体面もあってかいきり立つ。

「明石警部、何を言うか！」

「警察全軍で総力を上げて対処すべきときに、最初から白旗を揚げるようなことを……」

矢継ぎ早に畳みかけたのは県警の我孫子《あびこ》警備部長と中津《なかつ》警備課長だ。日頃から明石とはソリが合わない最右翼である。同じく警備部の茨木《いばらき》災害対策課長は、発言こそしないがやはり苦い表情をしている。

だから言いたくなかったんだ、と明石は顔をしかめて頭を掻《か》いた。

「しかしですな、最初から揚げなきゃいいって話でもないでしょう。どうせ最後に揚げなきゃならんのなら最初から揚げたほうがよっぽど合理的です」

「合理性の問題か！」

問題だよ、とは思いつつも敢えて明石は切り口を変えた。

「損耗される人員も大問題です。機動隊三万を全滅させても甲殻類の殲滅《せんめつ》は不可能でしょう、一体食い止めるのに一分隊が必要なこの現状では。端《はな》から達成不能な目標のために死ねと隊員たちに仰《おっしゃ》いますか」

更なる反駁《はんばく》を制するように会議机を平手で強く叩く音がした。

　烏丸だ。

「明石警部が正しい」

　昂然《こうぜん》と言い放つ揺るぎない声に、明石以外の全員が呆気《あっけ》に取られた。

　明石としては態《てい》よくダシにされた形で迷惑極まりない。妙な具合に目を付けられたらしいが、これで上からの覚えが更に悪くなることは確実だ。

「治安維持は警察の誇りなどとつまらん意地を張っている場合じゃない。こんな非常識事態で警察と防衛省が貢献度を競い合って何になる。しかるに官邸では警察畑と防衛省畑がまたぞろイニシアチブ争いだ。これに内閣保身の日和見主義まで加わるとあらば、官邸会議など小田原評定も同然だ。結論が出る前に横須賀が終わるぞ」

「烏丸参事官、その発言は問題になります」

　非難の声を上げたのは警察庁の芦屋管理官だ。烏丸は鼻で笑った。

「問題にしてみろ、次期長官の秘蔵っ子を敵に回せるものならな。七光り万歳だ」

　警察庁側の事情は大体飲めた。

　こいつも問題児か、と明石は自分のことを棚に上げて肩をすくめた。ただし、七光りとやらがあるぶん明石や滝野とは格が違うが。普通の神経なら引け目の対象になるそれを逆手に取る辺りも、良くも悪くも——概《おおむ》ねは悪く——格が違う。

「事態は警察の対処能力を超えている」

烏丸は明石が初対面のときに言った台詞《せりふ》をそのまま繰り返した。著作権料でも払ってくれよ、と明石は腐った。

「中期防衛予算がいくらだと思ってる、伊達《だて》や酔狂で高価いオモチャを持たせてる訳じゃない。SATの最大火器がせいぜいサブマシンガン《SMG》にライフル《レミントン》で、向こうは対艦ミサイルだ。矢面に立つのはどっちが筋だ？」

敢えて単純化した問いに誰も答える言葉を持たない。もちろん明石も悪目立ちを避ける意味で沈黙を守る。

「我々の役目は、後で必ず出張ってくる自衛隊のための環境を整えつつ、会議に逃避している官邸に現実を教えてやることだ。一刻も早く戦闘集団としての自衛隊を出動させるべきだとな。異論は犠牲者や遺族の前で述べられる者だけ発言を許す」

一体どういう参事官だ、これは。県警側はさすがに呆気に取られて沈黙したが、幕僚団側はそうは行かないらしい。横暴だ、といきり立つ。

そこへまた烏丸が横っ面をはたくように言葉を放つ。

「米軍が横須賀爆撃の準備を進めていると言っても同じことが言えるのか」

今度こそ完全に全員が沈黙した。ややあって、芦屋管理官がかすれた声を上げる。

「外事からそんな話は来ていません……」

「防衛省筋の極秘情報だ、まだ警察トップの一部しか知らん。それも主導を狙う防衛省の牽制《フェイク》だと退ける一派もあるから我々のレベルまで素直に降りてくる話じゃない」

それを知り得る自分の特権を言外に匂わせて臆面《おくめん》もない。登り詰めるか途中で刺されるか、どちらかしかあり得ない。そういう個性だ。

「そもそもあの血の気の多い人種が節足動物ごときに在日米軍司令部を蹂躙《じゅうりん》されて黙っていると思うのか。日本がこの事態を収拾できなかったら、他国による日本国土への爆撃という屈辱を承認させられることになるぞ」

「しかし、湾内の潜水艦に民間人児童が取り残されているという報道がされました。それでも米軍は爆撃を迫りますか」

豊岡県警本部長が戸惑い気味に投げた疑問を、烏丸は一笑に付した。

「取り残されているのはアメリカの民間人か？」

その一言で回答は充分すぎるほどだった。過去に積み重ねられたやりようが、人道上の期待などたやすく打ち砕く。度重なる誤爆や墜落、日本にいかな損害と衝撃を与えても結果として米軍は厳然と国内に在る。やったもの勝ちの意識は既に双方に根付いており、日本には諦める風土が定着している。

「くだらんセクショナリズムは捨てろ、これはもはや戦争なんだ」

容赦なく突きつけられるショッキングな言葉が反論者を圧倒した。

次に襲うのは危機感だ。主には米軍が爆撃を開始するタイミングについて。問《と》い質《ただ》されて、さすがに烏丸も答える事柄を持たない。

「分かるかもしれませんよ、爆撃の予兆は」

発言した明石に議場の全員が注目した。

〔無題〕：ｒｙｕ　投稿日：04/07（SUN）15:02
　やっと食事が配られましたよ　悪名高き米軍戦闘糧食です　加熱用化合剤の臭いがものすごい！　口をつけられない人もいっぱい（ｗ　そろそろ毛布を配ってくれるみたいです　床から冷え込むのでありがたい！

〔良かったね〕：トム猫☆　投稿日：04/07（SUN）15:05
　ｒｙｕさんは趣味で食べ慣れてるでしょ、レーション（笑）

〔意外なところで〕：ファルコン　投稿日：04/07（SUN）15:06
　悪食が生かされましたね（笑）

〔状況は？〕：イージス　投稿日：04/07（SUN）15:07
　何か動きはあった？
　今はどうしてる？

〔無題〕：ｒｙｕ　投稿日：04/07（SUN）15:12
同じく日本人でここに保護されたグループと合流しました　英語わかる人がいて助かる　どうやら今日はここで泊まりになりそう……
〔がっかりさせるけど〕：イージス　投稿日：04/07（SUN）15:14
今日だけじゃ済まないと思うので覚悟しといたほうが。
市街もものすごい混乱振りだし死者もばんばん出てるし救助は当分望めなさそう。

明石の持ち込んだノートパソコンを対策本部の面々が代わる代わる覗《のぞ》き込む。

「これは？」

「地元の軍事オタクが集う掲示板ですな。ここの常連の一人が米軍基地内でシェルターに保護されている模様です」

「イタズラとかいうことはないのか」

懐疑的に尋ねたのは中津警備課長だが、県警幹部は全員が中津同様に怪訝な顔をしている。ネットに明るくない世代だからだろう。比較的若い年代を含んでいる幕僚団のほうは、あまり抵抗もなく状況を見守っている。

「開設されたのが五年前、このｒｙｕという人物はその当時からの常連のようです。イタズラとしては仕込みが長すぎますな」

「開設した時期自体が捏造《ねつぞう》だったら……」

「ネットで絶対だの確実だのはもちろんあり得ません、イタズラでないとは断言できませんがイタズラだとしても目的が読めませんな。見ている限り、ここを外部へ喧伝《けんでん》するでもなくただ身内で話しているだけですし。閲覧者を示すカウンターの回り方も地味なもんです」

「確実な裏付けのないものを判断の根拠にするわけにはいかんぞ」

「ですから、裏付けを求めるのならこうした草の根的なネット情報を活用することはできないわけでして。要するに匿名のタレコミ程度の信憑性《しんぴょうせい》しかない、嗅《か》ぎ分けるのが我々の鼻であることはリアルもネットも同じことです」

「釣ってみろ」

　烏丸がいきなり割り込んだ。

「一つの情報に完全に依存しなければ問題ない。もし本当だったら基地内部の情報は貴重だ」

　米軍が爆撃を実行するのなら、シェルターに保護した民間人の移送から始めるはずだ。保護されているのは基地在住の民間人が中心の筈《はず》で、さすがに自国民をシェルターとはいえ基地にとどめた状態で爆撃を強行するとは思われない。

「移送するなら厚木《あつぎ》や横田《よこた》に目立った動きがある筈だ。そっちは外事からも捉《とら》えられるだろう。それと突き合わせて判断すればいい」

「しかし、機密を見も知らん奴らに漏洩《ろうえい》することになりますが」
「構わん。どうせネット発のヨタなんかまともな報道は取り合わん。ネタを売り飛ばそうにも裏も取れん情報を取り上げて騒ぐのは得体の知れん三流週刊誌くらいだ。ネット上の身元証明なんぞ国家権力が介入しない限りはまず不可能だし、騒ぎになってもデマだということでシラはいくらでも切れる」
「了解」
答えた明石はキーボードに指を走らせた。

〔はじめまして〕：明石　投稿日：04/07 (SUN) 17:17
突然お邪魔します。横須賀の事件の対策本部から書き込んでいる警察官です。
ｒｙｕ氏に情報の提供をお願いしたくレスさせて頂きました。

反応は激烈だった。恐らく常連は張り付いているのだろう。

〔誰あんた〕：イージス　投稿日：04/07 (SUN) 17:19

イタズラか？　うちは仲間が横須賀の事件に巻き込まれてピリピリしてんだ。
荒らしだったらプロバイダーに通報するぞ。

〔警告〕：ファルコン　投稿日：04/07（SUN）17:19
当掲示板管理人です。
イタズラ目的なら二度と書き込まないでください。
ＩＰは保存してありますのでプロバイダーに通報させて頂きます。

「まぁ、狂言じゃないならごく当然の反応でしょうな」
年配者に聞かせる呟きと共に明石は再び書き込んだ。

〔イタズラではありません〕：明石　投稿日：04/07（SUN）17:20
お手数ですが、神奈川県警に電話して「警備部警備課の明石」を呼び出してみてください。電話番号は県警ＨＰで分かります。
「明石」が存在しなければ通報なり何なりご随意にどうぞ。

次の反応はしばらく間が開いた。

〔本物か？〕：イージス　投稿日：04/07（SUN）17:27
　本人は不在だが警備課に明石って人物がいるとは言われた。
あんたが本物ならどうして県警にいない？

〔返答〕：明石　投稿日：04/07（SUN）17:29
　現地警備対策本部から書き込んでいるからです。
対策本部は指揮の都合上、不入斗公園に設置されています。
（これは既に報道済みです）

〔要求は？〕：ファルコン　投稿日：04/07（SUN）17:33
　プロキシ経由ではないようですし、ＩＰがこちらに握られている状態で
実在の警官名を出した以上、騙《かた》りだとしたらリスクが大きすぎるので
ひとまず信用します。
　ｒｙｕさんに協力の要請とのことですがどういう……？

〔できれば〕：明石　投稿日：04/07（SUN）17:35
オープンでない場所で事情を説明したいのですが、可能でしょうか？
適当な場所がなければこちらで用意します。

「何をまどろっこしいことをやってるんだ。こちらに電話をかけさせるか、相手の電話番号を聞いて直接やり取りしたらいいだろう」

県警・我孫子警備部長が苛立ったように口を挟む。明石は掲示板をリロードしながら答えた。

「初対面の人間にネットで個人情報をやり取りしろなんて、初めて会った女に股《また》開けってのと同じですよ。相手の電話番号を要求するのはもってのほか、相手に掛けさせるにしてもさっきは県警の番号だったから食いついてくれましたが、ここに電話するなら電話帳には載ってない臨時開設の回線か私の携帯です。辛うじての保証もない番号に自宅や携帯から電話しろなんて相手を警戒させるだけですよ」

「公衆電話から掛けさせたらどうだ」

「わざわざ外に出て公衆電話で掛けてこいなんて何様だって話になります。ネットにはネットの間合いと信用のやり取りがあるんです」

頼むから黙っていてくれという思いを籠めて更にリロード。と、レスが増えている。

〔場所なら〕：ファルコン　投稿日：04/07（SUN）17:38
非公開のチャットがあります。URLを送りますのでどうぞ。

間を置かずメールチェッカーが反応した。メールアドレス付きで書き込んでいたのでメールを送ってきたものらしい。相手のアドレスはフリーメールのもので恐らく捨てアドレスだろう。開くとURLが一行だけ書かれている。
新たにブラウザを開き指定のURLに飛ぶと、よく見かけるタイプのチャットルームだった。既にイージスとファルコン、トム猫☆が入室している。明石も名字で入室した。

明石：はじめまして　04/07（日）17:43
ファルコン：ようこそ　04/07（日）17:43
トム猫☆：はじめまして明石さん　04/07（日）17:43
イージス：さっそくですが、警察官ならどうしてアドレスが県警のものでないのか伺いたいですが　04/07（日）17:44

トム猫☆：イージスさんしょっぱなから飛ばすね（w　04/07（日）17:45

明石：一般企業と違って警察では署員全員がＰＣやアドレスを支給されているわけではありません。それにもし私がアドレスを支給されていても、そちらはこうした状況では使いません。身元を押さえ合っている訳ではない間柄における当然の自己防衛とご理解くだされば と。今から多少機密性の高い話をするつもりですので　04/07（日）17:48

イージス：我々を信用できないというわけですか。了解。どうせ「信用する」という建前でウソか本当か分からない情報をやり取りするしかないわけですからね。お互い逃げ場は必要なことは理解します　04/07（日）17:49

トム猫☆：確定不能な情報を信用するかどうかは自己責任ってことね　04/07（日）17:49

明石：それがネット交流の本質でしょう。あなた方もそのうえで私に付き合う価値を見出《みいだ》したのかと思いますが　04/07（日）17:50

イージス：そうですね。少なくともうちのようなマイナー集団に現職警察官の名前を出してまで接触しようとしたそのことに興味があります。ではご用件をどうぞ　04/07（日）17:51

明石：単刀直入に申し上げます。横須賀の甲殻類を米軍が爆撃する恐れがあります　04/07（日）17:52

トム猫☆：うわっマジですか⁉　04/07（日）17:53
イージス：米軍ならやりかねない　04/07（日）17:54
ファルコン：別に意外じゃありませんけど迷惑な話ですね　04/07（日）17:54
明石：詳しい事情は明かせませんが、我々としては米軍が爆撃を開始するそのリミットを知りたい　04/07（日）17:55
イージス：理解できます　04/07（日）17:56
ファルコン：先に自衛隊を出して決着したいわけですか　04/07（日）17:56
明石：機密上の問題から返答はご容赦ください　04/07（日）17:57
ファルコン：それはそうですね、気にしないでください　04/07（日）17:59
明石：恐れ入ります。米軍が爆撃を開始するとすれば、シェルターに保護した民間人を移送してからだと思うのですが如何《いかが》でしょう　04/07（日）18:00
ファルコン：当然そうなるでしょうね　04/07（日）18:01
イージス：なるほど……つまり、ｒｙｕさんに実況してほしいわけか。移送の気配を感じたら教えてほしい、と　04/07（日）18:01
トム猫☆：作戦開始の目安くらいにはなるね　04/07（日）18:02
明石：その通りです　04/07（日）18:03
ファルコン：しかしそれはｒｙｕさんに危険じゃないですか？　日本の警察にシェルター内部の情報を漏洩してるなんてバレたら　04/07（日）18:04

イージス：ｒｙｕさんには知らせないほうがいいな。知らずに俺たちに普通に安否を報告してるって体裁にしとくべきだ。ファルコンさん、悪いけど　04/07（日）18:05
ファルコン：了解しました　04/07（日）18:06
ファルコン：掲示板の明石さんが登場してからのログを削除しました。ｒｙｕさんの書き込みはなかったからまだ見てないと思います　04/07（日）18:09
トム猫☆：見てたら絶対こっちに来るだろうしね　04/07（日）18:10
明石：お手数かけます　04/07（日）18:11
イージス：明石さんは今後ＢＢＳには書き込まないでください。俺たちは仲間同士で連絡を取り合ってるだけで、あなたはたまたまそれをロムしてただけってことにしてほしい　04/07（日）18:12
明石：無論です。ご協力感謝します　04/07（日）18:13
ファルコン：勝手に横須賀を爆撃されたくないですしね　04/07（日）18:13
トム猫☆：誤爆とか平気でしそうだしねぇ　04/07（日）18:14
イージス：ベトナムのテト攻勢では平気で自分の司令部爆撃してるしな。ただ今回は足枷《あしかせ》に民間人が付いてる。横須賀基地の人口が一万六千人、民間人が半分として八千人、発着場所の自由が利くＣＨ46やＣＨ53でピストン輸送になるだろうな　04/07（日）18:15

「CHって何だね」

豊岡県警本部長の質問に明石はシー・ナイトとスーパー・スタリオンと答えかけて、「大型輸送ヘリですよ」と訂正した。

ファルコン：単純に計算すれば一機で百六十往復すれば移送完了の計算ですね　04/07（日）18:17

イージス：投入機数増やせばもっと短時間で終了する、充分実現可能なプランだ。今ごろ全国からかき集める算段してんじゃないか？　横田と厚木に輸送ヘリが集結しはじめたら要注意だな。厚木は俺がウォッチできる。トムさん、横田回れる？　04/07（日）18:18

トム猫☆：お任せ。有給も溜《た》まってるし四、五日貼りつけるよ。こっちも仲間に声かけてローテ作ってみる　04/07（日）18:19

ファルコン：八千人以上を移送するとしたら、事前に想定訓練が行われるはずですよ。ぶっつけ本番でできる作戦じゃありませんし。沖縄の海兵隊辺りが動きそうじゃないですか　04/07（日）18:20

トム猫☆：っていうか海兵隊じゃなきゃ無理でしょ、こんな特殊作戦。単純に殲滅するだけなら特殊戦闘訓練受けてなくても何とかなるかもしれないけど、

ザリガニ退けながら民間人をヘリに回収するなんて……　04/07（日）18:21

イージス：ってことは海兵隊を張れば初動は摑《つか》めるな。よし、普天間《ふてんま》に親戚《しんせき》が住んでるから問い合わせてみるよ　04/07（日）18:22

「何だ、こいつら。いっぱしの玄人気取りじゃないか」

「世の中どんな分野でもオタクほど恐ろしい人種はいませんよ。巧《うま》く乗せれば専門家も顔負けの働きをしてくれます」

　全国の基地の航空機離着陸の撮影ポイントを熟知しており、更に一瞥《いちべつ》しただけで機種の判定までできる人種である。やる気になってくれたのならそれに乗らない手はない。警察外事でも当然情報収集はするとして、突き合わせる情報は多角的であるほうがいい。

イージス：明石さん、俺たちにできるのはそんなところだけどいいかな？　04/07（日）18:23

明石：充分すぎるほどです　04/07（日）18:24

ファルコン：観察報告はさっきのアドレスに送ればよろしいですか　04/07（日）18:24

明石：助かります　04/07（日）18:25
イージス：それじゃそろそろお開きに。明石さんは今後ここにも来ないほうがいいな　04/07（日）18:26
ファルコン：そうですね。掲示板とメールだけチェックしておいてください。そちらからの連絡があれば、さっきのフリーメールに。このチャットログは皆さんが退室後に削除します　04/07（日）18:28
明石：感謝します。それではご連絡お待ちします　04/07（日）18:29

「見事な釣りだった」

烏丸が人聞き悪くねぎらった。

「メールチェックと掲示板のチェックは専属の係を誰か付けよう」

他人にメールチェックをされるのはあまり気持ちがよくないがやむを得ない。警備情報担当者として明石の負担はこれから加速度的に増えるだろう。

その後再開した会議で、横須賀基地から五km圏内の住人の完全退避が決定された。これは烏丸言うところの「後で必ず出張《でば》ってくる自衛隊のため」それも軍事作戦の展開を想定した環境作りである。

住人の避難計画については行政側と協力しつつ総力を上げて整えられることとなった。

*

昼は食パンをかじらせて凌がせ、夕食は夕方六時を回った頃になった。大人二人と子供たちで見様見真似の調理は結局二時間ほどもかかっている。

食事のはじまった直後、

「何だよこれ」

遠藤圭介《えんどうけいすけ》が茶碗《ちゃわん》のご飯を一口食べて望《のぞみ》を睨《にら》んだ。

「べちゃべちゃじゃねえか。米もまともに炊けないのかよ、お前。それに何だよ、このフライ。焦げてバリバリじゃん」

「フライ揚げたなぁ俺だ、悪かったなガキ」

圭介の後ろの席に座っていた夏木はいきなりげんこつを落とした。狭い食堂はテーブル同士の隙間も狭く、立ち上がるまでもなく容易に腕が後ろの席に届く。

小突かれた圭介は大袈裟《おおげさ》に頭を押さえた。

「なっ……殴ったな!?」

「父さんにも殴られたことないのに、とか続けてみるか？　軟弱坊主」

知らないでしょうよ、この年代。と冬原が冷めた声で横から突っ込む。

夏木は構わず言い募った。

「そもそもお前ら少しでも手伝ったのか。チビどもだって食器出すくらいやったぞ」

夏木と冬原は厨房《ちゅうぼう》で子供たちの指揮を執るのに忙しく、中三グループがさぼっていることは気づいていたが、わざわざ襟首ひっつかまえて連れ戻す余裕はなかった。

一生懸命ではあるが手元が怪しく戦力にならない子供たちの中、望は精一杯頑張ってくれた。炊事があまり得意でなかったことは責めるべき問題ではない。夏木と冬原にしても雑な男料理以上の腕前はなく、揚げるだけで済む冷凍食品にご飯と漬物、ちぎって盛っただけのサラダとだけだけ尽くしの食事である。味噌《みそ》汁は作る時間がなくなって割愛だ。

「働かざる者食うべからずだ、文句あんなら食うな。手伝いもしないでマザコン亭主みてえな因縁つけてんじゃねえよ」

「うるさいな！」

夏木の言葉のどの部分が引っかかったか、圭介が顔を真っ赤にして怒鳴る。

「女のくせに料理もまともにできないなんて、親の躾《しつけ》がなってないんだよ！　うちの親だってそう言ってた！」

望は箸《はし》を止めて俯《うつむ》いてしまった。唇は強く噛まれていて、やはりこれがこらえているときの癖なのだろう。

望の弟の翔《かける》が隣の席から望に身を寄せ、圭介を強い視線で睨んだ。気づいた圭介が睨み返す。

「何だよ。文句があるなら何とか言ってみろよ、言えるもんならな！」

「俺はどっちかっつーと君の親の躾を疑うけどね」

冬原が呆《あき》れたような声で言った。

「取り敢えずね、夏木けしかけられるか黙ってメシ食うか、どっちか決めな。そう騒がれちゃ他の子が落ち着いて食べられないだろ」

「けしかけるとか言うな、狂犬か俺は」

「そうは言わないよ、一応の見境があるだけ狂犬よりちょっとはマシ」

またぞろ二人の掛け合いが始まったところで、望が顔を上げて圭介を見た。

「ごめんなさい、次から気をつけるから。今は我慢して」

年上として折れているつもりが悔しさと屈辱で声が硬い辺り、まだ大人ではない。しかし、懸命に大人であろうとしている姿はいじらしかった。少なくともワガママ坊主よりは庇《かば》いたくなろうというものだ。

さぁてこのガキどうやってカタにはめてやろうかな、と夏木が内心腕をまくったときだ。

「要らねーよこんなまずいメシ！」

怒鳴った圭介が激しく席を立ち、——定石なら後ろへ引っくり返る椅子はあいにくと潜水艦仕様の固定式だったので膝の裏側を激しく座面で打つ。がくんと後ろへ転びそうになった圭介はますます怒りで顔を紅潮させ、座った子供たちを乱暴にかき分けて食堂を出た。

行き先は男子にあてがった居住区だろうが、冬原が一応声をかける。

「勝手に別の区画入るんじゃないよ」

引き止めて食わせようとはしない辺りが冬原もナチュラルに非情だ。

取り巻きの高津雅之《たかつまさゆき》と吉田茂久《よしだしげひさ》は、圭介を追うか食べるか一瞬迷ったらしいが、取り敢えず自分の空腹を満たすことを優先したようだ。そそくさとかき込むように箸を動かす。

「大丈夫だよ、望ちゃん。おいしいよ」

執り成すように声をかけたのは中村亮太《なかむらりょうた》、翔と同じ六年生で翔と仲がいいらしい。望が複雑そうな笑顔で亮太にありがとうと答える。

「ボクもやわらかごはんのほうがすきー！」

あどけない声は最年少の西山光《にしやまひかる》だ。兄の陽《あきら》が横からつついて笑う。

「こないだ歯が抜けたからじゃん」

「かたいのうまく嚙めないもん」

言いつつ光が黒焦げのフライを箸でつっき回す。「だからこれイヤ……」呟きながら夏木と目が合い、慌てて顔を伏せる。艦に逃げ込んだときハッチの中へ叩き込まれたので怯《おび》えているらしい。

「衣剝《は》がして食え。次は気をつけるから今は我慢しろ」

決まり悪く言うと、冬原が横であははと笑った。「望ちゃんと同じこと言ってるよ、夏木」

なるほど、こういう気まずさか。夏木が望のほうを見ると、望は同病扱いに傷ついたのか、しゅんと俯く。確かに夏木の揚げたフライは見るも無残で、これと同レベルで扱われたら女子としては忸怩《じくじ》たるものがあるのだろう。

それにしたって望の炊いた飯もおかゆ寸前で五十歩百歩だ。そこまでへこむこたぁないだろ、と夏木は多少むくれて茶碗の飯をかき込んだ。

「十五人分の料理じゃお母さんだって見当が狂うよね、この核家族時代にさ」

冬原の執り成しはさすがにソツがない。望が小さく笑って首を振った。

「いいんです、私ほんとに料理ヘタだから。親に甘えてあんまり手伝いとかもしてなかったし。ちゃんとしとけばよかった」

と、そのとき取り巻きの雅之と茂久が食べ終わってそっと席を立とうとした。すかさず夏木が制止の声を投げる。

「どこ行く気だ、お前ら！」

「どこって……」

雅之が口を尖《とが》らせる。圭介のところへ馳《は》せ参じたいのだろう。

「お前ら、作る手伝い全然しなかっただろうが。後片付けはお前らがしろ」

「働かざる者、だよね」

冬原も口を添える。

「遠藤クンは食べずに行ったから今回は見逃すけど、君たち二人は食べたでしょうが」

「あんな不味《まず》いの……」

雅之が圭介と同じ非難をもごもごと口の中で唱える。

「文句も本体と一緒か、せめてオリジナリティでも出しやがれ金魚のフン。食べてくださいと頼んで食べて頂いたわけじゃねえぞ。甘えるな」

座って全員食べ終わるの待ってろ、とどやしつけると、二人は渋々席に座った。圭介に追従はするものの、夏木に正面切って歯向かうほどの度胸はないらしい。その辺が金魚のフンたる所以《ゆえん》か。

子供たちが全員食べ終えて、夏木に追い立てられるように雅之と茂久が後片付けをはじめたとき、点《つ》けてあったテレビでニュースが始まった。冬原がボリュームを上げると、

「あー！　ダッシュみるぅ！」

光が口火を切って年下の子供たちが騒ぎはじめた。

「待て待て、後だ」

夏木が後片付けの二人を厨房に残して食堂フロアに戻ると、騒いでいた子供たちがてきめんに静まった。夏木がよほど恐いらしい。冬原にまとわりついた光が小声でチャンネル替えてとねだる。当たりの柔らかい冬原がお気に入りのようだ。

どうせ子供に好かれる質《たち》ではないがここまで差を付けられると多少おもしろくない。言っとくけどその冬原、俺よりよっぽど非情だからな。

「ごめんなさい」

不意に声をかけられて夏木が振り向くと、そばの席に座っていた望だった。

「小さい子、声大きい人恐がるんです。あのコたち、町内会でも声の大きいおじさんとか苦手で。怒鳴ってるように聞こえるみたい」

怒鳴っているように聞こえるどころか、初《しょ》っ端《ぱな》から血管が切れるほど怒鳴りまくったことは

事実だ。短気な性格は認めるが、さすがにあそこまで怒り狂ったことは夏木の人生でも初で、それを真っ向食らった子供が怯えるのは当たり前の話である。

「わざわざフォローありがとよ。もともと俺は子供に好かれるクチじゃねえから気にすんな」

むしろ町内会の「おじさん」と同列の扱いに引っかかるが、フォローしにきた小娘にそれを言うのも大人気ない話だ。

「それよかお前はそれ性分か」

訊き返すと望が首を傾げた。

「その、あちこち気ィ遣うのは。あんまりいい子ぶらなくていいぞ」

望がざっくり傷ついた顔をする。あぁ失敗した、と思ったが後の祭りだ。畜生、なんで俺はこう選ぶ言葉が下手なんだ。

そういう意味じゃないと説明するのも言い訳くさく、もう構うかとテレビに目を戻すと冬原が不意に割り込んだ。

「無理して頑張りすぎなくていいよってこと。頑張ってくれたらそりゃ俺たちは助かるけどね。ごめんねぇ、夏は喋《しゃべ》るの下手だから」

望がほっとしたように小さく笑う。子供たちのこういう顔は全部冬原行きだ。合コンなどで女と喋るときとまったく同じ。やっぱり女子供とはソリが合わない。

ニュースはやはりトップで横須賀の事件が取り扱われた。『横須賀甲殻類襲来事件』が正式名称となったらしい。

自衛隊の災害出動が決まり、被害区域に取り残された住民のヘリ移送が始まることが大きく報じられた。災害出動ではまだ武器の使用は認められない。とすると『きりしお』救出は当分先か。

『きりしお』に子供たちが取り残されていることは特集を組んで取り上げられたが、報道ヘリから撮った『きりしお』には相変わらず甲板が見えないほどザリガニが群がっていた。救出の難度を映像だけで物語る。

まさか中に餌がいると分かってて貼りついてるわけじゃないよな——そんなことを考えて、夏木は不吉な考えを振り払うように頭を強く振った。

ニュースでは『きりしお』を撮影するために飛んだヘリが米軍の警告で退去させられたことを言い添えている。こんなときでも縄張り意識は健在らしい。

しかし、何はともあれ天下のNHKで報じられるならリークも無駄ではなかったということだ。少なくとも「知らなかったことにして」処理されることはない。

「ねえ、ダッシュー」

光が冬原に甘え、ニュースが変わったところで冬原がチャンネルを替えた。しかし子供たちリクエストの局も横須賀の臨時特番になっており、一斉にブーイングが巻き起こる。

ザッピングするがどこも同じ状態で、教育テレビだけは総合に報道を任せているのか何かの学術物をやっている。学術番組よりは特番がマシなのか、子供たちは適当な民放にチャンネルを固定した。

食堂にこれほど子供がいる光景など平時では到底あり得ない。無心にテレビを囲む子供たち、その平和な光景が艦内では却《かえ》って状況の異常を際立たせる。

この状況のために艦長が犠牲になったことも同時に思い返され、夏木の表情は苦くなった。

シャワーは毎日使えないことを説明し、三日に一度と制約をつけて希望者だけ使わせることになった。

しかし、子供用の下着や服など艦内にあるわけはない。ひとまず着たきり雀でいさせるしかないが、救出が長引けば多少は何か考えてやらねばなるまい。

何しろ水が何より貴重な潜水艦だ。隊員ならシャワーや洗濯の水を惜しんで十日やそこらは風呂《ふろ》なし着替えなしで過ごす剛の者も珍しくないし、夏木や冬原もそれくらいは我慢できるが、子供たちにそれを強いるのはさすがに虐待に近い。

タオルについては取り敢えず備蓄の共用品を渡す。シャワー希望者に順番で使うように指示を出し、夏木と冬原は発令所で相談を練った。

圧倒的人員不足の折、常時発令所に詰めていることは難しいので連絡は無電で入れるように頼んであるが、食事の間の連絡はなかった。

「取り敢えず電池は充分あるから造水も可能だし、三日にいっぺんくらいは洗濯させようか。乾くまではどうしよう」

「下着だったら使い捨てで買い溜めてるだろ、みんな。上陸中の奴らから徴発しようぜ」

近年の百円均一ショップの定着は潜水艦乗りに快哉《かいさい》を叫ばれている。ろくに風呂に入れない、洗濯もできない密閉空間の男所帯という環境で溜め込まれた下着や着替えは一種の生物兵器だ。下艦するとタクシーに乗車拒否されるほどの悪臭を放ち、迂闊《うかつ》にほかの洗濯物と洗うと臭いが移って取れなくなるほどの破壊力を持つ。

気軽に一回ごと使い捨てのできる百円下着は、百円均一が存在する限りサブマリナーの永遠のベストセラーであり、夏木や冬原も配属時からその恩恵に与《あずか》っている。百均がなかった頃の潜水艦乗りはどうしていたのかと思うほどだ。

不在の仲間の荷物に手をつけるのは気が進まないが、この際仕方がない。

「小柄な奴多いしサイズは何とかなるだろ。制服も裾《すそ》と袖《そで》まくれば何とか……」

艦内空間が限定されている関係からか、潜水艦には小柄な奴の配属が多い。一七〇㎝後半の夏木や冬原で長身の部類に入る。

「着替えは何とかなるとして、後は……歯磨きどうしようね？　虫歯にでもさせたらことだよ、歯医者には連れてけないしね」

さすがに予備の歯ブラシまで置いている隊員はいないし、他人の使用済みを使わせる訳にもいかない。

「塩で磨かせろ、塩で。殺菌効果あんだろ、確か」

「今の子供って指で歯ァ磨いたことなんてないだろなぁ。教えないとね」

冬原が溜息《ためいき》を吐《つ》く。

と、そのときドアを開放していた発令所に中村亮太が駆け込んできた。

すわ何事と掛けていた席から腰を浮かせた二人に、亮太が息を切らしながら叫ぶ。

「喧嘩《けんか》！　翔と圭介くんが……！」

またあのガキか！　夏木は舌打ちして部屋を飛び出しかけ、途中で気づいて問い質した。

「どこだ！」

「僕らの部屋！」

開放した居住区は「僕らの部屋」になったらしい。

「森生《もりお》姉は何してる！」

望なら弟を喧嘩させたりしないだろうにどうしたのか。と、亮太は困ったように答えた。

「望ちゃんお風呂……」

身内でもないのにさすがにドアを開けて声はかけられまい。最近の子供はませるのが早い。

最下層の居住区に近づくと、圭介の怒鳴り声が聞こえてきた。

「ホントのこと言っただけだろ、悔しかったらお前の姉貴を何とかしろよ！」

夏木が中に飛び込むと、狭い通路で翔と圭介が取っ組み合っている――というより細い床に倒れて揉《も》み合っている。狭い空間に鰻《うなぎ》の寝床のような三段ベッドを詰め込めるだけ詰め込んだ部屋には、取っ組み合う隙間もないのだ。

翔が食らいついて、圭介はそれを押しのけようとしているらしい。子供たちはベッドに避難して、二人の様子を手の出しようもなく見つめている。

「何やってんだお前ら！」

夏木の怒声に揉み合う二人がびくっと竦《すく》んだ。が、圭介が夏木を見上げた隙に翔がその腕に噛みつく。

「いってえ！　何すんだクソガキ！」

圭介が翔の頭を力まかせに殴りつけた。喧嘩とはそうしたものだが、中三と小六の体格差で手加減一つない。殴られた翔は泣く素振りも見せずに圭介を睨み返した。唇をぎゅっと結んだその顔は姉の望とよく似ている。

「よさねえか！」

夏木は翔にのしかかった圭介の襟首を片手で摑んで吊り上げた。問答無用で吊られた圭介が息を詰まらせる。

二人を通路の左右に分けて夏木は声にドスを利かせた。

「一体どういうつもりだ！」

建前は二人に訊きながら、どうせ圭介が原因だろうと内心では決めつけている。

「オレはホントのこと言っただけだ！」

圭介がふてくされる。

「せっかく女がいたってあんなぶきっちょだったら役に立たねえじゃんか！　高三にもなって料理もまともにできないなんて親はどんな教育してんだよ！　大体、こんなところに逃げ込むことになったのもあいつのせいじゃないか！　あいつが全員引っ張って逃げたんだ！　それがこんなところに……あいつが余計なことしなきゃ今頃みんな普通に逃げて家に帰れてたんだ！」

翔は言い返さない。ただ黙って燃えるような目で圭介を睨んでいる。

「おい」

夏木の抑えた低い声に、圭介が却ってびくりと慄いた。

「見下げ果てた男だな、お前は。いま最高にみっともねえぞ」

圭介の顔が憤怒で赤くなる。夏木は無視して翔に向き直った。

「お前も何で言い返さない。黙ってるこたないんだぞ、こんな難癖」

ごめんなさい、と望の声が後ろからかかった。振り向くと入口に望が立っている。どうやら光が呼んできたらしい。慌てて出てきたのか、ショートの濡れ髪からは滴が落ちている。

「その子、喋れないんです」

聞いた瞬間、体が凍った。

一体何という無神経なことを諭したのか、自分の迂闊を呪って夏木は硬直した。

望が圭介に向かって深々と頭を下げる。いっそ厭味《いやみ》なほどに——いや、それは望の精一杯の皮肉なのだろう。

「ごめんなさい。——私のせいでこんなことになって。文句は直接私に言って」

まっすぐ圭介を見据える眼差《まなざ》しは第三者がたじろぐほど強い。燃えるような目付きで圭介を睨んでいる翔のように。この姉弟は本当によく似ている。

圭介は舌打ちをして望から目を逸らした。

「翔くん、こっちにおいで。口が切れてる、手当てしよう」

こういうときの冬原のフォローは絶妙だ。夏木は内心で冬原を拝んだ。

「ほら、行け」

翔を冬原のほうに押し出す。望が歩いてきた翔を受け止め、そのまま冬原と外に出た。

夏木はふて腐れたままの圭介を睨んだ。

「お前、知ってたのか」

何を、と訊き返す声は何を質されているのか知っていてしらばっくれている。

「翔が喋れないことをだ」

食事のとき、圭介は翔に言った。――文句があるなら言ってみろよ、言えるもんならな。

答えない圭介に夏木は吐き捨てた。

「お前は男として最低だ」

圭介は悔しげに顔を歪《ゆが》めたが、それには取り合わず夏木は居住区を出た。


翔の手当ては食堂で冬原が始めていた。望と亮太が付き添い、ほかには西山兄弟が何となく一緒に来ている。

冬原が消毒液を含んだ脱脂綿を翔の切れた唇に当て、普通なら痛くて声でも上げそうな場面だが翔はやはり顔をしかめるだけで声は上げない。

「――悪かった」

空いた席に座りながら低く呟くと、望が笑って首を横に振った。

「ごめんなさい。最初に言っとかなきゃいけませんでした。ほかの子がみんな知ってるから、ついうっかりしてて」

「そうだね、それは望ちゃんのミスだ。そういうことは早く言っとかなきゃ」

あっさり言い放った冬原を夏木が咎《とが》めようとすると、冬原は逆に夏木を軽く睨んだ。

「動揺してるからって取り違えるんじゃないよ、情けない。声が出せないってことはもし何かあっても助けが呼べないってことだろ。そんな大事なこと、早く言ってもらわないと事故でも起こったら遅いんだよ」

「そのとおりです、ごめんなさい」

望が冬原と夏木にぺこりと頭を下げる。知らなかったとはいえ無神経なことを言った負い目のある身で逆に謝られて、夏木の肩身は縮んだ。

「翔くんは耳も聞こえないの？」

こういうことを一切私情を交えずに事務的に処理できるのが冬原の強さだ。望が答えるより先に、聞こえていることを証明するように翔が頭《かぶり》を振る。

「聞こえてるんです、喋れないだけ。心因性なんです」

事情を踏み込む権利はないので、夏木も冬原もそれ以上は重ねて問わない。

「しかし、あの遠藤クンも困ったもんだね」

冬原が翔の唇の血を拭《ぬぐ》い落として救急箱を閉めた。唇なので絆創膏《ばんそうこう》は貼れない。

「遠藤くんは……私たちのことが嫌いだから」

俯く望の頭の上で、夏木と冬原は顔を見合わせた。あれは嫌いなんて言葉で一蹴《いっしゅう》できるほど生やさしい反応ではない。夏木にも冬原にも覚えがあるが、行き先を見失うほど屈折したその感情は、どうしてそこまでひねこびて曲がっているのか理由が分からない。

「大丈夫だよ、僕は翔も望ちゃんも好きだよ」

亮太が懸命に執り成す。何が大丈夫なのかは分からないが、取り敢えず望と翔を慰める効果はあったらしい。二人ともよく似た笑顔を見せた。

「ボクも望ちゃんかわいいからすき」

一番チビの光が一番ませたこと言い、その場の全員を笑わせる。

その日の事件はそれで落着——とはならなかった。

その日最後の事件は日付が変わる寸前の深夜に起こった。そしてそれが夏木と冬原にとっては最も厄介な事件となった。

夜中に突然揺すぶられ、飛び起きた夏木は三段ベッドの低い天井に頭をしたたか打ちつけた。

「〜〜〜〜〜〜!!」

悶絶《もんぜつ》する夏木を、背伸びするように西山陽が覗いている。男子部屋から何でわざわざ夏木の眠る別の居住区まできたものか、怪訝に思った隙に陽が声を掛けた。

「夏木のおじさん」

「…………おじさんじゃねえ、おにいさんだ。夏木さんと呼べ」

「夏木さん」

「よし」

ベッドは上半身を起こせるほどの高さではないので、取り敢えず陽のほうを向いて肘《ひじ》を突く。

陽は言いにくそうに囁《ささや》いた。

「光がおねしょ……」

「何ィ!?」

と、床からすすり上げる子供の声が聞こえてきた。ベッドから顔を覗かせると、光がそこにしゃがみ込んで泣いている。

うわーまた面倒なことを！　心底げんなりするが、この年頃の子供がおねしょをしたからと叱るのも酷だ。

それにしたって、

「何で冬原のほう行かないんだよ、冬原好きだろお前ら」

起きている間は一時間ごとに無電を確かめていたが、夜間は緊急連絡に備えて片方が発令所にマットレスを持ち込んで寝ることにした。厳正なるジャンケンで本日の発令所詰めは冬原に決まり、それは子供たちも知っているはずである。

夏木のぼやきに陽が答えた。

「冬原さんが夏木さんが係だって」

冬原は自発的にさん呼びというおもしろくなさに加え、冬原の魂胆に激しくむかっ腹が立つ。あの野郎。

ベッドから滑り出て真っ先に発令所へ。夜間照明は赤色光で、起き抜けでも視界は眩《くら》まない。

西山兄弟は男子部屋へ向かわない夏木に戸惑いながらついてくる。

「てめ、俺に押しつけてんじゃねえよ！」

冬原は背中を向けて毛布に包《くる》まっているが、タヌキなのは明白だ。

「おら！」

毛布を引っぺがすと、夏木と似たりよったりのジャージ姿で冬原は渋々起き上がった。

「低血圧なんだから寝かせてよ、まったく……」

「うるせえ！　そんな繊細なタマかてめえ！」

小声でやり合いながら男子部屋へ向かう。

他の子供たちは昼間の疲れもあってか死んだようにぐっすりと眠っており、革ケースに収納方式のマットレスを運び出す二人には気づきもしない。マットはひとまず通路に出してシーツだけ剝ぎ取り、光の濡れたズボンと下着を脱がせる。

「おねしょ取れてないの？」

冬原が訊くと、しゃくり上げる光に代わって陽が答えた。

「取れてるんだけど……恐くて起きられなかったって」

首を傾げた二人に陽が重ねて説明する。

「ぼくらの部屋、夜中キシキシ音がするんだ。恐くてモタモタしてて漏らしちゃったって」

ザリガニが外殻に取り付いている音だろう。夏木も寝るとき気づいていたが寝静まった夜中ではその音がよく響く。

「ザリガニが入って来そうで恐いのか」

夏木が訊くと光がすすり上げながら頷く。昼間ザリガニから逃げ惑った記憶もまだ生々しいのだろう。

「安心しろ。この艦《ふね》に穴開けたいなら魚雷ぶつけるしかねえ。ザリガニなんか絶対入ってきやしねえよ」

「絶対？」

「絶対だ」

夏木が請け合いながら先に立って洗面所へ向かう。シーツは取り敢えず水ですすぐとしても、マットレスは水で叩くしかない。バケツで水を汲《く》んで戻るか。

洗面所へ近づくと流しっぱなしの水音が聞こえてきた。艦内の水道は手を放すと蛇口が戻るから、わざと流し続けているのだ。誰だと訝《いぶか》りながら仄暗《ほのぐら》い赤色光の中を近づく。水音は一向に止まる気配がない。

「誰だ？　水の無駄使いは禁止したはずだぞ！」

声をかけるとびくりと竦む気配。竦んだのは——望だった。女子部屋としてあてがった士官居住区から起き出してきたらしい。洗面台に浸《つ》けていたシーツを体の前に抱え上げる。

翔もか、とうんざりしかけたときに気づいた。望はジーンズを穿《は》いておらず、上にTシャツを着ているだけだ。俯いて抱きしめるシーツの隙間から素足がなまめかしく覗く。ジーンズ姿だと一見少年と見まごうような痩せぎすの体つきのくせに、生肌だとラインはめっきり女だ。

どういうことか起き抜けの頭が判断しかねて、しばらく黙ったままで夏木は立ち尽くした。冬原も同様だ。

「ごめんなさい」

望が震える声で呟く。赤色光の下、抱えたシーツに黒く映るシミは——赤か。

「西山兄弟、下行くよ」

「何で?」

「いいから!」

背後の冬原の声もさすがに焦っている。ちょっと待てこの局面こそお前だろう。そう思ったが、狭い通路で今さら前後の位置を変わるのもわざとらしい。

冬原が西山兄弟を連れ去ってから、望が小さな声を絞り出した。

「まだのはずなのに、今月のが来ちゃって……もっと先だと思ってたから全然気がつかなくて、起きたらもう汚しちゃってて」

「いや……あれだ、いろいろあったから体調狂っても仕方ないだろ。何か精神的なもんに左右されるんだろ、そういうの」

だからこんなことを言ってる場合じゃなく!

「待ってろ」

夏木は逃げるように踵《きびす》を返した。


残された望がしばらく待っていると、夏木が走って戻ってきた。

「こんなんしかないけど何とかなるか」

渡された脱脂綿の袋を望は意外な思いで受け取った。こんな濃やかさがあったなんて。

「足りなくなったら言え、多分もっと探せる。それからこれ」

夏木が差し出したのは、畳まれた青い作業服とタグを切っていない下着だ。

「お前と同じくらいの背の奴だ。替えで置いてあった分だから、まだ洗ってから使ってない。下着は男物だけど一応新品だ。みんな使い捨てで新品溜め込んでるんだ。最近は百円ショップで買えるだろ、洗濯するより楽なんだ。だから……」

必要とも思えない説明をずらずらと付け加える辺り、夏木もかなり動揺はしているらしい。差し出される着替えはありがたいが、受け取るには手が足りない。それに気づかず差し出しているのも動揺の表れだろう。

「あの、持てません」

「あ、そうか、そうだな。悪い。じゃあ置いとくぞ」

言いつつ夏木が一人用の窮屈なシャワー室に歩み寄ってドアを開け、中に作り付けの小さな棚に着替えを載せる。

「シャワー使え。シーツはもういい、どうせ余ってるんだ。外に出しとけ、俺が捨てとく」

「マットも……」

「どうせシミが取れねえだろ。カバー閉めて置いとけ、後で廃棄しとく。ベッドは他のを使え。それからそこの洗濯機回していいから夜のうちに服洗っとけ。洗剤も洗濯機の上にある」

ごめんなさい、すみません、ありがとう。

そう言おうと思ったのに、口を開くと急に涙がこぼれた。今まで普通に喋れていたのに。ごめんなさいと言わなくてはいけない自分が恥ずかしくて情けなくていたたまれなくて。こんなこと。本当なら、こんなことになっていなかったら起こるはずもなかったことで、誰にも謝ることなんかなくて。

「―――――っ……！」

夏木が気にする。分かっているのに涙が止まらない。

何で私は女なんだろう。こんな目に遭わなくてはならないのなら何で。

そのくせ女であることで得をした覚えなど一度もない。女らしい美しさも華やかさも持っていないのに女であることによる痛みだけをこんなところで味わわされる。

「ごめ……、い、だい……ぶ」

「喋んな。無理に大丈夫んなるな」

お前が謝ることじゃない、と夏木が望の頭をぽんと叩いた。

「俺らが気が回らなかったせいで要らん恥かかせた。すまん」

恥ずかしいことじゃない、などと言われるよりも染みた。正常な体の機能だと言われても、やっぱりこんなことは露《あらわ》になると恥ずかしい。

「シャワー使ってこい」

ぶっきらぼうな夏木の声に、望はただ何度も頷いた。


食堂で望がシャワーを終えるのを待っていると、冬原が階下から上がってきた。

「光くん着替えさせて二人とも寝かせてきたよ。望ちゃんは」

「風呂だ」

まいったね、と呟きながら冬原が腰を下ろす。

「女の子がいるってのはこういうことだったか」

女っぽくないから油断してた、と率直に冬原は言った。いい子だけど正直あの子は混じってないほうがよかったな、とも。

「今さら言ってやるな。気に入ってたじゃないか、お前」

「気に入ってるからだよ。かわいそうじゃん、こんなところでさ。よく知りもしない馬の骨にあんなところ見られて」

それもそうだ。納得したところでふと気になって訊く。

「そう言えばお前、最初から森生姉のことずいぶん買ってたけど何でだ」

「ああ、それ?」

冬原がくすくす笑う。

「なかなか傑物だったんだよ、初っ端が」

初っ端──追い上げられた階段の踊り場から助けたときか。夏木はザリガニに対処していたので見ていない。

「子供たちが怯えちゃって、呼んでもなかなか飛び降りなくてね。そしたらあの子が光くんを抱えて投げ落としたんだよ」

「……思い切った女だな」

「でしょ？ そんで弾みがついて後は次々飛び降りて。なかなかの決断力と行動力だよ、あれは。自分は一番最後まで残ってたし」

何かをこらえるときの唇を噛んだ不本意そうな顔。居住区で圭介をまっすぐ見据えた眼差しの強さ。芯《しん》が強いことは確かに感じさせる。

それだけに、常に周りに遠慮して自分を殺している様子はアンバランスで気にかかる。圭介の難癖だって、あれは形だけとはいえ望が謝るべき場面ではなかった。何故あれほど理不尽に折れることを耐えるのか。

「何とかしてあげた？」

冬原に訊かれて我に返った。脱脂綿と着替えを渡したことを告げると、冬原が笑った。

「夏木にしちゃ気が利いてたね」

「てめえが行っちまうからだろ！」

夏木はここぞとばかりに嚙みついた。

「そもそも女の扱いはお前の領分だろが、さっさとガキ連れて降りやがって」

「位置的に俺が出るの不自然だったじゃん。夏木は硬直して微動だにしないしさ、押しのけて前に出るのもやらしいじゃない？　こっちだって大変だったんだよ、おねしょのマットも俺が片付けたしさあ。それに西山兄弟に何で何でって訊かれて」

「何て答えた」

洗った服はさすがに一晩では乾くまい。明日になれば服を替えている望に子供たちが疑問を抱くだろう。それをどう説明するか。

「具合が悪くなっちゃったんだろうって言っといた」

「明日もそれで行くか」

「かわいそうなことになったね」

吐いたとか寝汗とか。無理のある説明だし、年長の子供たちは察するだろうが仕方がない。

ザリガニに追われて死ぬよりはもちろんマシだろうが、自分一人しか女がいない状況で自分の月経がさらされるようなことになってはいたたまれないだろう。そのいたたまれなさは夏木たちには想像することしかできないが。

日付が変わって小一時間経った頃、望が食堂に戻ってきた。青い作業服は少しぶかぶかだが、何とか丈は合っているようだ。暗い赤色光にお互い救われる。

「何とかなった？」

あっけらかんとした冬原の問いに望が気が緩んだように笑い、なりました、と答える。処置は何とかなったらしい。

「すみません、洗濯でシーツも洗っていいですか？　それからバケツに一杯だけ水ください。マット拭《ふ》きます」

「別に捨てるからいいんだぞ」

夏木が気を利かせたつもりで答えると、望は困ったような顔をした。

「ごめんなさい。捨てるんでもちゃんとしときたいんです」

「ああ――そうか。じゃあ好きに」

この辺は男には分かりづらい感覚だ。汚れ物なんか捨てたらそれで終わりじゃねえか、とは行かないらしい。経由する人の手が気になるのだ。

気遣いに厳然と限度があるのがもどかしい。どれだけ親身になろうとしても、超えられない想像の壁がある。何で潜水艦には女性自衛官《WAVE》が乗っていないのか。

望は士官居住区のほうへ一旦《いったん》消え、自分の服を抱えて出てきた。そのまま水場へ向かう。

しばらくしてバケツに水を汲んで戻ってきて、また居住区へ。手伝う訳にもいかず、夏木と冬原は手持ち無沙汰《ぶさた》に望の仕事が終わるのを待った。

「率直に訊くけど、望ちゃんは量どれくらいなの」

男性なら普通訊けない――どころか訊くことすら思いつかないような質問を冬原はあっさり

投げかけてきた。

量、と省略された質問は望にはごく当たり前に分かる。量は量だ。

「ふつう……くらいだと思います」

誰かと比べたりしたことなんかもちろんないけれど。

「じゃあ一週間くらい？」

冬原の質問はいちいち的確で、プライベートでよほど女慣れしていることを思わせる。

「一週間目だったらほとんど終わりかけです。多いのは最初の二日くらい」

「そうか、じゃあ今日明日要注意だね。下着の替えを多目に渡しとくから切れたら言いなさい。提供した下着は使い捨ててね、ほかの子に洗濯我慢させてる手前もあるから。私物を洗いたいときは基本的に手洗いで目立たないように何とかして」

「あの、ラップの余分と箱のティッシュがあったらください。下着に当てときます」

「ああ、考えたね。でも蒸れない？」

「服とか汚すよりいいです。脱脂綿うまく当てられなくて。ずれて失敗しそうだから」

冬原の淡々とした話し方は却って気楽で、望は自分でも意外なほど率直に答えていた。

「オッケー、快適さよりも汚さないことが優先ね。じゃあゴミ袋も渡しとくからシーツ代わりに使えばいいよ。生理痛は？」

「最初の何日かきついです」

「アスピリンも渡しとこうね」

夏木が冬原の言ったものを集めてきて望に渡し、シャワーは子供たちが寝てからそっと使う、ただし髪は洗わないなどの算段を相談して取り敢えずその場は解散となる。もう夜も遅い。

「じゃあゆっくりおやすみ。お子たちは寝坊していいから」

冬原が肩越しに手を振ってあっさりと食堂を去り、あまりの淡白さに望は声をかけ損ねた。

「じゃあ俺も行くわ」

夏木もそそくさと立ち去ろうとするが、それには挨拶《あいさつ》した。

「すみませんでした」

その言葉を聞いて夏木がぐるりと振り向いた。望に強く指を指す。

「それやめろ」

思いもよらない強硬な声音に、望は戸惑って目をしばたたいた。

「謝るな。恥ずかしかったのは確かだろうけど、お前が何か悪いことしたのか」

「でも、迷惑かけたから」

「お前が何か悪いことしたのか」

夏木はもう一度繰り返した。

「お前に生理が来んのは悪いことか。お前が生理になるのはお前の『せい』か」

望はやや心許《こころもと》なく首を横に振った。――夏木の表情を見てあわてて強く。

「すみませんとかごめんとか謝る言葉に安易に逃げるな。生理来たからすみませんなんて女に言われる筋合いねえんだ、致すわけでもあるまいに」

致すという唐突な言葉の意味はちょっと分からなかったが、それは敢えて訊くことでもないような気がしたので望は黙って夏木の言葉を聞いた。

「恥ずかしいのは仕方ない。でも謝るな。しゃんとしろ。どこでも折れてりゃ丸く収まるわけじゃないんだ」

ああ、これは。夏木の恐い顔を見ながら望は不意に理解した。

圭介のことを案じているのだ。

いつでもどこでも望と翔に突っかかって来る圭介がこのアクシデントに気づいたら、いかにあげつらうかしれない。夏木も冬原もいつもべったり望と一緒にいてくれるわけにはいかないのだ。

自分のプライドは自分で守れ。要するにそう言いたいのだ、この人は。

どれほど不本意でも折れてやり過ごすことに慣れた望にとって、それは新鮮な示唆だった。

「——いろいろしてくれて、ありがとうございました」

そう言うと、

「及第だ」

試験官か何かのようにそう言い捨てて夏木が食堂から立ち去る。

優しい言葉をかけるのが苦手な人なんだろうなと思った。怒ったように喋りながら、ずっと不本意そうな顔をしていた。こうじゃないのにと巧く言葉を探せない自分自身に苛立っているような。

居住区へ戻りながら、そして戻ってから——知らない男性の前で随分いたたまれない思いをしたのに、何故か気持ちはあまりささくれていなかった。

二日目。

＊

明けて翌日、四月八日（月）。

昨日のうちに官邸対策室が決定した自衛隊の災害派遣に基づいて、陸海空の救難隊、輸送隊が出動した。

大型建築物からの市民搬送には大量輸送型のCH47JやV107、民家からの救出は汎用《はんよう》のUH60Jなど各種のヘリを使い分け、孤立した住民の空からの救出を早朝から実行に移した。

救出住民は防衛大、厚木《あつぎ》基地、久里浜《くりはま》・武山《たけやま》駐屯地に割り振られて搬送される。

また、狭い空域でヘリを複数使用するので救出区域の組み合わせも綿密に行われ、住民への救出順の通達は警察と行政も協力している。この連携保持のため、不入斗《いりやまず》公園の対策本部には自衛隊の指揮所と活動中の部隊の一部が合流している。

警察から自衛隊への協力体制は、住民への通達だけに留《とど》まらない。交通規制は権限を持っているのが警察だけであり、市内に五万人の警察官を配備して救出に伴う搬送先の混乱抑制にも努めた。

また、特オチを恐れる報道陣に平等な情報を与えて沈静させるための定時記者会見も一時間ごとに行われている。

それに伴う警察官の糧食、排泄《はいせつ》の手当ても大仕事だ。

臨時予算が組まれ仕出しが大々的に手配されるも、避難者の配給手配とかち合って市内業者がいっぱいで、市外あるいは東京方面まで業者を手配せねばならない。仮設トイレも不足気味で、現場の苦情が後を絶たない。必要物資を少なく見積もりがちな上層部を押し切れなかったことが響いている。

自衛隊は自己完結型の展開を旨とするため、合流した部隊への手当てが必要ないことが救いだった。それどころか、自衛隊が設営したトイレを対策本部が間借りするような場面もある。

やはり大規模災害では警察は弱い。能力の問題ではなく本分ではないのだ。

「でもまあ、トイレ借りてる分くらいは返せてるだろうしな……」

明石《あかし》はグラウンドの仮設トイレを出て、近くの自衛官に軽く敬礼した。警備本部を設置した横須賀《よこすか》アリーナのトイレは、警察・行政入り混じって大人数が活動している折から、四六時中混んでいる。

自衛隊の災害出動は叶《かな》ったが軍事展開は一切認められていないため、防衛線の守備は未《いま》だに機動隊の任務である。全長十kmにも及ぶ防衛線は電磁柵《でんじさく》で守られてはいるものの、あちこちで電圧が落ちることも珍しくなく、そうなると人海戦術で大騒ぎして押し戻すしかない。

取りこぼした個体はSATで狙撃《そげき》するが、市内での発砲に批判の声も上がっている。県から害獣駆除の特別許可を受けた猟友会も狙撃に「独自協力」しているが、こちらは撃ちたい意欲が先走って引金が軽いうえに射撃の精度も甘く、それについての苦情もまとめて警察が受けることになる。

警備計画は市民の安全が守られて当然であり、警察史上あり得ないトンデモな警備を行っていることは誰も斟酌《しんしゃく》してくれない。

危険な狙撃をせねばならないのは甲殻類を取りこぼしたせいであり、甲殻類を取りこぼしたのは前線で押し戻せなかったせい、前線が破れたのは電圧が落ちたせいで、電圧が落ちたのは電磁柵の設置管理に不備があったせいだ。結局警察が悪い、となる。世論は実に容赦がない。自衛隊が戦闘展開すれば風当たりは更にきついだろう。内閣が日和《ひよ》る理由も分からないではない。防衛省は戦意盛んだがそれも警察が張り合って俺が俺がの堂々巡りだ。

本部へ向かっていると、若い警官が明石へと駆け寄ってきた。

「明石警部、烏丸《からすま》参事官がお呼びです」

ぴしりと敬礼を決めつつの報告に、明石は顎《あご》先で頷《うなず》きながらアリーナへ入った。


アリーナの役員控え室に構えられた派遣幕僚団控え室に明石が入ると、幕僚団の視線が一斉に集中した。長机とパイプ椅子が並べられただけの殺風景な部屋だが、詰めている面子《メンツ》が異様な迫力を醸している。県警の下っ端が気軽に入れる部屋ではないのだ、そもそも。それ以前に昨日の一件で悪目立ちした明石への覚えが良かろうはずもない。

奥の席で書類をめくっていた烏丸が気づいて目を上げた。

「明石警部はこちらへ」

県警本部長ならともかく、何故に警備課長補佐ごときが名指しか。幕僚団の目がそう語る。

彼らも不審だろうが明石が最も不可解である。

明石が長机の向かいに座ると、烏丸が書類に目を戻して問いかけた。

「怪獣物のセオリーとしては次の展開は」

「……そうですな、そろそろ敵の生態が明らかになる頃じゃないですか」

「よろしい、君のセオリーは当《お》て《や》に《く》なる《そく》ようだ」

言いつつ烏丸が手元の書類を一部渡した。烏丸の見ているものと同じらしい。明石もめくる。

各大学や研究機関に依頼した甲殻類の分析結果の一覧だ。

「どれが当てになりそうだ」

「そんなことは私に訊《き》かれましても」

「常識のセオリーなら権威順で参考結果が決まる。俺も常識的な事件ならこの辺りを採るし、幕僚も同意見だ」

烏丸が示したのは一般的に権威のある大学や研究機関の調査結果である。

「ただ今回は非常識事態だからな。非常識に含蓄の深い明石警部の意見を参考にしたい。この件に関する君の処置各種を俺は買っているのでな」

警察庁参事官に非常識オーソリティ認定とはかなり微妙な気分だが、明石はひとまず書類に目を通した。

どこも突然変異説を唱えており、変異元種として挙げている種が多少異なる程度だ。変異の原因については空白。事件発生から一晩しか経っていないのならこんなものだろう。

そんな中、一つだけ異論を唱えているレポートがあった。相模《さがみ》水産研究所、トップクラスのシンクタンクが名を連ねる中、あまり聞かない名前である。

「これ、おもしろいんじゃないですか」

明石はそのページを抜いた。

「独自の路線を行ってるし、理屈にそれなりの説得力もある」

「それか。官邸対策室から依頼はしてないんだが向こうから提出してきたところだ。海洋研かどこかの推薦を一応付けてはいたと思うが」

「推薦付きですか。ねじ込み方が正攻法でなかなかいいですな。それに報告者の名前がいい」

言われて烏丸がレポートを確認する。報告者名は芹澤斉《せりざわひとし》。

「ゴジラを退治する新兵器を作った科学者の名前が芹沢だったんですよ。験《げん》がいいでしょう」

ほう、と烏丸の表情に興味が閃《ひらめ》いた。

「よし、呼んでみよう。君も立ち会え」

「いいんですかな、私で」

めんどくさいな。内心はそう思いつつ建前上は躊躇《ちゆうちよ》の形で引き加減を見せる。しかし烏丸は気にもかけない。

「幕僚が優秀だから本命の権威どころは押さえてくれるし、警備計画も的確に遂行してくれる。こちらは安心して大穴狙いに走れるわけだ。大穴狙いなら山師と組むのが妥当だろう」

とうとう山師扱いだ。

「そういえば本部を不入斗公園へと進言したのも君だそうだな。その理由は」

「あなたにご説明が必要ですかな」

さっくり返した明石に烏丸が笑う。

後に投入されるであろう――否、必ずされねばならない自衛隊の拠点にできる規模の空間、しかも米軍基地から二㎞と離れていない。防衛線により近く、横須賀署と市役所からも近いということで中央公園を推す意見が県警内では圧倒的だったのを不入斗公園へ持ってきたのは、半ば明石のごり押しである。

「しかし却下したその中央公園も押さえてあるらしいな。加えて大津《おおつ》運動公園」

その二ヶ所を押さえてあるのは県警幹部にも報告しておらず、完全に明石の独断だ。

「着任前に俺が押さえようとしたらもう押さえてあった。誰の仕業かもちろん調べたとも」

機動隊の拠点としては不入斗公園でひとまず用は足りている。更に複数の空間を確保しようとした意図は烏丸と明石で一致したらしい。

「使わずに済めばそれに越したことはありませんが、横須賀総監部がどうなるか分かりませんでしたので」

湾にぐるりと貼りつくように存在している横須賀総監部は、当然甲殻類の襲撃にさらされている。結果的には基地防衛を可能とする警護出動権を発動して甲殻類の上陸を阻止できているらしいが、最悪甲殻類に占拠される可能性もないではなかった。その場合は、自衛隊の投入の仕方によっては展開拠点が足りなくなる。その保険として押さえた二公園であった。

警察では警備不能。最初からそう見切っているところが明石と烏丸の認識の共通点だ。

明石が一機滝野《たきの》へ出動を依頼したのは、現状で市民の救助が可能な部隊が欠如しているための代替手段である。消防のレスキュー隊も出動したらしいが、やはり救助活動とは言いつつも格闘戦を余儀なくさせられる現場《げんじょう》では、苦戦どころではない苦戦を強いられたらしい。割合でいえば警察よりも犠牲者は多く、早い段階で前線を退いてヘリによる負傷者搬送の後方支援に徹している。

防衛線を張ってからは消防車による放水等で防備を固める支援力にはなっているが、やはり主戦力にはなり得ない。

機動隊の重大損害が未だ右足切断の重傷者一名にとどまっているのは、やはり警備戦闘集団としての日頃の練成があってのことだ。

それにしても右足を失うことは、その隊員の人生にとってあまりに重い犠牲に違いないのに、警備本部ではそれは「重傷者、一」の端的な事実——未だ機動隊から殉職者を出していないという誇るべき成果としてしかカウントされない。

だからこそ警察は一刻も早くこの警備から解放されるべきなのだ。圧倒的な危険生物を相手にろくな火器もなく戦うことを強いられて、致命的な負傷を上は損害軽微としか認識しない。隊員たちの流す血は本部に届くまでに単なる数値に変換される。

苦境を守り続ける最前線こそいい面の皮だった。

相模水産研究所の芹澤斉が警備本部へ出頭したのはその日の正午過ぎである。

会議室に現れたのはひょろりと背の高い青年だった。気弱そうな顔立ちやスーツに着られているような垢抜《あかぬ》けなさは、依頼もないのに報告書を官邸対策室にねじ込んでくるような強引さとイメージが結びつかない。

あの、はじめまして、などとつっかえながら絞り出す声も細くて頼りない。子供の自己紹介並みのおぼつかなさだが、辛うじて専門が深海生物学であることと相模トラフ（舟状海盆）や駿河《するが》トラフを主な研究フィールドにしていることが語られる。

「相模トラフと言うとあれですな、よく地震のことで引き合いに出される……」

見かねた明石が合いの手を入れると、芹澤は救われたようにこくこくと頷いた。

「そうです、地殻的特徴としてはそっちのほうが有名です。相模トラフに沿ってフィリピン海プレートが北米プレートの下に潜って、その下にさらに太平洋プレートが潜るんですね。その動きがものすごく複雑なんでよく地震の話題で出ますね。でもあの、深海生態系としても中々のものでして、中でも冷水湧出域におけるシロウリガイやハオリムシの発見は世界的な注目を集めてまして」

立ったままでどこまで続くやら分からない芹澤の話を烏丸が強引に折った。

「ひとまずお掛けください」

椅子を勧められて座る際も自分が引いた椅子の立てた音で首をすくめる。おいおいしっかりしてくれよ我らが芹澤君、と明石は危なっかしく見守った。

「あなたのレポートについて詳しいご説明を頂きたいのですが」

また烏丸の人当たりは到底なじみやすくないときている。芹澤は明らかに威圧された様子で持参のブリーフケースからA4の紙束を出した。プリンターでカラー印刷されたものだ。

「これが僕の推測する甲殻類の正体です」

印刷されている写真はザリガニによく似たエビだ。まさに今、横須賀を蹂躙《じゅうりん》している甲殻類そのものだが、大きさがかなり違う。

「随分小さいですな」

おそらく一般的な大きさであろうシャーレの中に十数匹。一緒に写り込んでいる定規と比較すると二cmとない。ザリガニの成体を更にミニチュアにしたかのようだ。それだけに拡大して撮られた写真にも華奢《きゃしゃ》なイメージがある。

「まだ学名も付いていないんですけど。近年、相模トラフの冷水湧出域で発見されたエビの一種で、冷湧水生態系《コールドシープ》の——って、あ、冷水湧出域とか分かんないですよね、すみません」

そこは別に分からなくても警備計画に支障はないのだが、芹澤が精一杯かいつまんで（そのつもりでくどくどと）説明してくれる。

地上では食物連鎖の根本が植物の光合成に依存しているが、深海ではそれが化学合成に依存する。地上の太陽に相当するのは、地下から噴出する熱水や冷湧水に含まれている硫化水素やメタンであり、植物に相当するのは化学合成バクテリアだ。そして化学合成バクテリアは芹澤が先程言ったシロウリガイやハオリムシに共生している。

シロウリガイは貝の仲間。ハオリムシはチューブワームとも呼ばれ、その名のとおり管状の群棲《ぐんせい》生物で口も消化管も排泄器官もない。栄養の摂取を完全に共生バクテリアに依存していることで知られる。

そして熱水生態系や冷湧水生態系はこれらの化学合成バクテリア共生生物のコロニーが基盤となっている——そうだ。

「この新種の甲殻類は、シロウリガイを捕食するコロニーを作って生活しています。いわゆる真社会性生物で、アリやミツバチと一緒だと思っていただければ……社会性を持つ水棲甲殻類としては中南米でシナルフェウス・レガリスという種が発見されてますが、このエビはそれに続く発見となります。今は暫定的にサガミ・レガリスと呼ばれてるんですが」

芹澤はさすがに自分の専門分野になると説明が流暢《りゅうちょう》だが、サガミ・レガリスとやらが横須賀の甲殻類とどう結びつくかは置いてけぼりだ。

明らかに顔が不機嫌になってきた烏丸に先んじ、明石は軌道を修正した。

「で、このサガミ・レガリスが横須賀の甲殻類にどう繋《つな》がるんですかな」

「あの、こちら……」

芹澤がブリーフケースからＡ４のファイルを取り出し、明石たちのほうへ差し出した。

成り行き上受け取った明石が開くと、中には新聞記事のコピーがファイルされている。最初の記事は五年ほど前の日付だ。

『潜水艇〝アルヴィンII〟相模沖にて事故

七月十三日、相模湾で深海探査中だった米潜水艇〝アルヴィンII〟が浮上中漁具に衝突し採集バスケットを破損、採集した深海微生物や底泥サンプルを流失した。乗務員の被害はない。

〝アルヴィンII〟は〝しんかい6500〟と共同探査日程中だが、この破損により探査は中断されることが決定した』

小規模な事故であることと、世間の耳目を集める分野のニュースでないため、扱いは小さい。数行の囲み記事だ。

次にファイルされている記事はアルヴィンII事故のほぼ一年後である。

『逗子《ずし》で巨大エビ捕獲……イセエビ変種？

夏休み真っ盛り、海水浴客や釣り客で賑《にぎ》わう逗子の海で珍釣果《ちんちょうか》。体長八〇cm級のエビを釣り上げたのは葉山《はやま》町在住の佐々木朋彦《ささきともひこ》さん（51）。エビは京浜水産大学に持ち込まれ、イセエビかウミザリガニ《ロブスター》の変種ではないかとの見解が出された。

エビは釣り宿で料理されたがアンモニア臭くて食べられなかったとのこと』

こちらは写真入りの記事だ。よく日焼けした釣り客が、子供ほどもあるようなエビを抱えて笑っている。

写っているエビは、確かに横須賀に出現したものとよく似ている。

さらに次の記事は去年。今度は類似した記事がいくつか切り抜かれている。相模湾で漁網や漁具が破損する被害が続出しているというものだ。掛かった獲物も食い荒らされ、漁業関係者に打撃を与えたらしい。

「要するに、この次にファイルされるのが横須賀甲殻類襲来事件である、と?」

結論を端的に問うた烏丸は、ようやく身を乗り出す気になったらしい。芹澤は頷いて続けた。

「アルヴィンIIはこのときサガミ・レガリスを採集した筈《はず》だったんです。それが事故で浅い海に流失したわけで、もしこのとき流失したレガリスが生きていたとすれば……あ、甲殻類ってもともと水圧変化に強いんで生きている可能性が高いんですけど、とにかくレガリスが生きていたら環境が激変したことになります」

「環境の激変、とは水圧ですかな?」

訊いた明石に芹澤が首を横に振る。

「サガミ・レガリスがかつて経験したことのない富栄養環境です」

もともと水棲生物には栄養と寿命の制限さえなければ際限なく巨大になる性質を有したものが多いのだと芹澤は語った。

深海の冷湧水や熱水では、やはり栄養の供給は範囲的にも総量的にも制限される。限られた栄養を奪い合う環境では、サガミ・レガリスは平均体長二cm未満にしか成長しない。そもそも相模の冷湧水環境では熱水環境よりも更に小型の生物が多いのだ。

「サガミ・レガリスが富栄養環境に置かれたときの長期観測データはまだ出てないんですけど、栄養が無制限化して急激に巨大化する可能性はかなり高いです」

「五年かそこらで横須賀のアレになっちまうほど、ですか」

「うちの研究所で飼育中のサガミ・レガリスは三ヶ月ほどでアメリカザリガニ大になりました。うちでは飼育場所がないから給餌《きゅうじ》制限してますが、制約がなければどこまで育つか分からないです」

逗子で釣り上げられたものがサガミ・レガリスだとすれば、アルヴィンII事故からほぼ一年で八〇cm大に成長したということだ。

「それにサガミ・レガリスは世代交代が早いんです。冷湧水や熱水の環境は変化が早いので、世代交代を早くして環境変化に対応するためだと考えられてますが、概《おおむ》ね一年未満で女王エビが交代します。その度にそのときの環境に特化して産卵するんですが、栄養の制限が外された環境で世代交代を繰り返せば、成長を抑制する必要がなくなるぶん巨大化も早まると思います。流失した群れに女王エビが含まれていたとすれば、今回の現象に発展する可能性は決して低くありません。巨大化の過程で天敵が存在しなくなったとすれば、外敵に食われることを前提に天文学的な数字で孵化《ふか》する幼生の全てが生き残りますから、今回のように推定数万体を有する超巨大コロニーと化すことも充分考えられます」

「一つ質問してよろしいですかな」

明石は軽く手を挙げた。

「元が深海生物なら目が悪いんじゃないかと思うんですが──というよりも、むしろ目が悪くあってほしいんですが、警備の現場からはザリガニが非常に正確に隊員の位置を摑《つか》んで襲ってくることが報告されております。これは何故です？」

「深海生物には珍しくありませんが、赤外線を探知する器官を持ってるんです。今回の上陸も、餌になり得る生物をこの器官で探知したためと思われます」

「……要するに、陸がセンサーで探知されて狩場になっちまったわけですか？」

「そうなりますね。この辺に来たのは偶然かもしれませんが、上陸して餌を大量確保したことによって横須賀を縄張りにしようとしてるんじゃないかと思います」

明石の疑問は取《と》り敢《あ》えず解消した。さて烏丸はどうか。明石が窺《うかが》うと烏丸は口を開いた。

「推測としては非常におもしろい。しかし、横須賀の甲殻類がサガミ・レガリスであるという根拠が弱いな。根拠としては何を挙げます」

烏丸の指摘に芹澤が鼻白む。

「それはその、横須賀の甲殻類も集団で行動していますし……上陸範囲もある程度限定されてますし……社会性がない生物ならもっと無秩序に動くんじゃないかと……」

もごもごと答えるが、どう割り引いて聞いてもその場しのぎの答えでしかない。

「防衛線による恣意的な封じ込め作戦が展開された以上、上陸範囲の限定については甲殻類の集団性によるものとは断定できない。出現時からの甲殻類の行動範囲を正確に観測したデータもありませんから。それに社会性がなくとも群れで動く生物はいる。魚ならイワシやニシンも群れますが社会性があってそうしているわけではないんでしょう、あれは。サガミ・レガリスを最も特徴づけるのは真社会性のようですが、行動に社会性を確認するのなら長期的な観察が必要なのでは？」

容赦ない畳みかけに、芹澤はしおれて俯《うつむ》いてしまった。烏丸も芹澤の説を潰《つぶ》そうとしているわけではないのだろうが、何しろ話の運びが性急すぎる。そもそも出現から一晩しか経たない現状で根拠を固めることなど不可能だ。

「ま、昨日の今日では『外見が似てる』程度の根拠しか出てこんでしょう。海洋研究開発機構《JAMSTEC》でも根拠はそんなもんでしたよ」

執り成した明石は芹澤に向き直った。

「ですから、あんたも分からんことは分からんこととして答えりゃよろしい。こちらの御仁が恐そうだからってない引出しを無理矢理開けようとするこたぁありません。ない引出しをあるように見せかけられるほうがこちらとしては大問題で」

推測としては『非常に』おもしろい、と烏丸は前置きしたわけで、烏丸なりにそれは興味を引かれたことを表明しているのだ。――多分。

「ええと、そうですね、すみません。あの、根拠は見た目が似てることと思いつきです」

思いつきはふつう根拠とは言わない。だが、それを指摘するとまたぺこぺこと謝りはじめて話が停滞するだろうから明石は聞き流して問いかけた。

「サガミ・レガリスの巨大化については以前から注目されてたんですかな」

「その逗子でのニュースを知ったときからでしょうか……似てるなぁって思って、そう言えばアルヴィンIIが流失したサンプルにもサガミ・レガリスが混じってたなぁって」

　誰にも取り合ってもらえなかったけど、と芹澤は自嘲《じちょう》気味に笑った。

「ちょっと突飛すぎますよね、深海の生き物が浅い海で巨大化したなんて。形が似てるなんて言ってもイセエビの変種とかも充分考えられる形状だし」

「だが悔しかったんでしょう」

　素っ気ない口調で口を挟んだのは烏丸だ。

　虚を突かれたように芹澤が目を丸くして、それから照れたように笑って「悔しかったです」と呟《つぶや》いた。

「うちでも釣り上げられたエビの検分したいって言ったんですけど、理由を話すと笑われて。それで巨大化説に繋がりそうな証拠集めっていうか、記事をいろいろ集めはじめて。最近うちでもサガミ・レガリスの飼育が始まったんですけど、わざと一部を栄養飽和状態にしてみたり……すごい怒られましたけど」

　それで報告書をねじ込んできたとしたら、軟弱そうに見えてもそれなりに我は強い。意外な思いで明石は目の前の気弱そうな青年を見つめた。

「逗子の仇《あだ》を横須賀で討ってみるか」

烏丸の口調がからりとぞんざいになった。笑みを含んだ口調は煽《あお》っている。

無駄に偉そうなのは特質だと昨日からの観察で明石にはすでに飲み込めているが、さてこの坊やは萎縮《いしゅく》せずに食いつくか。

「相模水産研究所にも射殺した甲殻類を一体提供しよう。一日でサガミ・レガリスと証明してみせろ」

「やります！」

意外にも即断。それまでの弱気は何だったのかと思うほどだ。この負けん気を見抜いた烏丸に明石は内心舌を巻いた。

「明石警部、搬送の手配を」

「は。芹澤先生と一緒に送り届けるようにしましょう」

手配が済むまで別室で待つことになった芹澤が退室してから、明石は言った。

「よく見抜きましたな」

目的語を省いた明石に烏丸がつまらなさそうに答える。

「ただのチキンがムリヤリ報告書をねじ込んでくるわけがないだろう。無駄に小心なところは不愉快だが使えなくはない」

無駄に偉そうな烏丸はベクトルが違うだけで人のことを言えた義理ではないように思えたが、明石は敢えて指摘しなかった。

*

一晩経つと、子供たちの中には既に微妙な勢力図ができあがっていた。

圭介《けいすけ》たち中三トリオに中二の坂本達也《さかもとたつや》と中一の芦川哲平《あしかわてっぺい》が同調し、木下玲一《きのしたれいいち》以外の中学生が全員圭介側に付いたことになる。森生《もりお》姉弟の側に立つのは翔《かける》の友達の中村亮太《なかむらりょうた》と西山《にしやま》兄弟だ。小五の平石龍之介《ひらいしりゅうのすけ》と小四の野々村健太《ののむらけんた》は立ち回りを迷っている気配だが中立を保ち、中一の木下玲一はそうした勢力図を我関せずとばかりに無視して一人でいることが多い。

子供たちが起き出してくるのが遅かったので昼食と兼ねることになった食事の用意を始めたときから、その図式は顕在化した。

腕前がおぼつかないとはいえ、子供たちの中では一番マシな望《のぞみ》を冬原《ふゆはら》が作る側に指名すると、後片付けに回ればいいんだろと言わんばかりに圭介たちは手伝わない。食堂に陣取ってテレビを観ている。

教師じゃあるまいし仲良くしなさいと無理に手伝わせるのも馬鹿らしく、かと言って望側で戦力になるのは翔と亮太までなので、中立風情の玲一などを駆り出して数を合わせる。

「こうしてみると補給科ってのはえらいよな」

卵を人数分、片っ端から割りながら夏木《なつき》はぼやいた。

「たかが二人かそこらで何十人分だか作っちまうんだもんな」

おやしお級で乗員は約七十名、出航中は三交替直だから七十名全員が一度に食事を取ることはないが、それにしても二十人や三十人分はわずか二、三名の給養員で賄ってしまうわけで、しかも作る飯は常に旨《うま》い。海上・海中の娯楽に逃げられない環境で飯まで不味《まず》かったら暴動が起こるに違いないから、旨い飯を出すことには努めているのだろうが。

「なあ、これ泡だて器で混ぜんのか」

「知らないよ、箸《はし》でいいんじゃないの」

「つってもお前、この量だと箸じゃ……」

夏木や冬原ではこのレベルである。目玉が潰れることが分かりきっているので、目玉焼きという選択肢は初めからない。いわゆる「ぐちゃぐちゃ卵」が限度だ。せめて何か具を入れようと冬原がさっきから黙々とハムを切っている。

「森生姉、泡だて器どこだ」

「夏木さんたちが分からないもの、何で私が分かるんですか……」

返事が上の空の望は、特大の炊飯器の前で注意深く水を量っている。今度はお粥《かゆ》にしないという決意がその力の入った肩の線にみなぎっている。

「何かこう、女の勘みたいなもんはないのか。普通はこの辺に入ってる、みたいな」

「引出しとか見ました？　……ああっ分かんなくなっちゃった」

望は乗員と同じ青い制服を着ている。やはり部屋干しした服は一晩では乾かなかったようだ。そのことについて圭介は取り敢えず難癖を付けなかった。子供たちも怪訝《けげん》そうにはしながらもあまり表立って触れようとはしない。それに、昨夜おねしょをした光もズボンが乾いていないので大人用のトランクスで過ごしており、望だけが目立たずに済んだ。

　亮太の問い（というよりむしろ翔の疑問の代弁だろうが）には、「昨日服が濡《ぬ》れちゃって」と説明しているのが夏木たちにも聞こえた。無理のある説明だが二人とも敢えて食い下がろうとはしなかったので、何となく詳しく訊いてはいけない雰囲気を感じたのかもしれない。

「おお、あった。やるな、森生姉」

　手当たり次第に開けて回った引出しから泡だて器を見つけた夏木がねぎらうと、望からは「話しかけないでください！」と真剣な抗議が返った。

「開けた引出し閉めなよ、夏」

　呆《あき》れ声で注意する冬原が望に話しかけた。

「望ちゃん、炊飯器に水の目盛り付いてない？」

「すみません、いくつか目盛りがあってよく分からないんです。お米の量より一杯多いんですよね？　……ああ、お米何合取ったか忘れちゃった……」

　うなだれた望が水に濡れた米を量り直しはじめる。指導役がいないためだが、小学生の調理実習のほうが恐らくよほど手際がいい。

「終わった」

　玲一が皮を剝《む》き終わったジャガイモをボウルに盛って調理台に置きに来る。厨房《ちゅうぼう》が狭いので外で作業していたのだ。そのままさっさと厨房を出ようとするのを冬原が呼び止めた。

「まだまだ、切るのが残ってるよ。亮太くんと翔くんにも手伝ってもらってそっちで切って」

言いつつ冬原が顎で厨房カウンターの向こうの食堂を指す。

「切るってどれくらい」

玲一が薄い抑揚で問いかけ、最後に「大きさ」と付け加える。適当に、と答えた冬原にまた尋ねる。

「何センチ角？」

「何センチって……味噌《みそ》汁に入れるんだからそれなりで」

「だから何センチ？」

融通の利かなさは不慣れなためか性格か。「……一、二センチってとこじゃないの？」冬原が具体的な数字を出すと別に仕事自体は嫌がらずにジャガイモを持って食堂へ戻る。

定規で測るんじゃないだろねと冬原が呆れ顔で呟きながら、自分は引き続いてハムを切る。

「そんでここに大問題が発生するわけだが」

卵を混ぜながら夏木は深刻な声を出した。

「出汁《だし》ってどうやって取るんだ」

「……あー、そういう問題もあったねえ」

この返しということは冬原も回答は持っていない。米を量り中の望を二人で振り返る。女子の知識を頼られた望は怯《おび》えたように身を縮ませた。

「……かつお節とか煮干とか？」

「そんなこた俺らでも分かるよ、問題はどうやって取るかってことだ」

あと量ね、と冬原も付け加える。かなり追い詰められた態《てい》の望が恐る恐る答える。

「……ダシの素とかないんですか？」

打ち出された新機軸に大人二人は手を打った。

「その手があったね」「探せ探せ」

狭い空間にありとあらゆる隙間収納をねじ込んだ実用重視の厨房で、夏木と冬原がダシの素を探してあちこち引っくり返しはじめる。「ああ、また……」とがっくりうなだれた望が再び米を最初から量り直しはじめた。

しばらく捜索が続けられた結果、缶に入った茶色っぽい粉末が発見される。

「これ……かなあ」

匂いを嗅《か》いでみたりする冬原の横から夏木が指につまんで一舐《ひとな》め。「うわ、まず！」と盛大に顔をしかめる。

「こんなもん入れて大丈夫なのか？」

「希釈《きしやく》したら大丈夫なんじゃないの」

「希釈て。バッテリー液か何かかよ。して、量はどれくらいだ。一人一杯くらいか」

夏木が缶の中に突っ込んであるスプーンに顆粒《かりゆう》をすくってみると、カウンターの向こうから
「何人前作る気だよ、多すぎだよ」と咎《とが》めるような声がかかった。見ると、圭介の取り巻きの吉田茂久《よしだしげひさ》である。作っている様子を食堂から眺めていたらしい。

「お前分かんのか」

「分かんないのかよ、大人のくせに」

毒づいてはみせるが圭介ほど毒はない。もともとあまり気が強いほうではないのだろう。

「鍋《なべ》に水入れて」

言われるままに夏木はシンクの上に吊《つ》ってある手近の鍋を取ったが、ここでまたつまずく。

「十五人分ってどんくらいだ」

バカだなぁ、と茂久が心底呆れたように呟く。

「お椀《わん》で量ればいいじゃないか」

「そうか、頭いいなお前」

さっそくプラスチック椀で水を量りはじめた夏木に、蒸発する分少し多目にと茂久が細かい指示を飛ばす。

水を張った鍋に茂久はカウンター側から手を伸ばして目分量で粉末ダシを振り入れた。付属のスプーンに軽く一杯というところか。

「そんで後は味見ながら足せばいいんだよ。味薄いなって思ったら大体ダシ足りてないから」

「君、詳しいねえ。望ちゃんより頼りになるなぁ」

悪気なくしれっと口走る冬原に、望がすみません、と小さくなった。計量がさらにリセットされ、「いいからお前は米量ってろ」と夏木に執り成されてまた黙々と米を量りはじめる。

茂久は持ち上げられて満更でもない様子だ。

「俺んち、定食屋だから……」

「さすがだねぇ。ついでだしちょっと教えてってよ、ジャガイモはどのタイミング？　沸いてから？」

「水から入れないと火が通らないよ。そんで蓋《ふた》して。煮る前にジャガイモ水にさらせよ」

そう言って圭介のほうへ戻りかけた茂久は、やや後ろ髪を引かれる様子で厨房を振り向いて目を剝いた。

「何やってんだよ！」

折りしも夏木が冬原の刻み終わったハムを溶き卵の中にぶち込んだところである。

「具は先に炒《いた》めないと火が通らないだろ⁉」

「ハムなんか生で食えるんだから一緒だろ」

「先に炒めるのがルールなんだよ！　次から守れよ！」

押し問答に圭介がこちらを振り向いた。

「何やってんだよ茂久」

恫喝《どうかつ》を底に秘めた声に、茂久はぎくりと首をすくめた。そして言い訳じみた声で答える。

「だってこいつらに任せといたらまたヘンなもん作りそうだからさ」

「男が料理なんか手伝うことねぇよ」

俯いてしまった茂久に夏木が静かな声を掛けた。

「訊きたいことがあったらまた呼ぶ。戻っていいぞ」

顔を上げてこちらを見る茂久のほうは敢えて向かず、夏木は続けた。

「揉《も》めたくねぇんだろ。心配すんな、次からルールは守る」

見ようによっては会釈に見える角度で首を前へ突き出し、茂久は圭介たちのほうへ戻った。入れ違いに、翔と亮太が刻んだジャガイモと使い終わった道具を厨房に戻しにくる。玲一は自主的に手伝いを終了して食堂から出ていくところだった。


昨日に比べたら格段の進歩と言えよう。少なくとも味噌汁のジャガイモには火が通ったし、望の炊いたご飯もお粥ではなかった。

にも拘わらず、食事の空気は昨日よりも悪い。昨日は圭介がさっさと離脱したからその後は平穏だったが、さすがに二食抜く気はなかったようだし夏木たちにも二食抜かせる気はない。一度保護した以上、子供たちの健康や安全に対する責任がある。

圭介は仏頂面で箸を動かし、その不機嫌な気配が他の子供たちに沈黙を強いる。ただでさえ狭い空間が余計に息苦しい。点《つ》けてあるテレビニュースから流れるアナウンサーの淡々とした声がまた景気の悪さに一役買っている。

『……一夜明けた横須賀です。昨日中に送電線を利用した防衛線が設置され、出現した甲殻類の侵攻をある程度押しとどめています。今後は定期的に餌を供給することで防衛線への攻撃を緩和させることも検討されています。また、今朝からは神奈川県知事の災害出動要請を受けた自衛隊により、避難区域内に取り残された住民の救出が行われています。防衛出動の可能性については未だ検討中……』

市街戦の決定と同義である防衛出動の決断が中々下されないのは無理からぬところである。戦後初の決断を下す胆力は現内閣にあるのか。

ひとまずの囲い込みが成功してしまったことが、決断をずるずると先延ばしにさせそうだ。このまま何とか警察で決着を、という悪あがきも長引くだろう。

『警察庁では甲殻類の休眠時間にSATを投入して各個撃破することを検討中ですが、現時点で甲殻類は群れ全体がまとまった休眠に入る気配を見せておらず、休眠に入る個体は海へ戻ることが予測されています』

やっぱりそんなこと考えてやがる。夏木が溜息《ためいき》を吐《つ》いた横で冬原が呟く。

「陸で休眠したとしても海に残ってる奴の手当てはどうするつもりだったんだろうね。海保は爆雷なんか持ってないのにねぇ」

「米軍基地への手当てもだよ。てきぱき片ぁつけないと奴らキレるぞ」

圧倒的多数に対し各個撃破などという効率の悪い作戦に米軍が事態収拾を託すとは思えない。鼻で笑って自前で大火力投入を決めるだろう。

ニュースは甲殻類出現の時系列と上陸経路の検証に切り替わった。食事がすっかりお留守になった夏木と冬原がテレビに釘付《くぎづ》けになる。

甲殻類は米軍横須賀基地の東側から上陸し、やはり探知は米軍が最も早かったらしい。空は防空警戒網があるが、海にそうしたシステムはない。せいぜい米海軍の音響監視システム《SOSUS》程度だが、それも敵潜水艦の探知に特化されているので海洋の異常をまんべんなく探知できる性質のものではない。

『きりしお』が司令部から出航・退避命令を受けたのは七日の午前十時頃。ニュースの情報によると上陸が確認されたのは九時三十分頃だ。米軍から海自への警告はほぼ最速のタイミングで出されたことになるが、それでも艦の脱出が間に合わなかったことが甲殻類の侵攻速度と数の多さを思わせる。

基地住民や桜祭り来場客への手当ては開場まもなくの混雑の中で後手に回り、それが被害を拡大したようだ。歩くこともおぼつかない人混みで大人とはぐれ、子供たちを連れて逃げたという望はさぞや心細かったことだろうに——

夏木はちらりと向かい側に座った望を窺った。傑物という冬原の評価は当たっている。

『また、湾内の「きりしお」に取り残された子供たちの安否も気遣われています』

「あ、公園うつってるー!」

はしゃいだ声を上げたのは西山弟、光《ひかる》だ。テレビには住宅街の中の児童公園が映っている。見知った場所なのだろう、子供たちの気配が明るくなった。

「ぼくんちこの近くだよ」

光が誇らしげに冬原と夏木に主張する。テレビに身近な場所が映ることは子供にとって単純に嬉《うれ》しいのだろう。翔なども喋《しゃべ》らないなりに表情は弾んでいて、それが嬉しいのか望の表情も柔らかい。

レポーターが通行人を呼び止めて子供たちの孤立についての談話を取っている。心配だとか早く救出されてほしいとかそんな当たり障りないコメント以外が取れるわけもないが、このテの事件が起こったときの様式美なのだろう。

と、顔を写さないアングルで集めていた談話VTRが突然顔出しに変わった。派手な顔立ちの中年女性だ。

どこかで見た覚えがあるような——と夏木が首を傾げたとき、

「圭介くんのおばちゃんだ」

誰かがそう呟いた。確かに画面の中の女性は、圭介の母親と聞いて納得できる目鼻立ちだ。特に気の強そうな目元はそっくりである。

「余計なこと言うなッ」

叱咤《しった》した圭介が睨《にら》みつけたのは中立組の小四、野々村健太で、健太はびくっと首をすくめて俯いてしまう。

『心配ですよもちろん。一刻も早く無事な息子の姿を見たいです。基地がパニックになってたらしいですから引率の方とはぐれてしまったのは仕方ないですけど。どうしてまたあんな救出の難しいところに……』

やな喋り方するおばはんだな。夏木は軽く眉《まゆ》をひそめた。はきはきした口調で紡ぐ言葉の中にどこかざらりとした後味が残る。画面の向こうから誰かを揶揄《やゆ》しているような。

この場合、揶揄されているとすれば艦内に子供たちを保護した海上自衛官である。基地の外に避難させてくれていたら、と言いたいのだろう。その場にいなかった奴は何とでも言えるし、取り残された子供の親と来れば何を言おうと咎める奴はいないから無敵だ。

俺たちなら勝手に揶揄すればいいさ、艦長を名指しで当てこするんじゃなければな。

そう割り切って味噌汁をすすった夏木は、望が箸を止めて唇を噛《か》んでいることに気づいた。昨日からもう何度か見た、何かをこらえるときの癖だ。隠した我が一番出る。

しかし何故ここで、と考えて気づく。圭介の母親の揶揄には望も含まれるのだ。子供たちを先導して逃げた年長者として。圭介から電話でどれほど事情を聞いているか知らないが、望が先導したことを知ってこの発言を当ててきているならますます嫌なババアだ。

気にするな、どうせ俺ら宛てだ。そう言ってやりたいような気もしたが、ほかの子供たちの手前下手なことは言えない。結局夏木は唇を噛む望に気づかない振りしかできなかった。

「助けはまだ来ないのかよ」

圭介が唐突に問いかけた。

「まだだな」

夏木の返事も即答だ。食事の前に既に無電を確認してある。

「何で来ないんだよ」

「お前の母ちゃんも言ってただろが、難しいんだよ。技術的にも政治的にも」

「そんだけかよ」

「あ？　何言いたいんだお前は」

意図は分からないが突っかかりたい態度だけは分かるので夏木も喧嘩腰《けんかごし》で応じる。

「やめなって大人気ない」

冬原がおざなりに執り成して衝突は不発に終わった。

その間に圭介の母親は画面から消えていた。次に映って「もっと安全な場所に逃げてくれていたら」などと圭介の母親に同調しているのは、中三腰巾着《こしぎんちゃく》その一の高津《たかつ》雅之《まさゆき》の母親らしい。

こちらは雅之とあまり似ていない。

保護者のインタビューはその二名で終わった。

食後は圭介と雅之、そして彼らに同調を見せるようになった中二の坂本達也が一応は文句を言わずに後片付けを始めた。それ以上狭い厨房に入るのは非効率なので、あぶれた吉田茂久と中一の芦川哲平が所在なくカウンター周りをうろうろしている。

食べ終えてトレイを下げた望の表情が冴《さ》えないのは、インタビューを引きずっているのか、それとも。

きついのは二日目だっけか、いやちがう二日目は量か。痛いのは初日からだと言っていた、痛みがそろそろ来たのかもしれない。反射で冬原を探すが、発令所に向かった後だった。夏木が厨房の始末を確認する番になっているのだ。

戻ってきた望に夏木はやや声を落として尋ねた。

「具合悪いのか」

望は人差し指と親指で少しの隙間を作り、小さく笑った。本当に少しならこの娘はわざわざ言わないだろうから、その小さな笑みが逆に痛々しい。

「薬飲んで寝とけ」

アスピリンが生理痛にどれほど効くかは知らないが。望が制服のポケットから錠剤のシートを出す。

水を取りに立とうとするのを制して、夏木は給水機でプラスチックの湯呑《ゆの》みに水を汲《く》んだ。望にそれを渡してやると、厨房の中から睨む圭介と目が合った。夏木が真っ向見返すと圭介はすぐに逸《そ》らし、厨房に背を向けていた望は気づかない。

爆発するほどでもなく燻《くすぶ》る気配は一番厄介だ。本人が望まざると何故か火種にされてしまうらしい望が部屋に戻り、夏木はようやく安堵《あんど》の息を吐《つ》いた。少なくとも寝ている間は絡まれる心配はないはずだった。

一寝入りして起きると二時間ほど経っていた。腰から背中にかけて冷たい感触はない。

ほっとした望は慎重に体を起こした。姿勢を変えた拍子に大量の出血を見ることはよくある。腰の辺りにわだかまっている鈍い痛みは、薬のお陰か少しマシになっていた。

シーツの上にビニールを敷いたせいで、布団に体温が籠《こ》もって服も下着も汗で湿気ている。できればシャワーを浴びて着替えたいところだが、そんな贅沢《ぜいたく》は言えない。夜中にシャワーを使うだけでもかなりの便宜を図ってもらっているのだ。着替えにしても次々と消費するわけにはいかない。対症療法として取り敢えずベッドを降りて布団を大きくはぐり、ベッドの角に浅く腰掛けて服と寝具の湿気が飛ぶのを待つ。

自分じゃ分からないけど、こんなに汗かいたら部屋に臭いが籠もるだろうな。

そうでなくとも潜水艦の中はどの部屋も狭くて換気が悪い。

そんなことを案じていたときに、「望ちゃん」入口からひょいと覗《のぞ》いた光が起き出している望を見て駆け込んできたのでとっさに叫んでしまった。

「来ないで!」

思いのほか鋭くなった声に、光が怯えたように立ちすくむ。光の後ろから続けて入ってきた陽《あきら》も固まってしまった。

ああしまった。望は慌てて笑顔を取り繕った。

「ごめんね、今おねえちゃん汗臭いから光くん嫌かなって」

と尋ねる。

「嫌じゃないよぉ？」

嫌じゃない、っていうのは臭うことは臭うのかな。微妙に気に病みながら「どうしたの？」

「光が電話貸してほしいんだって」

陽がそう言ったが、貸してほしいのは陽も同じだろう。昨日は寝る前までみんな家に電話をしていたからまだ我慢できそうなものだが、昼のニュースで近所が映ったためか里心がついたらしい。それに小さい子はやはり家が恋しいのだろう。

望や翔とは事情が違う。

望は携帯の電池を確認した。昨日子供たちにたくさん使わせたので、ゲージはもう三分の一しか残っていない。

だが、家には一日一回連絡すればいいだろうし、何なら夏木や冬原にも借りられる。夏木と冬原は誰にでも貸してくれるだろうが、この兄弟としては望が一番借りやすいのだろう。

「電池があんまり残ってないからね。ほかの子も使いたがったらちゃんと交替だよ。それから黙って上に出ちゃ駄目よ。絶対、夏木さんか冬原さんに上げてもらってね」

「うん！」

頼むのは陽だが渡された電話を受け取るのは光だ。ちゃっかりした甘えん坊、いかにも年下で末っ子のタイプだ。

……翔も昔はこんなだった。

言葉に詰まったのは完全に虚を突かれたからだ。

「思いつきもしませんでしたな」

正直に白状すると、烏丸も頷いた。やはり思いつかなかったクチらしい。

警備計画で毒物利用などという考えは最初からないのが普通で、手持ちの装備でどうやって警備を完了するかということに思考は終始する。

「レガリスの防衛線突破を防ぐために明日から餌の供給を開始する予定だっただろう、それに毒を仕込めばどうかという話だ」

レガリスと呼んだのは甲殻類のことか。気弱な生物学者、芹澤の言ったサガミ・レガリスの呼称が呼びやすさの点で気に入ったらしい。

「毒の選定はどうなってるんでしょうな」

「どんな毒が有効かなんてことは分からんからな。取り敢えず効きそうな毒で試してみようということらしい」

「試す価値はあるんじゃないですか」

少なくとも、上陸中の個体についてはかなり有効な手段に思える。海への対応は難しいが、海だけなら海自を出動させればいい。

防衛出動の決定に二の足を踏ませているのは、大火力による市街戦の問題だけと言い切ってしまってもよく、市街のレガリスを火力に拠《よ》らず駆除できるのなら海自の出動は比較的敷居が低くなるように思われた。

「幕僚のご意見は」

訊いた明石に烏丸は笑った。

「今すぐにも飛び乗りたい気配だな。治安維持に自衛隊の手を借りずに済むのは魅力だろう。海はもともと管轄外だから海自に任せてもプライドは傷つかん。後生だから俺にうんと言ってくれという風情だった」

作戦立案当初から自衛隊への状況のリレーを唱えていた烏丸は、幕僚にとって爆弾のような存在なのだろう。

「俺としても、市街戦自体を回避できるなら無理にも陸自を担ぎ出そうというわけではないんだがな」

爆弾扱いが不本意なのだろう、烏丸の声は苦笑混じりだ。

「しかし、参事官殿のご提案はそのまま続行するべきですな」

陸自の市街戦を想定した住民の広域避難である。毒殺案を採択するなら避難はもう必要ない、という早急な判断はいかにも下されそうな感がある。

よく読むな、と烏丸は呟いた。やはり広域避難の解除は既に検討されているのだろう。

「長年警備畑におりますからな」

上の言い出すことは大体読めるようになっている。今回は烏丸が読みにくいが、基本的には明石と思考のルートがそれほど離れていないようなので逆にやりやすい。

毒殺作戦の結果が出てからでも避難解除は遅くないし、万が一作戦が失敗した場合が問題だ。

不自由な避難生活から一旦《いったん》解放しておいて、また避難生活に戻れとなれば、市民の大不興を買うだろう。それだけ作戦の見通しの甘さについても厳しく追及されることになるし、効率も悪い。

「万が一の世論を盾に話をされるとよろしいですな」

僭越かと思いつつ進言すると烏丸は素直に謝辞を述べた。意外と巧《うま》く立ち回ることが苦手なクチかもしれない。——力押しは得意なようだが。

「それはそうと、『きりしお』の救助が決定したらしいな」

「災害出動に引っかけてということですか」

住民の移送などに自衛隊が乗り出した以上、『きりしお』の存在は捨て置かれまい。むしろ海自救難隊などは『きりしお』の救助をこそ真っ先に手掛けたいはずだ。

「いつですか」

「明日だ」

武器の使用が認められない災害出動の状況下、レガリスの海に沈んだも同然の『きりしお』の救助は成るのか。

「せめてSATとの協力体制は作れなかったんですかな」

「縄張りの問題が解消できなかったらしい」

下から見ると馬鹿馬鹿しい問題である。場所が米軍埠頭《ふとう》で座礁したのが自衛隊艦船としても、中に取り残されているのは未成年の民間人だというのに。

「親はたまらんでしょうな」

「明石警部にも子供がいるのか」

「いえ、未婚です。警備にのめり込んでいるうちに婚期を逃しました」

参事官は、と訊き返すと、烏丸も首を横に振った。

「当面そうしたことは考えていない」

守るものができると弱くなる、と呟いたのは、やはり烏丸の身の回りはあまり穏便ではないのだろう。出《で》る杭《くい》が尖《とが》っていればなおさらだ。

「現状には満足しているか」

率直な問いは、県警内で決して厚遇されていない明石の立場についてだろう。明石の経歴を知っているのかもしれない。

「警備の仕事は好きですよ」

敢えて濁す。憤りや不満はとうの昔に通り過ぎた。

「それほど面白いか」

「私にとっちゃパズルのようなもんですな。自分の脳味噌《のうみそ》を極限まで試せる仕事は世間にそうありません」

何をどのように使って状況を終息させるか。予定外に発生する警備ほど脳味噌の試《ため》し甲斐《がい》はある。初めて警察の装備では終息できないと明石が思ったのが今回の横須賀だが、

「毒殺というのは完全に意表を衝《つ》かれましたな、多少悔しくもあります」

「悔しがっている暇はないぞ。毒殺計画の実施に向けて警備計画に余裕を作れ」

　突き放すような物言いは、実は烏丸も意表を衝かれたことが悔しいのだろう。それだけ状況が特殊（むしろ異常）過ぎたということだが、だからといってそれを言い訳にできない性格だ。それは明石も同じである。

　明石は敬礼を残して幕僚控え室を後にした。防衛線の警備で一杯一杯の現状から、毒殺作戦の実施に必要な人員・機材を捻出《ねんしゅつ》せねばならなかった。

＊

イージス：沖縄の親戚《しんせき》と連絡取れた。やっぱ昨日からえらいこと米軍のＣＨ53が飛び回ってるって　04/08（月）15:03
ファルコン：やはり救出の想定訓練でしょうか　04/08（月）15:04
イージス：だろうな。特殊な作戦だし、ある程度の流れを習熟させてるんじゃないか　04/08（月）15:05
ファルコン：沖縄なら海を想定した訓練もしやすいでしょうしね。こちらにも岩国と三沢から情報が入りましたけど、まだ輸送ヘリが大規模に動く気配はないそうです　04/08（月）15:06
イージス：おかしいな　04/08（月）15:07

ファルコン：何がですか？　04/08（月）15:07
イージス：ヘリはそろそろ動くかと思ったんだけどな。海兵隊はジェット輸送するにしてもヘリは移動に時間がかかるし、先に動かしといてもいいと思うんだけど　04/08（月）15:08
ファルコン：どの基地から何機出すか調整中なんじゃないですか？　まさか全機材を横須賀に一極集中で投入できるわけもないでしょうし。それに海兵隊をどれだけ救出作戦に割くかでも投入するヘリの数がかなり変わるでしょうしね　04/08（月）15:09
イージス：それはそうなんだけど。でも海兵隊総数が一万六千って決まってて、沖縄をカラにできない以上は、割ける人数の目処《めど》なんて付きそうなもんじゃないか？　変にモタモタしてるのが気になるなぁ　04/08（月）15:11
ファルコン：無用に日本政府を刺激したくないんじゃないでしょうか　04/08（月）15:12
イージス：奴らがそんな気ぃ遣うかな。出動が遅れるほうが日本はありがたいけど、何か裏がありそうな気がするよなあ。ちなみに警察は独自で情報収集してるわけ？　04/08（月）15:14
ファルコン：警察は警察で動いてるんじゃないですか？　まさか、ネット上の口コミを鵜呑《うの》みにはしないでしょう明石さんも。多角的に情報がほしいって

ことじゃないんですか？　04/08（月）15:16
イージス：あ、現職さんの個人名は一応伏せよう　04/08（月）15:17
ファルコン：ああ、そうですね。すみません　04/08（月）15:17
イージス：まあ、どうせログは毎回削除してるし検索避《よ》けもしてるから、それほど気にすることないかもしれないけど　04/08（月）15:18
ファルコン：いえ、私の配慮が足りませんでした。今後気をつけます　04/08（月）15:18
イージス：ところでトムさんはどうしてるのかな？　今日はまだ見かけてないけど　04/08（月）15:19
ファルコン：今日は朝から横田に張りついてるそうですよ　04/08（月）15:20
イージス：大変だな。俺もそろそろ他人事《ひとごと》じゃないけど　04/08（月）15:21
ファルコン：頑張ってください。私だけ楽ですみません　04/08（月）15:22
イージス：いや、ファルコンさんは中継点になってもらわないといけないし。時間食われてるのは同じでしょ。有給浪費してさ　04/08（月）15:23
ファルコン：比較的時間の融通は利く仕事ですから　04/08（月）15:24
イージス：取り敢えず、現職さんには海兵隊で想定訓練が始まったらしいこと伝えといて。俺もそろそろ仲間と交替しに行かないと　04/08（月）15:25
ファルコン：了解しました、行ってらっしゃい　04/08（月）15:25

食事と就寝以外、二時間交替で無電待ちの発令所詰めを受け持つローテーションを今日から導入している。発令所に詰めないほうは通常業務や見回りを務める。子供とはいえ、部外者を艦に乗せた状況では定期的な安全確認が必要だ。

そして夏木は昼から数えて二度目の見回り中だった。

さらには今晩から夏木と冬原で就寝時間をずらす予定である。昨日はさすがに疲労もあって行き届かなかったが、待機中の乗員がいない時間帯がある艦内状況を続けるわけにはいかない。寝る場所は発令所にしてしまえば無電が入っても気づけるので、起きているほうは見回りにも適宜出られる。

強いて言えば寝汚《いぎたな》い冬原が多少不安だが、その程度は仕方がない。

「問題は食事の監督が一人でやれるかっつー問題だよなー」

夏木は歩きながら呟いた。就寝時間をずらすと艦内を一人で管理する時間が互いに増える。食事も一人で監督しなければならないタイミングが必ず回ってくるということだ。

そうこう悩んでいるうちに、もう夕飯の支度を考える時間である。つくづく補給科は偉大だ、心配しなくても時間になればきちんと毎回違う飯が、しかも旨いのが出てくる。

最下層を見回っていると水場で吉田茂久とかち合った。夏木と目が合い、見ようによっては会釈に見えないこともない首下げ。そして夏木を通すために壁際へ避ける。普通にすれ違えるほど幅のある通路は艦内にない。

「おお、吉田茂久」

全員のフルネームを機械的に頭に叩《たた》き込んでいるので、特に覚えのある者以外は呼びかけるときとっさに名字と名前が切り離せない。今のところ特に覚えがあるのは望の周辺と圭介だ。

「やめろよ、その呼び方」

茂久が顔をしかめる。フルネームで呼んだのが気に入らないのか。

「何だ、フルネームじゃ駄目なのか」

「嫌いなんだよ名前」

「何だよいい名前じゃねぇか。あれだろ、吉田茂にあやかってんだろ」

「だからヤなんだよ」

茂久がふて腐れる。

「名字が吉田だから吉田茂にあやかれって、すげぇ単純じゃん。それにオレ、成績悪いし名前負けだっていっつも馬鹿にされるし」

「バーカ」

言い放った夏木に茂久がむっとした顔で黙り込む。ああいかん、ここでバカとか言っちゃうから俺はデリカシーがないって言われるんだな、などと自戒しながら、面倒くさいので夏木はそのまま続けた。

「お前らごときの年で名前負けとか決まってたまるか、生意気な。大人になっても人間どこで化けっか分かんねえってのに。そんなもん、言われて真に受けるほうもバカだぞ」

あ、いかんまた。夏木は軽く眉根《まゆね》を寄せた。荒っぽい艦内でも夏木の口の悪さは筋金入りだ。これだから女に縁がない、ただでさえわずかな出会いを舌禍《ぜっか》で潰してばかりである。

だが、今度は茂久が気を悪くした様子はなく、聞き流したようだ。さっきと今で何が違ったのか分からないが、これ幸いと話題を変える。

「そう言えばお前、料理とか巧そうだよな」

「まあね。子供の頃から家の手伝いとかしてたし」

「あれか、店」

「ううん。親が店忙しいから家のご飯作るの最近オレなんだ」

「そうか、偉いな。――なあ」

懸案事項が気がかりだったので駄目元で言ってみる。

「お前、補給長になってみないか」

聞き慣れない単語に茂久が首を傾げる。夏木は説明を足した。

「食料班長つーか、そういう。俺も冬原もそっちカラっきしだし、森生姉も危なっかしいしな。お前が監督してくれると助かる」

圭介とつるんでいる手前嫌がるかと思ったが、茂久は「うーん」と迷う素振りを見せた。

「何なら俺がゴリ押ししたってことにしてもいいぞ」

「……補給長って偉い？」

「おお、偉い偉い。何しろ幹部だぞ。俺らよりずっと偉い」

　すると茂久がちょっと嬉しそうに笑った。

「じゃあ、あんたたちがムリヤリ頼んだってことにするなら引き受けてやるよ」


　いつ入るやら分からない無電をただ待ち続けるだけというのはかなり退屈だ。こちらからも定期的に通信を入れているが、状況にまったく進展がないので結局すぐに連絡は終わってしまう。

　見回り中の夏木がそろそろ戻ってくる頃合いだったので、人の気配はてっきり夏木と思って冬原は入口を振り向いた。が、そこに立っていたのは子供が二人である。

「ええと……平石龍之介くんと野々村健太くんだっけ？」

　二つに割れてしまった子供たちの中、どちらにも付きかねていつも困った様子の小五と小四である。発令所の外から窺うように中を覗いている。

「どうしたの、何かあった？」

「あの……質問していいですか」

　龍之介の問いに冬原は頷いた。「いいよ、こっちおいで」

　おっかなびっくり発令所に入ってきた二人は、どちらが切り出すかお互い押し付けあうように目を見交わしている。結局、先に口火を切ったのはまた龍之介だ。

「助け、まだ来ないんですか？」

「まだだね」

端的に答えて、さすがに愛想がなさすぎるかと冬原がフォローを入れようとすると、健太が思い切ったように訊いた。

「助けが来ないの、望ちゃんと翔くんのせいってホント？」

多分とっさに表情が険しくなったのだろう、二人は慄《おのの》いたように少し後じさった。

冬原は一瞬でまた笑顔を取り繕った。

「誰がそんなこと言ってるの？」

まあ大体想像はつくというか彼しかいないのだが、一体どういう理屈で。

「圭介くんが……」

案の定だ。

「望ちゃんと翔くんがコジだから僕らも後回しにされてるんだって」

コジという音を孤児に変換し終えたとき、

「――馬鹿が」

吐き捨てるような怒声が聞こえた。入口を振り向くと夏木だ。二人の話は聞いた瞬間に夏木が聞くと怒るだろうとは思ったが、また間の悪いときに帰ってきたものだ。

入り口で踵《きびす》を返した夏木を追いかけようと冬原は腰を浮かせたが、そんなときに限って入電のコールが鳴る。間を置かず無線のコールも鳴りはじめた。

「ああもうっ」

事態の急転に怯えて固まってしまった龍之介と健太をなだめる暇《ひま》もなく冬原は無線を取った。

男子部屋から圭介を引きずり出して、問答無用で通路に突っ転がす。服を摑んで払っただけだが、それなりに体格のできている圭介が床に転げた。

「……に、すんだよっ！」

「このうえ理由を説明しなきゃ分からねぇほどの馬鹿か、お前は」

夏木は圭介の襟首を摑み上げて立たせた。至近距離まで顔を近づけて睨む。

「年下のガキに汚ぇ価値観吹き込んで何が楽しい。てめえそういう自分が好きか」

「別にっ……助け来ないからぼやいただけだろ!?　あいつら勝手に真に受けたんだ！」

「孤児が混じってっから助けが来ないんじゃねえのってか？　笑って言おうがふてて言おうがぼやきや愚痴にしちゃ毒々しいわな、ガキが真に受けちまう程度には薄汚かったってことだ」

取り巻きたちが部屋の中から恐る恐る窺うが、夏木の剣幕に引いてか誰も口を出せない。

「くそっ……暴力だぞこんなの！　訴えてやるからな！」

「上等だ！　免職食らってやるから思う存分殴らせろ！」

「はいはいそこまで！」

制止と共に冬原が夏木を羽交い締めにして、圭介から引《ひ》き剝《は》がした。「望ちゃんたちにこの騒ぎ聞かせる気？」低く囁《ささや》かれて夏木は不承不承声を飲んだ。

「はい、ここで皆にお知らせがありまーす。明日の午前中に救助が来ることが決定しました」

ざわつく子供たちより一際大きく「本当か！」と食らいついた夏木に冬原が頷いた。

「あんたが飛び出してっちゃったときに連絡入った」

そして冬原が圭介を振り向く。

「うちはこういうときに被災者の素性で救助に優劣つけるほど腐ってないから、くっだらない心配しなくていいよ？　救助が遅かったのは出動できなかったり人員装備が整わなかったり、とにかく純粋に力量不足のことだから、むしろそっち心配して？　つーか大人の職場舐《な》めすぎだよ、お前」

最後だけ冬原には珍しい荒れた言葉で、始終声を上げる夏木よりこうした瞬間の冬原のほうがよほど凶悪だ。

今のおうちには引き取られたらしいね、と冬原は端的な口調で言った。余計な同情はしないのが冬原の性格だ。

夏木が発令所でクールダウンしている間に、龍之介と健太から大体の事情を聞き出してきたらしい。

「ご両親が四年くらい前に事故で亡くなって今の養父母さんのところに来たんだって。そんで、引き取られてきたときにはもう翔くんは喋らない子だったらしい」

「――関係あるか、そんなこと」

無線のコンソールを向いたまま、誰にか分からず吐き捨てる。関係ないよねと冬原も頷く。

「俺たちが立ち入る権利もないけど」

冬原の言うことは常に正しい。緊急避難で子供たちを預かっているだけの自分たちが、彼らの何かを変えさせようなど。口を出したその後の責任も取れるわけではないのに。

あの表情《かお》はそういうことか。

夏木は望の唇を噛んだ不本意そうな顔を思い出した。

もう習い性になっているのだ。気丈なことも我《が》も感じさせるのに、いつも自分が折れて丸く済まそうとするのは折れずに我を通せる環境をもう持っていないからで、喋らなくなった弟を庇って新しい環境に居続けるにはあらゆる場面で折れるのが一番簡単だったのだろう。それを習い性にするまでどれほど苦しい思いをしたのか、想像すると痛ましい。

養父母がどんな人物かはさておき、突然両親を失った子供が屈託なく馴染《なじ》むには四年という時間は短すぎる。自宅に電話をしたときの家族と話しているにしては他人行儀な言葉からも、望がまだ養父母に遠慮していることが感じられる。

そして世間は不遇な運命を受けた人間に無遠慮な興味や偏見をぶつけてくることがままある。それらをすべて角を立てずにやり過ごしてきたのだろう。

それでも折れて済ませようとする望は本来の望ではないのだ、きっと。唇を噛んでこらえる不本意な顔が本来の彼女で、気持ちを繕いきれない不器用さが丸く収めて大人であろうとする望との間に段差を作ってそれが恐らく——圭介の何かを刺激する。

取り繕うなら完璧《かんぺき》にやれ、無理ならいっそ取り繕うのなんかやめちまえ。そんなことは事情を知った今となってはもう言えるわけもなかった。

夏木と圭介が決定的に揉めた直後とあっては口約束は反古《ほご》にされるかと思ったが、吉田茂久は六時になると厨房に現れた。圭介や取り巻きは男子部屋に籠もったままだが、

「旨いメシ作ってやるよって抜けてきた。息苦しいしさ」

茂久は肩をすくめながらそう言った。

「それにあんたらのメシ食うの正直言ってもう限界。父ちゃん腕がいいから舌肥えてんだよね、オレ」

昨日今日の努力をあっさり蹴《け》られる。だが助かることは事実だ。

「献立考えるから冷蔵庫見せて。材料適当に使っていいんだろ？」

言いつつ茂久が冷蔵庫を開ける。中身を検分する手付きも慣れており、冬原が感嘆したように溜息を吐《つ》いた。

「すごい人材獲得してきたね、夏」

「おう。崇《あが》めていいぞ」

肩の荷が降りて二人がすっかり丸投げモードに入ったとき、

「遅れてごめんなさい」

部屋で休んでいたらしい望が食堂に姿を現した。律儀に支度の時間に起き出してきたようだ。

動けないほど辛くはないのだろうが、顔色はあまりよくない。

冷蔵庫から振り向いた茂久が顔をしかめた。

「いいよオレやるからあんた来んなよ。そっちいろよ」

「え、でも」

「あんたいても戦力なんないじゃん」

ばっさり片付けられて望がへこんだ顔をする。茂久はややもどかしそうな口調で続けた。

「それにあんたと一緒にやってたら圭介が絶対怒るし。――いいから座ってろよ」

要するに最後の結論に着地したかったらしい。夏木と冬原は軽く目を見交わした。どうやら望の体調の事情を薄々察しているようだ。圭介の支配下になかったら望に辛く当たりたいわけでもないらしい。

何か歪《ゆが》んでるよなぁこいつらは。夏木は怪訝に首を傾げた。特に圭介が関わると歪む。

「いいよ望ちゃん、座ってな。子供たち見てて」

冬原に言われて望がやっと頷く。建前でも代わりの役目をもらわなければ安心して休めないようだ。

夏木にはその気を回すところがもどかしい。――具合が悪いときくらい堂々と倒れてろ。

食堂には翔と亮太と西山兄弟、そして中立組の三人がいる。圭介が低気圧化している寝室は居心地が悪いのだろう。

望が翔と亮太のところに座ると、さっそく西山兄弟が望を囲む。

「明日おうちに帰れるよ！」

光の報告に望がええっと声を上げ、厨房のほうを振り向いた。顔が夏木のほうを向いたので、夏木は無愛想に答えた。

「上手《うま》く行けばな。ヘリが救助に来る」

「上手く行くよね？」

ちょっと心配そうに訊いてきた亮太に冬原が「さあ」と正直に肩をすくめる。

「最大限の努力はするけどね」

大丈夫だよ、などと言ってやる冬原ではない。

子供たちが家に帰ったら何をするかとはしゃぎはじめ、そんな中をうるさくなったのか中一の木下玲一が静かに席を立ってどこかへ行こうとする。

「おい、お前は頭数に入ってっからすぐ戻ってこいよ」

夏木が声をかけると、玲一は無言で頷いて立ち去った。


明日脱出できるということで、圭介の低気圧にも拘わらず食事のときは明るい雰囲気だった。食事時に必ず観ているニュースでも明日の救出が大きく取り扱われ、それでまた盛り上がる。茂久の指揮で作った料理が旨かったことも影響している。口々に子供たちに賞賛され、茂久も満更ではない様子だ。

「じゃあ後よろしくね」

食事が終わって冬原がさっさと発令所に引き上げる。変則二交替制を導入し、先に就寝するのが冬原だ。午前三時に交替することになっている。

子供たちが片付けやテレビ、寝室などに適当に散りはじめた頃、

「夏木さん」

声を掛けにきたのは望だ。飯を食ったら多少顔色が良くなったようで夏木も内心安堵する。

「すみませんけど電話貸してもらえますか？　私の電池が切れちゃって」

家に電話か。携帯は子供たちを保護してから常に持ち歩くようにしている。制服のポケットを探るが——抜かった。

「すまん、今充電中だった」

子供たちにちょくちょく貸していたのでさすがに電池がもう切れた。

「よし、発令所まで一緒に来い。冬原がまだ起きてるだろうから借りて上がればいい」

「あ、いいですよ！　悪いし」

望が慌てて引き止める。就寝で引き上げた者を起こすという選択肢は、折れることが習い性になっているこの娘にあるはずもなかった。

「みんなに貸したとき家から電話が掛かってたみたいで、ちょっと掛けたかっただけだから」

それならなおさら貸したかったが、本人がいいと言っているものを強硬に貸そうとするのも頂けない。変な気を回してこちらが望たちの事情を知ったことを気づかせては本末転倒である。

夏木はもどかしさを懸命にそ知らぬ顔で抑え込んだ。

「明日帰れるんだから別に急ぐことないし」

その発言自体が不自然だということに望は多分気づいていない。

明日は帰れることが分かっていても子供たちは家に電話を掛けたがった。夏木の携帯が電池切れしたのは、救助が来ると分かってから子供たちが次々と電話を借りにきたからである。

電話を借りなかった者も圭介と取り巻きの高津雅之は携帯を持っているので、セイルに上ることは何度も頼みに来た。

明日帰れるから別にいい。

この特殊な状況でその発言は、自然な家族関係を持っている者ならまず出てこない。やはり養父母との距離感を解消できていないのだろう。

「でも家から電話あったんだろ。声聞きたいんだぞ、多分」

一応もう一押ししてみるが、望は笑って首を横に振っただけだった。

基本的に艦内の施設は小綺麗《こぎれい》という言葉の対極にある。

特にシャワー室などの水場は剝き出しの配管が無骨な印象だし、一人用であることが前提としても狭苦しく、できることならあまり使いたくない雰囲気だ。

しかし、お湯が使えるだけありがたいのだから贅沢は言えない。望が毎日シャワーを使えるのは特例中の特例だ。

狭い個室で服を脱ぎ下着を取ると、開放されたように血生臭さが体にまとわりつく。時間的に二日目に入っており、そろそろ量も多くなってきている。

時間も遅いうえに、男子部屋と階層が違うから鉢合わせする心配はあまりないが、それでもやはり外に漏れる音を気にしてシャワーの水量は落としてしまう。

それに水が貴重なことも夏木や冬原を見ていて思い知っている。そもそも水道は捻《ひね》った蛇口が勝手に戻るようになっているのだが、とにかく二人は余計な水を使わない。

厨房の洗い物は溜めてから。加減が分からず鍋に張りすぎた水も捨てて調整するのではなく別の器に取っておく。それは心がけてそうしているのではなく、もう意識するまでもなく骨身に叩き込まれた習慣であることが迷いのない動作から知れた。

望も体を濡らしただけでシャワーを止め、ボディーソープのボトルを開けて中身を泡立てた。

タオルや着替えと一緒にもらってあったボディーソープは、誰かの私物らしく使いかけだ。昨日も同じことを思ったが、何となくあの二人のどちらかの物であってほしかった。見知らぬ誰か、しかも男性の使いかけを使うよりも、知っている人に借りたほうがいい。そして夏木と冬原は少なくとも望にとって信頼できる大人だ。

端的に物事を処理することで却《かえ》って性的な引け目を感じさせない冬原。夏木はその点で冬原より弱いが、何かと気遣ってくれることは冬原より頻繁だ。無愛想な接し方の中にどうしても「女の子扱い」が見え、ときどき居心地の悪さも感じるが、それは夏木を苦手に思う原因にはならない。むしろ日常のちょっとしたことなどは夏木のほうが頼みやすかったりもする。

——例えば携帯を貸してほしいとか。

ずいぶん一生懸命貸そうとしてたな、と思い返す。その辺が女子であることが明確になってしまった望への過剰な気遣いだったりするのだろうか。

でも、借りとけばよかったかな。

反射で断ってしまったが、夏木の言葉が今さら胸にちくちく刺さる。

声聞きたいんだぞ、多分。

――本当に？

家で待っているはずの人を思い浮かべる。

あなたたちは私の声が聞きたかった？　夏木さんが言うように？

だとしたら電話を掛け直さなかったことで彼らは傷ついているのだろうか。何気なく流してしまった分岐は実は重大だったのだろうか。

どこでも折れてりゃ丸く収まるわけじゃないんだ。昨夜《ゆうべ》の夏木の声が自戒を迫る。折れることで無難に済ませているつもりだったのに、折れることで逆に断たれる何かがある。

そんなことは思ってもみなかった。

でも今さら考えても仕方がない。望は体を手早く流した。

汚れて重たくなった髪が気になったが、髪は洗わない約束だった。

シャワーを済ませて、着替えるのはまた青い制服だ。洗濯した自分の服はまだ湿っぽいが、明日にはそれを着て帰れるだろう。

トイレで下着の手当てをしてから喉《のど》の渇きを覚えて食堂に向かった。夜間の赤色照明は理屈を聞くと納得できるのだが、やはり薄暗くて少し気味が悪い。

あ。

厨房が窺えるところに来たとき、中にうずくまった人影が見えた。望と同じ制服——夏木だ。冷蔵庫の前にしゃがんでいる。

「——、」

声を掛けようとして思いとどまったのは、気配がそれを制したからだ。

夏木は今、一人であることに安心しきっている。

立ち去りたいが動くと気づかれそうで、望は風呂《ふろ》道具を抱えたままそこに立ち尽くした。

と、夏木が頭《こうべ》を垂れて合掌した。冷蔵庫の前に膝《ひざ》を突いて、冷蔵庫を拝んでいる形だ。その動作でぎくりとする。——そこにしまわれた悲劇を思い出して。

望は顔さえ覚えていない。艦に逃げ込む混乱の中、いかにも船乗りらしい制服を着た年配の男性がいたということしか。

その男性が腕だけになって艦内に落ちた。子供たちはパニックになり、望も悲鳴を上げた。

でもそれは恐いものを見た反射の悲鳴でしかない。けれど夏木と冬原はそうではなかった。

夏木の獣のような咆哮《ほうこう》。子供たちを突き飛ばして駆け出した冬原の鬼のような形相。彼らにとってはよく知った敬愛すべき人間が今まさに死に瀕《ひん》し——否。食われようとしていたのだ。

生きたまま。

気が狂うほどの恐慌だっただろう。望にとって置き換えられるのは翔だ。もし、翔がそんなことになったら。そして、それを救えなかったら——泣き叫びながら鈍いハサミで解体され、食われていく翔をただ放置することしかできなかったとしたら。

想像しただけで体が震えた。自分たちはそんなことになっていない、自分たちにそんなことが起こったんじゃなくてよかった。そうやって必死に振り払わなくてはならないようなことが夏木と冬原の身の上には起こったのだ。

それを思うと、自分たちの無神経さで身が焼かれるようだった。艦内に落ちたその人の腕を拾い上げもせず、ただ恐々と遠巻きにするだけで。その人は自分たちを救うためにそうなったのに。

あげく腕を冷蔵庫にしまおうとした夏木に皆が息を飲んだ。

そんなこと。冷蔵庫に死体をしまうなんてそんなこと——その腕に救われておいて。感情が振り切れたように夏木が怒り狂ったのも道理だ。

夏木の怒鳴る声は物理的に身をすくませるほど恐く、言葉は聞く者を選ばず打ちのめすほど強く。あんなふうに怒鳴られたことなんかきっとみんな生まれて初めてで、怯えながらも何故こんなにまで怒鳴られないといけないのかと不本意なものを感じていた。

あのとき望は代表して謝ったが、それは申し訳ないと思ったわけではない。

誰かが謝らなくては収まらないという義務感だけだ。しかもその義務感には怒鳴る夏木への反発も混じって。

最低だ。

こんな子供たちを救うために敬愛する人を失った夏木と冬原は、どれほど無念だっただろう。時間くれ。すがる子供たちの視線から逃げるように立ち去った夏木はあのとき泣きたかったのかもしれない。

そしてその後二人は、恨み言一つ吐くでなく公正に子供たちの面倒を見ている。

子供たちの前で態度に表さないから最初の悲劇はもう片付いたような気分になっていたが、そんなわけがなかった。

昨日から夏木はどれだけここで手を合わせていたのか。冬原も。大事な人を亡くした悲しみに浸《つ》かることもできず。

ふと気づくと嗚咽《おえつ》がした。嚙み殺そうとして嚙み殺せないほど低く。

いよいよ動けない。夏木はきっと見られたくない。――それに、泣いているのを邪魔したくなかった。

大事な人を亡くして泣きたいのは当たり前なのに、夏木は昼間は泣けないのだ。

子供の前で泣けるかと夏木は言うだろう、でもそうではなくて。

夏木と冬原が泣けば子供たちは自分たちのせいで悲劇が起こったと突きつけられてしまう。だから二人はあれから塞《ふさ》ぐところさえ見せないのだ。

そこまで守ってくれなくていい、と望だけなら言える。でもたとえば翔にはやっぱりそれは突きつけないであげてほしいし、翔より年下の子もたくさんいる。

やがて夏木が立ち上がった。

ああ、どうしよう——逃げようにも狭い通路には隠れる場所などない。通路の角まで動けばやっぱり気づかれる。

金縛りに遭ったように動けないまま、夏木は出てきて望と鉢合わせした。

「……ああ」

夏木がちょっと気まずい顔をする。目元はごまかしようもない。ちょっと横を向いて手の甲で目を拭《ぬぐ》ったりして、

「内緒だぞ」

そう言って望の頭をぐしゃっと撫でる。そのまま望とすれ違おうとしたときに、今度は望の目が溢《あふ》れた。

「うわっ、おいどうした」

行きかけた夏木が焦ったように立ち止まる。

「何かあったのか、おい。こら」

望は強く頭《かぶり》を振ったが言葉が出てこない。駄目だこんなとこで泣くなんて最悪だ。

何でもないから行ってください。そんな気持ちを籠めてひたすら首を横に振るが、涙は一向に止まらない。これで「じゃあ」と立ち去れる人は血が赤くない。夏木だったら余計だ。

「どうした、言ってみろ」

なだめる夏木に望はようやくごめんなさいと呟いた。

ごめんなさい。守ってもらうことしかできない私たちでごめんなさい。夏木さんも冬原さんも大事な人を亡くして悲しいのに泣くこともできなくさせてごめんなさい。

心の中では澱《よど》みなく言えるのに、口に出す言葉は引っかかって切れ切れで、まともに意味も取れない。それでも夏木は何となく分かったらしい。

「——気にすんな。お前らのせいじゃない……って俺が言っても説得力ないか」

夏木が苦笑する。お前らがいなければ今ここにいるのは艦長だった、初日に怒り狂ったとき夏木は思い切り放言している。

「俺は器が小せぇからああ言ったけど、艦長はお前らのせいにしない。それに、お前らは子供だからいいんだよ」

夏木がもう一度望の頭を撫でた。

「大人の荷物なんか子供は気にしなくていいんだ。俺らだってお前らの頃は子供だったぞ」

ごめんなさい、と望はもう一度呟いた。

内緒だぞ、とそのまますれ違えなかった自分が悔しい。

泣けない夏木に泣けなくさせてごめんなさいと許してもらって、望だけ夏木に楽をもらっている。夏木は望を許して楽になるでもないのに、夏木の懐をただ使い潰す。

夏木は多分見回りがあったのだろうが、望が落ち着くまで一緒にいてくれた。

三日目。

四月九日（火）未明、厚木《あつぎ》。

横須賀《よこすか》被害区域に取り残された住民の空輸は夜を徹して続けられ、本日中には全住民を搬送完了の予定である。

厚木基地は米海軍と海上自衛隊の航空部隊が共用しているが、災害出動が決定した昨日以来、離着陸するのは自衛隊籍のヘリがほとんどである。

そして離陸順を待つそのヘリの中に、海上自衛隊にとって格別の思い入れを背負ったその機はいた。

＊

『きりしお』に取り残された民間人救助の任務を受け、館山《たてやま》から出動した救難飛行隊は、午前九時に現地到着の出動予定であるにも拘わらず早朝から既に飛行前打ち合わせ《ブリーフィング》を終えていた。

出動するＵＨ60Ｊ救難ヘリは収容する要救助者の人数を鑑《かんが》みた二機編成で、各機の乗員編成は操縦士一名、副操縦士一名、救助員二名。

一番機の操縦士は是枝《これえだ》三等海佐。館山救難飛行隊の飛行隊長である。副操縦士は若手ながら確かなナビゲート能力を誇る益田《ますだ》三尉。救助員の岩崎《いわさき》海曹長と小松崎《こまつざき》一曹も経験豊富な隊員である。二番機の乗員もまた、日頃の練成を今こそ生かさんと士気が高い。

これに陸自からレンジャー隊員一名をそれぞれ応援に迎えて、『きりしお』に取り残された十五名の救出は二機により二度に分けて行われる予定である。一番機が低年齢順にまず八名を収容し、続けて二番機が『きりしお』乗員まで含めた残り七名を収容する手筈《てはず》だ。

整備を完了して出動を待つばかりのUH60Jの点検を一番機、二番機の乗員がそれぞれ開始したとき、格納庫から整備員が是枝を呼んだ。

聞くと横須賀基地より電話が入っているとのことで、是枝は怪訝《けげん》に思いつつ格納庫に併設の事務所へ向かった。必要な用件はもう終えているはずであり、このうえ横須賀基地からの連絡には心当たりがない。

「お電話代わりました。館山救難飛行隊、是枝三佐ですが」

お忙しいところ申し訳ない、と電話の向こうで落ち着いた低い声が応じる。

「第二潜水隊群司令、富野《とみの》将補です。『きりしお』救出を激励したく電話を差し上げました」

第二潜水隊群といえば『きりしお』の所属する横須賀の部隊だ。その群司令から激励が入ることは考えてみればあり得る話である。

『きりしお』救出作戦に関しては潜水艦隊から幕僚長への強い具申が早期決定に影響したとの話だが、第二潜水隊群はもちろんその具申の中心にあったのだろう。

「潜水艦隊司令官からも激励させて頂きたいとのことですので代わります」

富野将補の声が遠のき、違う声が名乗った。

「潜水艦隊司令官、福原《ふくはら》海将です」

「はッ……！」

相手に見えるわけもないが、是枝は思わず虚空に敬礼しかけた。海将といえば上には幕僚長しかおらず、事実上の最高階級である。自基地の司令ならともかく他艦隊の将と個人的に会話する機会などほとんどない。

「厳しい作戦を強いて申し訳ない。子供たちと『きりしお』乗員をどうかよろしく頼みます」

防衛出動切り替え、もしくは災害出動における武器の使用を認めさせるため、統幕から官邸対策室へ粘り強い交渉が行われていることは周知だが、それは現在のところ実を結んでいない。幕僚たちはどれほど『きりしお』救出に間に合わせたかったことだろう。『きりしお』艦長は子供たちを保護して殉職した。

救出はその遺志を受けた海自の意志だ。

「全力を尽くします」

力強く発声した是枝に、福原海将は謝辞を一言返した。その一言と共に電話の向こうで頭を下げたことが分かるようだった。

＊

子供たちを朝七時に起こして食わせた朝食は、生の食パンとゆで卵のみだったが、いよいよ帰れるという解放感が先に立ってか文句の声は出なかった。

後片付けは夏木《なつき》と冬原《ふゆはら》が引き受けて、子供たちには身支度を整えさせる。桜祭りを日帰りで観に来ただけの子供たちなので荷物は少ないが、忘れ物がないようにと一応念を押す。

食器を洗い終えた冬原がどこからか断熱シートを持ち出してきた。夏木も冷蔵庫からラップでぐるぐる巻きにされた艦長の腕を出す。

二日ぶりに取り出す艦長の腕は、包《くる》んだラップの内側に薄赤い水がかなり出ている。思ったより傷みが早そうだ。血抜きなどの処理をきちんとしていないからか。

「……直前まで冷蔵庫に入れといたほうがいいか」

一人ずつヘリに吊《つ》り上げる救出方式では、順調に行っても全員が収容されるまで一時間以上かかる。断熱材に包むとはいえ、それだけの時間を室温に放置すると保存状態が心配だった。

丁寧に腕を包みながら冬原も頷《うなず》く。

「最後に連れに来なきゃね」

救出は発令所の艦橋セイルから行われることになっているが、夏木と冬原は最後までセイルで子供たちの補助をすることになる。子供たちを全員ヘリに収容した後、どちらかが食堂まで腕を取りに戻らなくてはならない。必然的に戻るほうがしんがりだ。

「俺、戻るよ」

冬原が先に言った。

「夏より俺のが足が速い」

夏木はむっとして言い返した。

「コンマ一秒差で何を言ってやがんだ、このバカは」

「コンマ一秒でも勝ちは勝ちだし」

「自分が一番かわいい身上じゃなかったのかよ」

「仕方ないじゃん、俺より遅い人に艦長任せておけないもの」

「遅い言うな！」

お互いしんがりを譲る気はなく、大人気ない言い争いが厨房《ちゅうぼう》で続く。

「私が持ちます！」

割り込んだのは望《のぞみ》の声だ。今朝から自分の服に着替えていた望は食堂から睨《にら》むように二人を見ている。

「救出、年齢順なんだから私が一番最後だし。私の番が近づいてきたら厨房から艦長さんの腕を取ってきます。それで夏木さんか冬原さんに渡せばいいんでしょ？　それだけでしょ？」

怒ったような口調は二人を責めている。

「どうして私に頼んでくれないんですか」

不本意そうに呟《つぶや》いて、最後に夏木と合った目を逸《そ》らして俯《うつむ》いた。何となく最後に目が合った責任上、夏木が答える。

「いや……だって、嫌だろお前ら」

冬原が袖《そで》を引いた合図は一瞬遅く、言ってしまったところに望からカウンターが来た。

「嫌じゃありません！——私はっ。みんなだってきっと……」

最後は自信がないのか尻《しり》すぼみになるが「とにかく私は嫌じゃないです」今まで聞いた中で一番強情な声が宣言して夏木を睨む。

ちょっと待て何で俺が睨まれる。たじろいだ夏木は思わず厨房の中で体を退《ひ》いた。

「その人が助けてくれたのに、どうして私が嫌がるんですかっ。持って来るくらい、当たり前でしょう？　当たり前のことくらい私、しますっ」

責めているのか訴えているのか硬い口調は泣き出す寸前のようにも聞こえ、夏木はますますたじろいだ。

「ありがとう、助かる。頼むよ」

こういうとき、冬原はやっぱりさらりといいところを持っていく。

「自分の支度は済んだの？」

訊《き》かれた望が頷いて自分の背中を肩越しに指差した。リュックの肩紐《かたひも》が両肩に掛かっている。

「そんなリュック持ってたっけ」

ていうか何でお前は森生《もりお》姉の荷物なんか覚えてるんだよ、と夏木は話が逸れた安堵《あんど》がてらに呆《あき》れた。

「翔《かける》のなんですけど、私が持ってようと思って」

「ああそうだね、そのほうがいい」

あっさり流した冬原は、明らかに翔の荷物は覚えていない様子で、女には目ざといが野郎と子供はどうでもいいという性格が顕著に現れている。

こんな調子でも当たりが柔らかいというだけで子供たちは懐くのだからやってられない。

「冬、艦長任せた。ガキども見てくらぁ」

厨房を逃げ出した夏木に望の物言いたげな眼差《まなざ》しが追いすがったが、夏木は気づかない振りで撤退した。


『きりしお』救出のために厚木を飛び立った救難ヘリUH60J二機編隊は、横須賀被害地区の救助活動を回避し、一度海上に出て米軍横須賀基地の外周を回り込むルートで横須賀本港内の『きりしお』を目指した。

「一体どれだけいるんだ、こいつらは」

一番機を操縦する是枝の表情は無意識に歪《ゆが》んだ。

眼下の米軍基地内では赤い甲殻類がまるでアリの群れのようにうぞうぞと蠢《うごめ》いている。現在の高度から見ると赤アリの群れそのものだ。

「ぞっとしますね」

副操縦士の益田三尉もうそ寒い顔をしている。「自分、虫ダメなんですよ」

「虫じゃない、エビだ」

「やめてください、エビが食えなくなりそうです」

せめて『きりしお』周辺は甲殻類が少なければと願うが、港湾に進入しても甲殻類の密度は一向に変わらない。

基地最大の六号ドックを越え、桟橋をいくつか過ぎると埠頭《ふとう》の一つに潜水艦が停泊しているのが見えた。機速を落として慎重に近づく。

「あれか?」

是枝の問いに益田が基地見取り図を見ながら答える。

「そのようです」

近づくと、埠頭と艦体を平行に整然と停泊しているべき艦が、頭を完全に埠頭に接触させて斜めになっていた。甲殻類の襲来時に一度出航しようとしたというその痕跡《こんせき》だろう。

甲板には甲殻類が忌々しく這《は》い回っており、まるで艦を占拠した主張のようだ。

二番機に高度を上げての待機を命じ、一番機の高度を徐々に下げる。下方へ叩《たた》きつけるヘリのローター風が楕円《だえん》状に広がる白波を黒い海面に立てる。

艦橋からの救助に適切な位置を確保し、是枝は無線で『きりしお』を呼び出した。

「こちら館山救難飛行隊。『きりしお』乗務員は応答せよ」

『館山救難飛行隊へ、こちら「きりしお」』

歯切れのいい声が打って響くように応じた。取り残された乗員二名は夏木に冬原と言ったか。将来を嘱望された実習幹部とのことだが、落ち着いた応対に度量が見える。

「こちらの編成は二機、当機は一番機。一番機で年少者順に八名収容した後、二番機で残りの七名を収容する。夏木三尉と冬原三尉はセイル上より未成年者収容を補助せよ」

『了解。外の状況を送ってください』

潜水艦の中からは潜望鏡を使っても甲板の様子は確認できない。

「甲板には甲殻類多数。セイルに登っている個体はなし。気象条件は晴れ、微風。ただし当機のダウンウォッシュに気をつけられたし」

『了解。ただ今より夏木三尉が艦橋に出ます』

　相手の無線が切れてから益田三尉が後部へ叫ぶ。

「『きりしお』乗員、出るぞ！　夏木三尉だ！」

「了解！」

　キャビンで待機していた岩崎海曹長がスライド式ドアを開放した。救助降下するのも岩崎で、吊り下げ式ウィンチ《ホイスト》は既にハーネスに装着されている。

　応援のレンジャー隊員は邪魔にならないように奥に控え、岩崎と小松崎一曹がキャビンから『きりしお』を見下ろすと、

　閉じていた艦橋ハッチが開いて、上部指揮所に一人の隊員が姿を現した。一番機を確認して軽く敬礼、視線は過《あやま》たずキャビンから見下ろす二人の救助員を捉《とら》えている。視線の運びと同様、上部指揮所からセイル上に出る動作にも無駄はなかった。

　ハッチの中を覗《のぞ》き込んで何やら声をかけている様子だが、やがてそのハッチから子供が出てきた。小学校低学年くらいか。次いで、下から子供を支えて押し上げるようにもう一名の乗員。こちらが冬原三尉だろう。高さ七、八メートルはあるセイルだ、補助がついていなければ子供一人で登らすことはできない。

夏木が子供をセイルの上に抱き上げ、一番機のキャビンに向かって手を挙げた。オーライと振れて呼ぶ。

岩崎はセイルに向かってロープを投げ下ろした。夏木が受け取り、ガイドロープとして通信アンテナに結ぶ。

「よし、降下する」

岩崎海曹長は腰かけたキャビンの縁《へり》から宙に滑り出た。機内で小松崎一曹がホイストを操作し、下降。甲高いモーター音が響きケーブルがウィンチから繰り出される。

その瞬間、艦上に激烈な変化が訪れた。

甲板を這い回るザリガニたちが一斉に上空を——UH60Jから吊られた岩崎海曹長を見た。

ぎくりと岩崎が肩をすくませたとき、ザリガニたちは一斉にセイルに押し寄せた。

明らかに餌が降りてくることを認識している行動だった。


ガツン、とセイルを硬質の衝撃が震わせた。

「何だ⁉」

とっさに西山光《にしやまひかる》を抱き込んでしゃがんだ夏木が見下ろすと、セイルに押し寄せたザリガニの最初の一匹がセイルの壁面に爪を立てたところだった。

群れが四方八方からセイルを取り囲み、取り囲んだその仲間の体を足がかりにまた別の個体が登ってくる。

艦上にいた個体だけでは収まらず、埠頭や海中からもザリガニどもがわさわさ艦に乗り移る。何か意思疎通をしているのかと思うほど無駄のない連携だ。

何故だ。今まで甲殻類が上を注意したことなどなかったのに。

「畜生、速い！」

せめて光だけでも渡そうと、抱き上げて上へ差し伸べる。救助員も懸命にホイストの降下をヘリに指示するが、ケーブル繰り出し速度よりザリガニが登る速度が上だ。

「夏、無理だ！」

救助員との距離二メートルのところで、下を見張っていた冬原がついにストップを掛けた。

「戻れ、巻き上げろ！」

夏木が救助員に叫びながら冬原に光を手渡す。

冬原が首筋に光を抱きつかせ、

「入ってる奴いたら出ろ！　下りるぞ！」

まさか勝手に上ってきている奴もいまいが、念のために声をかける。

そして冬原はラッタルの手摺《てす》りを一気に滑り降りた。しがみついた光の金切り声が耳に痛い。

二階層になった昇降筒の二階部分に着地し、光を一旦《いったん》床に下ろす。

「望ちゃん！」

更に下へと続くハッチに向かって呼ぶと、望はすぐ飛んできた。さすがに気が利く。

「この子下ろすから受け取って！」

「はい！」

理由は訊かない。何かあったと分かっているのだ。ハッチから光を下ろさせて、ラッタルを駆け上がってきた望に補助を任せる。

冬原が上を見上げると、開け放たれたハッチの形に空が見えた。これだけの間に夏木はまだ下りる気配がない。まだ近すぎる生々しい記憶が不安を掻《か》き立てた。

二の舞にはさせるか。冬原はラッタルを駆け上がった。


岩崎海曹長を巻き上げるホイストに急激な負荷が掛かって止まった。

ホイストを操作していた小松崎がキャビンから覗くと、ガイドロープとホイストケーブルがねじれて突っかかっている。キャビンの判断で急遽《きゅうきょ》巻き上げたので岩崎の姿勢がぶれ、ガイドロープの周りを回ってしまったらしい。

「くそっ」

合図をしなかった小松崎のミスだ。慌ててガイドロープをほどくが状況は変わらない。同乗のレンジャーが指摘する。

「ロープが嚙《か》んでるんです」

ねじれてより合わさり、キャビン側でロープをほどいてもケーブルは解放されないのだ。

レンジャーが小松崎から取り上げたロープを繰ってねじれをほどきにかかる。ロープの扱いにかけては抜きん出ているレンジャーだが、ねじれの嚙み込みがきつくなかなかほどけない。

「ホイストトラブル！　静止厳守！」

コクピットに怒鳴り、レンジャーの作業をじりじりしながら見守る。

と、ハッチに戻りかけていた夏木三尉がこちらを見た。ヘリの窮状を察してガイドロープを結んだアンテナに再び駆け戻る。しかし、窮状ならむしろ夏木だ。ザリガニどもはもうセイルの頂上に足を掛けている。

「狙撃《そげき》を！」

小松崎はレンジャーに叫んだ。レンジャーは万が一のため官邸の許可を待たずに89式小銃を携行している。

アンテナのガイドロープをほどく夏木に、今しもセイル上に到達せんとするザリガニが迫る。一刻の猶予もならない。

ロープを小銃に持ち替えたレンジャーがキャビン入口に片膝《かたひざ》を突き、銃身を下方に構える。と、宙吊りの岩崎海曹長が怒鳴った。

「撃つな！　報道が！」

それだけで察したレンジャーが銃を機内に引き込む。キャビンの死角に報道ヘリがいるのだ。前後して益田副操縦士が操縦席から飛んできた。

「発砲禁止！　報道ヘリが撮影中だ！」

「どこのバカですか飛行許可を出したのは！」

小松崎が八つ当たり気味に怒鳴るが、怒鳴ったところでどうなるものでもなかった。

ピンと張り詰めたロープは中々ほどくたわみを作れず、夏木は渾身《こんしん》の力で綱引きをしながらセイルの縁に顔を出しているザリガニに笑いかけた。「もうちょっと手間取ってろよ」と、ロープが突然大きくたわんだ。肩越しに見ると冬原が上に伸びるロープを摑《つか》み、腰溜《こしだ》めで引き寄せている。

「いいとこ来んね、お前は」

「いいから早くほどけ、あほうッ！」

言われるまでもなくほどいたロープを夏木は力一杯海上に投げた。救助員を巻き上げるより先にヘリが高度を上げる。ロープをザリガニどもに摑まれたらことだ。ヘリの出力がザリガニの力に負けることはないだろうが、間に吊られているのは人体である。引っ張り合いになった場合など考えたくもない。

夏木の背中で最初の一匹がセイルに這《は》い上がり、冬原との間を割った。

退路が断たれる。とっさに夏木はハッチに近い冬原に叫んだ。

「冬、行け！」

「……行けじゃねえよバカが！　お前が来い！」

冬原が這い上がったザリガニに肩から鋭く突っ込んだ。まだ上半身が登ったばかりで不安定なところにタックルを食らい、ザリガニが後ろへ引っくり返る。夏木は空いた隙間に走り込み、巻き込まれてザリガニ諸共《もろとも》に落ちかけた冬原を摑まえた。

一段低く掘り下がった上部指揮所に二人同時に飛び込み、

「降りろ！」

怒鳴ったのは冬原だ。夏木をハッチの中に蹴《け》り込む。

役回りはいつもと逆転、イニシアチブを完全に取られた夏木がハッチに潜ると、続けざまに冬原もハッチに転げ込んで蓋《ふた》を引き倒し——途中で蓋を手離して首を縦孔《たてあな》の中にすくませる。

その瞬間、ハッチの蓋が凄《すさ》まじい勢いで閉まった。大鐘を打ち鳴らしたような轟音《ごうおん》が響く。ザリガニが外から踏み閉めた態《てい》だ。

あと一呼吸遅れていたら。一瞬よぎった想像が、夏木の皮膚を粟《あわ》立たせた。

ハッチを手早く閉じた冬原が、ラッタルの上からじろりと夏木を見下ろす。

「ふざけんなよてめえ」

尋常ではなく腹を立てている様子である。

「あの状況で先に行けって何様のつもりだよ。いつからお前が上官だ。同期同格に庇《かば》って頂くほど俺は落ちぶれてねえぞ」

とっさで後先考えなかったが、狭いセイルで退路を断たれて一人残ればザリガニをかわしてハッチを窺《うかが》うことは不可能だ。同じことを夏木がされたら夏木も怒る。同僚としても、友人としても。

そして夏木も行けと言われて従いはしない。あわや二重被害を出すところである。

謝罪は素直に滑り出た。

「すまん」

「もういいよ」

とは言いつつまだまだ中っ腹の冬原が顎《あご》で下をしゃくる。

「降りろよ。ヘリと連絡取らないと」


セイルを降りると、発令所は通夜のようだった。

セイルの出入りに邪魔にならないようにとナビゲートセクション側に固まった子供たちが、出てきた夏木を一斉に見た。そのすがるような眼差しが重い。

答えようもなく無言で通信席に向かう。

ヘリとの連絡の結果、セイルのザリガニが散るのを待ってから再度救出の機会を窺うことになった。

どうだかね、と冬原が隣で小さく呟く。子供たちを気にしてか一応声は低いが。

ザリガニの機動力については初日に体験していたが、認識力と連携力は想像以上だった。あれをかわしての救出は叶《かな》うのか。

まだ救出が中止になったわけじゃない。そう伝えることは子供たちにとって救いになるのか、ただぬか喜びさせるだけに終わるのか。

後者を懸念し、伝える夏木の声は自然と事務的になった。

できることなら、あまり期待するなと付け加えたいくらいだった。

＊

Subject：沖縄情報
Date：04/09（TUE）10:27
普天間の親戚《しんせき》から。
・輸送ヘリが今朝になって一機も飛ばない。
・輸送用ジェットが滑走路上に数機引き出されてる。
想定訓練が終わってそろそろ関東に兵員輸送する気かも？
現職さんへ要連絡。
ヘリもそろそろ来はじめるかも、要警戒。
from　イージス

＊

甲殻類の毒殺作戦については、未《いま》だ続いている住民救出のヘリ活動との空域重複を避けて、地上から毒餌《どくえ》が搬入されることになった。

使用毒としては、甲殻類の駆除に効果が高く、入手が容易な有機リン系農薬が採用された。

これを牛や豚のブロック肉に塗布する。

搬入ポイントは被害区域内五ヶ所。十三時から防衛線を一ヶ所ずつ開けて、大型車両で搬入する手筈である。防衛線を開ける際の防御の強化も重要だ。

「決定すりゃ勝手に実行されると思ってないか、上は」

明石《あかし》の前でぼやくのは県警第一機・滝野《たきの》機動隊長だ。昨日ダイエーの避難客の搬送が完了し、滝野の部隊も撤収して現在は防衛線の守備に回っている。

「上は決めるのが仕事、動かすのは俺らの仕事さね」

長机で書類を書きつつ明石は答えた。県警警備対策室とは名ばかりのカラーテープで区分けされた体育室の一画である。警備対策本部となっている部屋は他にあるが、全体の警備詳細を最も把握しているのが明石であるため、何だかんだとここが警備発令の中心となりつつある。

部屋を本部室と合併してしまえばよさそうなものだが、本部室は県警幹部や幕僚団が常駐し、明石としても息を抜ける場所は必要である。

「上には勝手に動くと思わせるのが心意気ってもんだよ」

明石の言葉に滝野が呆れた顔で頬杖《ほおづえ》を突く。

「そんなんだから好き勝手使われるんだぞ、お前は」

「その分あんたを好きに使わせてもらうよ」

軽口の合間に指示書を完成させ、部下に渡してから明石は真顔で滝野に向き直った。

「すまんね、こき使って」

今さら何を、と滝野が苦笑する。五回に分けた毒餌の搬入のうち、一回は滝野が直接指揮を執る。本部が管機や警視庁機動隊ですべて割り振ろうとしたところに県機をむりやり噛ませたのは明石だ。初期警備で損耗を強いられている県機は本来なら外されて然《しか》るべきだった。県警側からどうしても作戦の観察者が欲しい。

明石が拝むと、ごねるつもりだったに違いない滝野は結局何も言わずに承諾した。

大きなヤマを越えるごとに借りが増えていくな。などということは柄ではないので言わない。

「よろしく頼むよ」

毒殺という本来なら警察に存在しない手段によって、巨大甲殻類という本来なら警察の相手ではない相手に対処する。毒殺の有効性は認めるが、全く未知の作戦に対する危惧《きぐ》は拭《ぬぐ》えない。できることなら明石自身が見届けたかったが、警備計画を捌《さば》かねばならない立場では、それもままならなかった。

「そう言えば負傷した隊員の容体は？」

「命に別状ないが、やはり足はどうにもならんかったな」

切断された足も一緒に病院に搬送したらしいが、甲殻類のハサミで完全に練り切られた傷口は潰《つぶ》れて雑菌だらけであり、とても接合できる状態ではなかったという。

「内勤に回ることになるだろうが……」

言葉を濁した滝野の言わんとするところはよく分かる。

重大な公傷を負った警察官は復帰してもやがて辞職することが多い。

名誉の負傷などとは言っても、現実問題として公傷者のハンデは同僚が分担することになる。苛酷《かこく》な職場で同僚に負担を掛けることに耐えきれず、自ら辞す者が多いのだ。公傷者の精神的なハンデを克服できる制度は未《ま》だない。

「しかし、回収した例の警官が命を取り留めたのは救いだったな。相殺というと聞こえが悪いが、あれで現場はかなり救われてる」

「何だって？」

「知らんのか？」

滝野は意外な顔で訊き返した。

「初日のダイエーで重傷の警官を回収したんだ。定年間近の警官でな。基地前の交番に詰めていたらしいんだが、負傷してダイエーの近くまで這ってきた」

「よくもまぁ……途中で食われなかったもんだ」

正直かつ率直な明石の感想に滝野が苦笑する。

「思っても誰も言わなかったぞ、そいつは」

「正直が身上なもんでね」

言いつつ明石は席を立った。十時に設定されている警備会議がそろそろ始まる。滝野も一緒に立ち上がる。

「作戦に変更が出たらまた知らせてくれ」

挨拶《あいさつ》代わりに軽く手を挙げ、百戦錬磨の一機隊長は前線へ戻っていった。

「甲殻類の正体が特定された」

毒殺作戦の段取りを確認し終えた合同警備会議の席上、烏丸《からすま》がそう発言した。

「相模《さがみ》水産研究所の検証によりサガミ・レガリスが巨大化、異常発生したものだということが明らかになった。海洋研究開発機構《JAMSTEC》その他も追検証でこの結果を支持した」

やったなぁ坊や。烏丸の説明を聞き流しつつ明石は配られていたレポートをめくった。

まさか本当に一晩で特定するとは……

決め手の一つとなったのは頭部器官の一致らしい。サガミ・レガリスは頭部に音圧感受器官と推定されている特徴的な空洞器官を持つが、甲殻類にも狙撃で破損はしているものの同様の器官が確認されたという。

巨大化と異常発生の経緯や、真社会性の特徴を説明している箇所は読み飛ばす。どうせ芹澤《せりざわ》から一通りの説明は聞いている。

「この結論に伴い、官邸対策室では甲殻類をサガミ・レガリスと呼称することを決定した」

昨日から烏丸が呼びやすさで好んでいるレガリスの通称が遠からず定着するだろう。レポートを読み進め、明石はある記述に目を留めた。斜め読みしながら烏丸の説明が終わるのを待ち、手を挙げる。

「明石警部」

指名を受けて明石は立ち上がった。

「こちらのレポートによりますと、サガミ・レガリスはかなり学習能力が高いようですが……作戦に再検討が必要では？　学習能力の高い生物を対象とした立案にはなっておりません」

「サガミ・レガリスの権威である芹澤氏からも同様の指摘を受けた」

さり気なく芹澤を権威と呼んだ時点で嵌《は》められたと気づく。待ってやがったな参事官。

「レガリスは学習能力が高い。毒殺作戦を学習される危険性があるそうだ」

「それでは作戦を一旦中止したほうがいいのでは」

明石にとっては丸きり茶番だが、乗らざるを得ない。

「毒殺作戦の資材は既に準備されています、今さら中止はできません！」

言下に却下したのは、毒殺作戦を立案した幕僚団の作戦指揮役、芦屋《あしや》管理官だ。生真面目な性格そのままに立案も生真面目。ただし作戦に余裕を持たせようとしないため、実施レベルで明石があれこれ横槍《よこやり》を入れて衝突している。

尖《とが》った口調はそのためかと思ったが、どうやらその声は明石よりむしろ烏丸に向かっているらしい。だが烏丸は黙ったままで、仕方なく明石は応じた。

「しかしですな、作戦に不測要素が発生した以上は最低限官邸に報告をすべきです。でないと何か失態が生じた場合、全面的に警察の責任になります」

芦屋管理官が一瞬怯《ひる》んだ隙に烏丸が言った。

「今さら作戦の中止はできん、それは当然のことだ。しかし明石警部の意見ももっともである。官邸に再考を具申し、改めての命令を待つ」

言っていることは明石と変わらないのに立場をいじると見事な大岡裁きだ。

会議が畳まれ、出席者が散る中を烏丸が明石に歩み寄った。

「協力ご苦労」

「お人が悪いですな」

精一杯の皮肉で返すが、烏丸は口の端で笑っただけで立ち去った。


毒殺作戦は予定より三十分遅れて開始された。なぜ三十分遅れたかは滝野の関知するところではない。その程度の誤差は元から予想の内だ。

滝野率いる県警一機の突入は四番手、横須賀警察署前だ。すでに二番手まで突入し、毒餌を設置している。効果は早くも上がっているらしい。

「どうやら毒餌のほうに流れてるな」

滝野は電磁柵《でんじさく》の向こう側を眺めて呟いた。長浦《ながうら》方向を上手として順次突入しているが、群れは全体的に上手への移動を見せている。

おそらくある程度の意思疎通能力があるのだろうということは、サガミ・レガリスの生態を聞くまでもなく現場でレガリスを食い止めていた機動隊は実感している。

たとえば防衛線の破り方だ。一点を突破されると周辺から群れが集中する。言葉はなくとも一点突破の利点を理解した上での連携を取っているとしか思えない行動である。

やがて県警一機の突入順が回ってきた。一番手の突入後、約一時間である。

滝野は号令を掛けた。

「四班突入開始！　送電切れ！」

配置済みのダンプの車幅プラス五メートル分の送電が切られる。隊員の一人が警杖《けいじょう》で電磁柵に触れ、「停止確認！」

それを受けて機動隊員が柵を左右に開ける。スライド式になっているわけではなく一枚一枚外して運ぶので大仕事だ。この作業でレガリスたちがぼつぼつ気づきはじめる。向かってくるレガリスを前に、

「おいでなすった！」

隊員たちがちゃらけて叫ぶ。苛酷な現場でもまだまだ余裕を失ってはいない。

「突入！」

滝野の命令で、前衛部隊が一斉に躍り込む。ジュラルミンの大盾で近寄ってくるレガリスに打ちかかり、加速の鈍いダンプが電磁柵の中にフロントを突っ込むまでの時間を稼ぐ。

「ダンプ進入ッ！　前衛下がれ！」

ようやく加速したダンプが隊員の避《よ》けた空間に突っ込んでくる。

正念場はこれからだ。ダンプが戻るまで開けっ放しの防衛線を守り切らねばならない。

進入したダンプの後ろから後衛部隊もなだれ込み、守備に加わった。ラインを守る感覚では押し込まれるばかりなので、こちらから攻撃する勢いで攻めかかる。それでようやく防衛線を守れる程度だ。

多数の車が乗り捨てられた車道を、ダンプは縫うように進む。時には強引に車両に追突して掻き分けもするが、何しろ進みが遅くもどかしい。

ダンプが交差点の真ん中で荷台をせり上げた。山と積み込まれた牛や豚の半身が一斉に路上になだれ落ちる。

「帰ってくるぞ、進路空けろぉ！」

狭い隙間で巧みにスイッチバックして戻ってくるダンプに、隊員たちが猛打で進路を空けた。ダンプが走り出てから徐々に隊員たちが防衛線の外に逃れる。

嵩《かさ》にかかって押し寄せるレガリスを少ない人数で食い止めるため、しんがりは熟練の隊員が中心だ。もちろん滝野の姿もその中にある。

「面で打つな！　角使え、角！」

若い隊員へ盾捌きの助言があちこちで飛び交う。

「ガス弾発射！　撃《て》ェッ！」

最後の引き上げは、ガス弾の水平撃ちを多段に重ねて隙を作る。近接射撃にたちまち隊員が咳《せ》き込みはじめ、そんな中を電磁柵がまた閉じられる。

「全員退避！　三、二、一で通電開始、柵に触れるなッ！」

滝野は警告を与えてから三カウントを開始した。

「三、二、一！」

「通電！」

催涙ガスで白く煙る中、レガリスが電磁柵に押し寄せる。

「電圧最大ッ！」

柵から雷のように白い光が弾《はじ》けた。触れたレガリスが後ろへ跳ね飛ばされる。入れ代わり立ち代わり柵に触れて弾かれるレガリスが怒って泡を吹くが、さすがに高圧電流の威力は凄まじい。

「送電そろそろ保《も》ちません！」

「まだだ！　あと三十秒！」

一分は保たない。送電線が保つと思われる限度時間を指示し、滝野は柵の向こうで暴れ回るレガリスを睨んだ。三十秒で鎮まらなければ電圧が下がった瞬間に躍り出てくるだろう。

「総員、迎撃用意！」

隊員たちが陣形を組み、固唾《かたず》を飲んで大盾を構える。

残り二十秒。レガリスはまだ荒れ狂う。

十五秒。

十。

九。

八……

やっとレガリスの沸騰が収まり始めた。

よし。このまま鎮まれ。滝野は息を詰めてレガリスを睨み続けた。

「送電残り五秒！　四！　三！　二！　一！」

滝野らが見たのは電磁柵からすごすご離れていくレガリスたちの背面だった。

隊員たちが安堵に沸く。滝野も詰めていた息を吐いた。
○。

毒餌を搬入して三十分も経ったろうか。

ガスもすっかり晴れた交差点を見ながら、滝野は眉間《みけん》に深く皺《しわ》を刻んでいた。

交差点に積み重なった肉塊は、積み重なったときのままで微動だにしない。レガリスたちは餌をまったく無視して路上を這い回っている。餌を食べて倒れた個体は一つもない。

先行班では毒餌を設置するや群がり、すぐにも効果が上がったというのに。

隊員たちも毒餌がまったく無視されている状態に不審の色を隠せない。

滝野は警備本部へ無線を繋《つな》ぎ、厳しい表情で報告した。

「毒殺作戦第四班、県警第一機より報告。毒餌設置より三十分経過、横須賀署周辺のレガリスは毒餌を完全に無視。繰り返す、横須賀署周辺のレガリスは毒餌を完全に無視」

県警第一機の四班を皮切りに、各班からレガリスの食いが止まったという報告が相次いだ。五班も四班同様、毒餌設置時から近寄る気配もないらしい。

計算違いに浮き足立つ警備本部の面々を尻目《しりめ》に、烏丸は明石に命じた。

「この件に関しては今後、専門家の指示を仰ぐ。相模水産研究所の芹澤氏を召喚せよ」

予想していたくせにわざとらしい真剣ヅラが明石には多少腹立たしい。

しかし、これ以上はないタイミングでの『専門家』の招聘《しょうへい》に反発の声は一切上がらなかった。無名に近い研究機関からの召喚だったにも拘わらずである。

＊

『きりしお』の救出は夕方までに更に二度試みられ、二度とも失敗に終わった。

昼間の官邸発表で呼称がサガミ・レガリスと決定した甲殻類は、救出員の降下に毎回気づき、セイルを包囲登攀《とうはん》したのである。

救出の中止を告げると、子供たちは途中からある程度諦《あきら》めていたのか悄然《しょうぜん》とした様子だったが、やがて最年少の西山光がしゃくり上げはじめた。

光は最初の二度の失敗時には救出の一番手として外に出されているため、余計に帰れる期待が大きかったのだろう。

一人堰《せき》が切れると後は連鎖だ。小学生組は次々に涙の臨界点を超え、中でも年下の子供たちは泣きじゃくりはじめた。

やりきれない思いで発令所に反響する泣き声の合唱を聞きながら、夏木はふと子供たちの中の翔の様子に気づいた。

こんなときでも声を上げずに涙をぽろぽろとこぼすだけで、きつく嚙まれた唇はやはり何かをこらえている。そんな顔はやはり姉の望によく似ていて、しかし翔に寄り添う望は今は唇を嚙んではいなかった。

夏木と目が合って、明らかに落ち込んでいるのに懸命に笑おうとする。——頼むから俺らに気ィ遣うな。夏木はたまらず目を逸らした。

「何で撃たねえんだよ！　ザリガニなんか殺せばいいだろ⁉　なんでザリガニ殺さずに救出のほうやめるんだよ！」

癇癪《かんしゃく》を起こしたように圭介《けいすけ》が怒鳴った。

夏木も冬原もとっさに答える言葉が見つからない。

と、中一の木下玲一《きのしたれいいち》が相変わらず抑揚の薄い声でつまらなさそうに言った。

「災害出動だからだよ」

玲一だけは泣いても気落ちしてもおらず、日頃の無関心な表情を保ったままだ。

「何だよそれ」

ねじ込むような圭介の問いに、玲一は特に気圧《けお》された様子もなくまた平坦《へいたん》に答えた。

「武器使えないんだよ、災害出動じゃ。法律でそうなってるんだ。自衛隊って出動命令の種類で武器使えるかどうか変わるんだよ。いま災害出動だから」

意外な回答者は知らない圭介をバカにするでもなくひたすら淡々としている。

冬原が頷いた。

「玲一君の言う通りだよ、残念ながら。武器の使える前提、説明してあげてくれる？」

冬原のリクエストに玲一はやや怪訝な顔をしたが、特に文句は言わずに答えた。

「防衛出動か警護出動。警護出動はテロとかに対する基地防衛に限定されるから、この場合は防衛出動命令が要る。そうじゃなきゃ災害出動でも武器の使用許可を出すように今ごろ政府が話し合ってるんじゃないの」

中学一年生としては上等の説明である。それを受けて冬原が圭介に向き直る。

「以上、了解？」

「じゃあ何のためにお前らいるんだよ！」

即座に圭介が嚙みついた。

「こういうときに俺たちを助けるためにお前らいるんじゃないのかよ！　こんなとき使えない武器なんて何の意味があるんだよ！」

「そんなこと俺たちに言われても知らないよ」

あっさり突っ放す冬原に、圭介が啞然《あぜん》として言葉をなくす。

「俺たちは与えられた状況で最善の努力をするしかない人々なの。状況に異議を唱える権利は最初からないの。何でこんなとき武器使えないんだとかね、そんなことはそもそも考える権利もないの」

「開き直りかよ！」

「癇癪ぶつけたいだけのお子と現行法制語るほど暇じゃないってことだよ」

突っかかっても一向激さず、淡々と皮肉な口調を返すだけの冬原に、圭介は苛立《いらだ》ったように潜望鏡の根元を蹴った。

「やめてよちょっと、これ一隻何億すると思ってんの」

「知るかよ！」

怒鳴った圭介はすすり泣く子供たちを押しのけて発令所を出て行った。

中三の高津《たかつ》雅之《まさゆき》がそれを追い、ややあって中二の坂本達也《さかもとたつや》と中一の芦川哲平《あしかわてっぺい》も発令所を後にする。最後に続いたのは補給長の茂久《しげひさ》だ。

夏木は冬原に向かって軽く眉《まゆ》をひそめた。

「いくら何でもあしらいがひでぇぞ」

さすがにかわいそうだ。とは素直に言えない夏木の抗議に、冬原は恐れ入る様子もない。

「突っかかられて同じレベルでやり合うのとどっちがマシかねえ」

痛いところを突いて、冬原は残った子供たちに向き直った。

「期待させて悪かったけど今日はこれで終わり。部屋か食堂か好きなほう戻って」

発令所を出たところで子供たちは何となく足を止めていた。狭い通路をぎっちりと塞《ふさ》ぐ形になってしまっており、このままでは夏木や冬原の出入りに邪魔になる。

何とか動き出させようと望はやや努力して声を張った。

「食堂行ってテレビ観ようか。夕方、何かアニメあるでしょ。何だっけ」

「おじゃる……」

元気のない声で答えたのは光だ。さすがにテレビアニメごときでごまかせるような消沈ではない。

「おねえちゃんも観たことあるよ、かわいいよねアレ」

「ぼく観るの久しぶりだけど、けっこうおもしろいよね」

望に合わせて一生懸命盛り上げようとするのは翔と仲良しの中村亮太《なかむらりょうた》だ。多少ませたところのあるこの少年は、望をフォローしているつもりなのだろう。亮太もさっきまで泣き顔だったことを思うと無理をしているのは明白だったが。

ようやく食堂のほうへ歩き出した子供たちの後ろをついて行きながら、望は亮太の肩を軽く抱くように引き寄せた。そして囁《ささや》く。

「ありがと、助かった」

亮太はちょっと誇らしげに笑い、「テレビ点《つ》けてくるね」と先に駆け出した。

「いい子だね、亮太くん」

日頃から亮太が翔と一緒に動いてくれるおかげで、望も安心なことが多い。人懐こい亮太と友達であることで、喋《しゃべ》らない翔がクラスに溶け込んでいるところもあるらしい。

翔も望の言葉にこくりと頷き、――そして急に足を止めた。

望が気づいて振り向くと、翔は俯いてぽろぽろ涙をこぼしていた。

「どうしたの!?」

慌てて向き直った望に、翔は大きく首を下げた。喋らなくなってからある程度身ぶりで意思疎通できるようになっている、大きく首を下げる仕草は「ごめんなさい」だ。

「やだ、何で？」

どうして謝るのか分からない。しかし翔の返事はもう一度「ごめんなさい」だった。

「どうして？　あんた悪いことしてないじゃない」

翔は俯いたままでぽろぽろ涙をこぼし続ける。望は思い余って翔を抱きしめた。

こんなときは泣きたくなる、翔がどうして泣いているのか分からない。

喋ってくれたら分かるのに、唐突なごめんなさいの意味も。

「泣かないでよ」

お母さんだったらきっと分かるのに。お母さんなら翔がこんなふうに難しく泣くことなんかないのに。家に帰れなくて悲しいという素直な涙じゃないことだけは分かる。

だって。

「そいつでも泣くのかよ」

突然かかった声に、望は気配を尖らせた。顔を上げると圭介が通路の向かいに立っている。

望は翔を庇うように背中へ押しやった。

「どうせお前らは帰れなくても寂しくないだろ。保護者が他人なんだし」

同じことは自分でも思っていたから、とっさに返す言葉が見つからなかった。

望と翔の「家に帰りたい」は他のみんなのそれとは違う。

みんなの一番の思いは「家族に会いたい」だ。望と翔は違う。

外に出たいし家には帰りたいが、家族に会いたいかどうかは自分でも分からない。そもそも家族かどうかも分からないのだ、いま同じ家で暮らしている人々は。

子供がいないからと両親を亡くした望と翔を引き取ってくれた今の保護者は母方の叔母《おば》夫婦だ。善良な人々だが、四年経った今でも家族になったかどうかは分からない。

踏み込めないのは相手が引いているのか自分たちが引いているのか。義務感で引き取られたのではないかという猜疑《さいぎ》は消えない。消えないだけの理由がある。

だから翔も叔母たちが純粋に恋しくて泣いているのではないのだ、絶対に。

それでも泣いている翔を揶揄《やゆ》される謂《いわ》れはない。

たとえ圭介が誰かを攻撃せずにはいられないほど精神的に追い詰められているのだとしても、そんなものを斟酌《しんしゃく》してやれるほど望たちに余裕があるわけではない。

『どこでも折れてりゃ丸く収まるわけじゃない』のだ。折れて下手に出たからといって、圭介との関係が改善された例《ためし》など一度もない。

どうせ丸く収まらないのなら徒労だ。

「ほっといて」

望はまっすぐ圭介を睨みながら言い放った。案の定、圭介の目が一瞬で据わる。

「私たちが泣こうが泣くまいが、私たちの勝手でしょ。あなたには関係ないじゃない。私たちだって家に帰りたいのはみんなと変わらないよ」

「俺たちと一緒のつもりかよ」

鼻で笑った圭介に望は自分から言い放った。

「私たちが孤児だからってあなたに何か迷惑かけた？」

自分から言うと思っていなかったのか、圭介が虚を突かれたような顔をした。翔が背中から望の裾《すそ》を引っ張る。止めているのだと分かったが望は無視した。

今まで言いたくて言いたくて仕方なかった。唇を嚙んで言葉を塞き止めないのは何て気持ちがいいんだろう。

「あなたは孤児の私たちが嫌いかもしれないけど、私だってあなたのことが嫌いよ。言っとくけどあなたが私のこと嫌ってるよりずっと嫌いだから、多分」

圭介の顔に一瞬で血が昇った。まなじりが今まで見たこともないほど吊り上がる。

「──うるさい、黙れ」

黙るか。我慢ならもう充分した。

「今まで散々ああいう当たり方しといて、私があなたのこと嫌いにならないとでも思ってたの。自分は嫌っといて言い返されるのは気に食わないとか都合よすぎるんじゃないの。それとも私に大目に見てもらえるとでも思ってたの？　三つ年下のガキだからって許せるレベルじゃないのよ、あんた」

「黙れ！」

圭介がいきなり間近に迫り、望の衿《えり》をねじ上げた。翔がとっさに飛び出し圭介にぶつかるが、圭介はびくともしない。

殴られる？　望は一瞬目を眇《すが》めたが、逸らさず睨み返した。

すると圭介がゆっくりと言った。

「昨日から言おうと思ってたけど、臭いんだよお前」

――頭の中が真っ白になった。

気がつくと翔が尻餅《しりもち》をついていた。圭介に突っかかって突き飛ばされたらしい。圭介は踵《きびす》を返して立ち去るところだった。

飛び起きて圭介に向かっていこうとする翔を望は寸前で抱きとめた。

「大丈夫だから」

翔が振りほどこうともがくのを鎮まるまで押さえ、やがて静かになってから言い聞かせる。

「先に食堂行ってて」

首を横に振る翔に望は重ねて言った。

「ごめん、今笑えない。みんなのところに行きたくない。でも、二人とも行かなかったら亮太くんが心配するから、翔が行って」

お願い。絞り出すように囁くと、翔は気兼ねしながら食堂に去った。

そのままどれだけその場に立ち尽くしていたのか。ものすごく時間が経ったような気がするが、多分短い。

人の駆けてくる足音がして、角から夏木が姿を現した。

「おお、森生姉。いいところで会った」

見上げた望に、夏木は持っていた紙袋を手渡した。口を開けて覗く。

——助かった、と思った。中身はメジャーな銘柄の生理用品である。しかも夜用だ。

「これ、どうして」

「三度目の救出な、あれもう無理だと思ったから方針変えたんだ。必要な物品頼んで落としてもらうように切り替えた。小さめの荷物落とすだけなら間に合いそうだったんでな」

下着なんかも入れてくれたはずだ、と言ってから夏木が慌てて付け加えた。

「用立ててくれたのは女性隊員だからな」

「ありがとうございます、助かります」

笑ったつもりだったが、やっぱりまだ笑えていなかったらしい。夏木が怪訝な顔になった。

「どうした、変な顔して」

ここで変な顔と言ってしまうところが夏木だが、悪気がないのはもう分かっている。

「あの」

考えるより先に口走ってしまっていた。

「私、臭いますか」

「は？」

完全に呆気《あっけ》に取られた夏木が、ややあって表情を険しくした。

「……何か言われたのか」

誰にとはもう訊かない。

野郎。

吐き捨てて歩き去ろうとした夏木の腕に、望はとっさにしがみついた。

「ごめんなさい、大丈夫ですから！　大袈裟《おおげさ》にしないで」

と、夏木が怒った顔のまま望に向き直った。

「お前はまたそういう……」

何かと思ったらいきなり叱りつけられる。

「ごめんなさいと大丈夫は余計だ！　大袈裟にするなでいいんだ！　無理に大丈夫になるな！

……俺も考えなしだから止めるの自体は正しいけどっ」

自分の向こう見ずも後ろめたいのか、最後は多少言い訳がましく付け加えられる。

「臭うかっつったな。バカバカしい」

吐き捨てた夏木がいきなり望の首筋に顔を寄せた。

びくりと肩をすくめると寄せた夏木の顔が首筋に触れた。慌てて肩を反らす。夏木はたぶん何も考えていないので、望も何でもないふうを装って——固まる。

夏木が離れるまで随分長い時間硬直していたような気がするが、これも多分実際は短い。

「全ッ然分かんねえよ」

言いつつ夏木が顔を上げた。

「潜水艦の中なんてな、空気籠《こ》もって臭いがどうこうの問題じゃなくなってんだよ。どんだけ換気しても艦の臭いが空気に染み込んでんだ。油とか煙草とか十日風呂《ふろ》入らねえ男どもの体臭とかな。お前らも電話掛けにセイル出入りしてるんだから分かるだろうが、外と比べて艦内の空気がどれだけ澱《よど》んでるか。そんな空気の中にいて臭いがどうとか、バカバカしいにもほどがあるわ。しかもお前、毎日シャワー浴びてんじゃねえか」

まくし立てる勢いに気圧されながら望は念を押した。

「分からないって、ほんとに?」

「何ならもっと嗅《か》いでやろうか」

不機嫌な声は疑われて気を悪くしたらしい。望は慌てて頭《かぶり》を振った。

「言っとくけどな、俺ら航海終わって上陸したらタクシー乗れないんだぞ。車内に臭い移って取れないからって乗車拒否されてな。お前らそういう扱い受けたことあるか? 潜水艦の悪臭舐めんな」

脅しなんだか自慢なんだか分からなくなってきた夏木に、望はたまりかねて吹き出した。

まるで笑いすぎて涙が出たように目が滲《にじ》んだ。

部屋に戻って望はまずリュックを開けた。中身は持って出るつもりだった汚物だ。ビニールに二重に包んであるが、外へ出られないのなら荷物に入れておきたくはない。そうでなくともリュックは翔からの借り物だ。

またしばらくは溜め込んでおかなくてはならない。しかし今度は生理用品があるからずっとマシだ。

さっそく使わせてもらおうと紙袋を開けると、用品のほかに新品のショーツが五枚。そして、一番底に折り畳んだメモが入っている。開くと、
がんばって！

かわいらしい丸文字で走り書き。用立ててくれた女性の字だろう。

ごくささやかな、当たり前の善意だ。しかしそのささやかな善意に触れて一体望がどれほど救われたか、このメモを書いた人は分かってくれるだろうか。

恥ずかしいけれど恥ではない。誰かに謗《そし》られる謂れもない。

揶揄される自分の恥ではない、揶揄する者の恥だ。

顔も知らないどこかの女性のたった五文字の励ましが、悪意にへし折られた気持ちをすらりと伸ばす。

そして何より、このメモの添えられた荷物が望に届くようにしてくれたあの人たちは、一体何てありがたいのだろう。

望が折れたり萎縮《いしゆく》する度に苛立ったように叱る夏木の声も、恐いけれど温かかった。

ボール箱を抱えた夏木が冬原と食堂に向かうと、厨房で茂久が立ち働いていた。

「どうした、お前」

てっきり圭介たちと一緒に部屋に籠もっていると思ったのに。率直に尋ねてしまった夏木に、茂久はつまらなさそうに答えた。

「こういうときこそ旨《うま》い飯が要るんだろ。手伝いいないから丼物《どんぶりもの》くらいしかできないけど」

子供たちはお通夜のような顔で、流しっぱなしのテレビアニメを観るともなしに観ている。なるほど、この顔の子供たちに手伝えなどとはとても言えまい。

「落ち込んでても旨い飯食ったら何とかなるんだってうちの父ちゃん言ってたし」

「名言だな。お前の親父は賢者か何かか？」

苦笑した茂久が野菜を切る手を止めて二人に向き直った。

「それよりさ」

言いつつ冷蔵庫から断熱シートに包んだ艦長の腕を取り出す。梱包《こんぽう》は開けられた跡がある。茂久が開けたのだろう。

「これ、冷凍庫にしまったほうがいいよ。じき傷むから」

手ぶらの冬原が受け取って包みを開ける。すぐには二人とも答えられず、ラップに包んだ腕を無言で見つめた。

艦長の腕を凍りつかせることには二人とも何となく抵抗があった。

「けっこうやばいよ。かなりドリップ出てるし、もう傷みはじめてるから……きれいな刃物で切ってたらもうちょっとマシだったと思うけど」

確かに切断面からもう変色してきている。冬原が珍しく苦痛の表情を閃《ひらめ》かせ、

「――いいな?」

尋ねたのは夏木へだ。

凍った腕と腐った腕。家族に渡すならどっちがマシかと考えれば、迷う余地はない。

凍らせる前にドリップを捨てて新しいラップで包み直すなど、茂久の指示に従う。ラップを開けるとすでに腐りかけの肉の臭いがした。

始末を終えて腕を冷凍庫に移す。冬原が無言で茂久の肩を叩いたのは謝辞だろう。

「よし、お前もちょっと手ぇ止めて来い」

夏木は茂久も呼んで食堂のテーブルの上にボール箱を置いた。

「ハイみんな、注目ー」

冬原が手を叩いて子供たちを集め、箱の中身を出していく。

わぁっと子供たちが声を上げた。

テーブルに並べられたのは色とりどりの歯ブラシである。塩で磨かせるのは初日から大不評だったので全員嬉《うれ》しそうだ。

「さっきのヘリの人に持ってきてもらったんだよ。イチゴ味かバナナ味か知らんけど子供用の歯磨き粉もあるからねー」

「バナナだ!」

西山兄弟がはしゃいだ声を上げる。へえ、やっぱ嬉しいんだと冬原は首を傾げた。

「気持ち悪くて理解できないけどね、バナナ味とか」

「陽《あきら》くんまだ味つきなんだ。ぼく大人用だよ」

兄の陽と同じ四年生の野々村健太《ののむらけんた》が少し鼻を高くする。

「家で光と一緒の使ってるから」

多少バツが悪いのか、陽は言い訳口調だ。

「それから今日は全員シャワー使って着替えていいぞ。頭も洗っていい。服も洗濯してやる」

言いつつ夏木は艦内からかき集めてきた下着やTシャツ、予備の制服などを箱から出した。

「短パンとTシャツはチビ優先だぞ。学年が上の奴は制服だ」

男子がそれほど風呂や着替えに神経質とも思われないが、禁止されると欲しくなるのが人情らしい。子供たちは思ったよりも嬉しそうに着替えを選びはじめた。

救出が中止になった気落ちをフォローするために考え出したイベントだが、何とかそれなりの効果はあったらしい。いつも無感動な木下玲一も、一応積極的に制服のサイズを合わせたりしている。

その場にいないのは望、そして圭介たちだ。

圭介、雅之の中三連中に中二の坂本達也と中一の芦川哲平。

それぞれの体格を思い浮かべ、夏木は着替えを適当に取り揃えた。それに歯ブラシを人数分添え、空いた箱に入れて茂久に手渡す。

「お前、これあいつらに渡してやってくれるか」

望の一件があったのがつい先ほどだ。圭介の前で険悪にならない自信は夏木になかったし、仲間から渡されたほうが素直に受け取りもするだろう。

「分かった。米だけ炊いといてよ」

茂久は自分の取っていた着替え類も箱に入れ、食堂から駆け出した。


「みんな、着替えと歯ブラシもらえたぞ」

ボール箱を抱えて茂久が男子部屋に入ると、狭いベッドから圭介以外の三人が驚いたように顔を出した。圭介はふて腐れたように一番下のベッドに寝転んだままだ。

「俺、Mでちょうどっぽかった。みんなもMで行けんじゃね？」

中学生としてはまだ小柄な達也と哲平にはいくらか大きいかもしれないが、裾や袖を折れば何とかなるだろう。

四人のベッドに順番に着替えを放る。と、最初に受け取った雅之がタグを見て唇を尖らせた。

「何だよ、Sじゃんこれ」

「あ、じゃあそれ哲のだ多分。替えて」

哲というのは哲平の愛称だ。町内の母親たちが「哲ちゃん」とちゃん付けで呼ぶのを中学に上がった哲平が嫌い、子供たちの間では「ちゃん」が取れている。

まだ投げていなかった一着のタグを確かめるとこれもSで、やはり小柄な達也の分だろう。

「達也にもSあるよ」

最後に達也に放って何気なく呟く。「意外とあの人、ちゃんと見てんだな。こっちのこと」

夏木は乱雑な手付きで着替えを取り分けていたが、自分たちの体格のことまで考えて選んでいるとは思わなかった。

「それと今日はみんなシャワー使っていいってさ。服も洗濯できるって」

「へぇー」

雅之と達也と哲平がちょっと嬉しそうにベッドから身を乗り出す。

するとと圭介が苛立ったように口を開いた。

「お前ら何はしゃいでんだよ。あいつら、救出失敗したのごまかしてるだけじゃねえか！」

全員が引っぱたかれたように黙り込んだ。

「……でもさ」

茂久は思い切って口を開いた。

「塩で歯磨きってやっぱヤだったじゃん。着替えだってさ。いいかげん汗がぺとぺとで気持ち悪いじゃん。それは別に喜んだって……」

「お前、何馴《な》れ合ってんだよ」

圭介がねめつけるように視線を送った。

「着替えだの歯ブラシだのそもそも寄越して当然だろ。もらって当然のもの寄越したからって何で喜ばなきゃならねえんだよ」

いつもは圭介に睨まれて食い下がることなどしない。だが、茂久は引かなかった。他の三人がはらはらした様子で見守る。

「仕方ないじゃん、水節約しないといつまで閉じ込められるか分からないんだし。家やホテルじゃないんだから、新しい歯ブラシ寄越せとか無理じゃん。人の使いかけなんかイヤだしさ。あの人たち、けっこう頑張って集めてくれたと思うぜ。歯ブラシとかもヘリで運んでもらったみたいだし……」

最後の救出で、夏木と冬原は西山光を連れて上がらなかった。

思えば、レガリスの動きが速いので救出を諦めて荷物を落としてもらうようにしたのだろう。救出はもう無理だったのに、二人は歯ブラシを受け取るために危険な外へ出たのだ。無理だと見切ったならもう出る必要もなかったのに。

それに。

茂久はようやく自分が引かない理由に気がついた。

知らずに開けてしまった冷蔵庫の中の腕だ。無残に切断され、ラップに包まれて傷みかけの。頭をガツンと殴られたような気がした。自分たちを助けるためにその人は死んだのだと今さらのように思い出した。

夏木と冬原は、自分たちを助けるためにその人を失ったのだ。それを思うと助けられて当然とか歯ブラシや着替えを寄越して当然とか、そんなことはとても——

「お前、いつからあいつらの犬だよ」

圭介の声はねじ込むように低い。

ここで折れないと面倒なことになる。それは分かっていたがそれでも、圭介に今負ける自分は嫌だ。

「してもらったことはしてもらったことだろ」

「分かった、もういい」

圭介は思いのほかあっさりと話を切り上げた。

「外に出てもお前はもう仲間じゃないからな。あいつらにせいぜいシッポ振ってろよ」

胸が冷たくなった。

圭介に絶交されるということは、学校で話す相手がいなくなるということだ。中三は中二のクラスが持ち上がりで、グループもすっかり固まっている。そこから弾き出されるということは孤立するということだ。

そこまでして俺と揉《も》めたいのかよ。そういう揺さぶりだ。家が近所で幼稚園の頃からずっと付き合っているので今まで何度も経験している。

そして茂久がその揺さぶりに勝てたことはない。

茂久は何度か大きく息をした。動悸《どうき》が重くて速い。

「分かったよ」

声が少し震えたが、言えた。

圭介がこれ以上はないというほど目を怒らせ、他の三人がぎょっとしたような顔をする。

茂久は自分の着替えと歯ブラシをベッドに置き、空になった箱を抱えて外へ出た。

食堂に向かうと、雅之が追いかけてきた。

「お前やばいぞ、圭介めちゃくちゃ怒ってるぞ！　早く謝っとけよ」

「もういいよ」

茂久は肩をすくめた。

謝ったら許してもらえるのは分かっている。でも。

「何で俺が許してもらわなきゃいけないの？　別に悪いことなんか言ってないじゃん、圭介の気に食わなかったってだけだろ」

雅之は唖然として茂久を見つめ、それから口ごもるように「でも、お前……」

圭介に逆らうなんて。そう言いたいのだ。

「俺さ、ホントはずっとイヤだったんだよ。圭介って、すぐ男が料理なんかとか言うじゃん。でも俺んち定食屋だからさ。父ちゃんバカにされてるみたいでさ」

家庭科の時間なども茂久の手際のよさを「男のくせに」とからかって笑う。圭介は面白いのだろうが、茂久には面白くない。ずっと面白くなかった。

「家のことちゃんとやらない女なんか、とかも言うだろ。俺んち、母ちゃんも店で忙しいから家事とかあんまりしっかりできないし、家もやっぱり散らかってることが多いし。だから圭介がそういうこと言うたびに、お前んちの母ちゃんは失格って言われてるみたいでさ」

皆が圭介に同調して相槌《あいづち》を打っている間、茂久はいつも曖昧《あいまい》に笑っていた。反論できないが相槌も打ちたくない。そんな曖昧な笑いだった。

夏木と冬原は茂久の料理を誉めた。家が定食屋だと言うとさすがと言ったのはどちらだったか。あの二人の危なっかしい腕前だと普通に料理のできる人なら誰でもすごいのかもしれないが、茂久が料理のできることをすごいと言ってくれた友達なんかいなかった。

圭介がからかうとみんな一緒になって笑う。だからそれはいつでもどこでも引け目であって、特技だなんて思えなかった。

「それに名前のこともさ」

名前負けだとからかうのはもちろん圭介だ。

お前の両親失敗したよな、総理大臣の名前なんかもじっちゃって。

テストの点数が五十点を超えることがなかなかない茂久はからかわれ放題だ。

バーカ。

圭介にもしょっちゅう言われているが、夏木のバカは全然違った。

お前らごときの年で名前負けとか決まってたまるか。

そんなものは真に受けるほうがバカだと、自分の名前を嫌う茂久をあっさり切り捨てた。

まだ名前負けなんて決まってない。率直な言葉で気づかされた事実は清々《すがすが》しかった。

小さい頃から圭介は勉強のできるいい子で茂久はバカで駄目な子、からかわれ続けて自分はもう負け組なのだと自然に思い込んでいたのに。

「……ごめん、俺」

雅之がしゅんとする。圭介に同調して茂久をからかっていたのは雅之も同じだ。

「お前が嫌とか全然考えたことなくて」

「いいよ。圭介には逆らえないもんな」

茂久だって自分が的になっていない話題で圭介に逆らったことなどないのだ。――望や翔のことにしたって。

圭介が何かと突っかかるので何となく同調していたが、別にあの二人に何か恨みがあるわけじゃない。

「何か、気がついちゃったんだ。圭介にはやなこといっぱい言われるけど、俺、あの人たちにやなこと言われたことないんだ。そりゃ最初はめちゃめちゃ怒鳴られたけどさ。でも、あの人たち、知ってる人が死んだばっかりだったんだぜ」

雅之も背後の男子部屋を気にしながら小さく頷く。

圭介と友達だと思っていたのに、圭介よりも他人のほうが茂久を傷つけない。茂久は圭介の機嫌を気にして喋るのに圭介は何も気にしない。それは本当に友達なのか、一度疑問を持つと拭えなかった。

「お前は気にすんなよ」

茂久は雅之の肩を叩いた。

「俺はほら、親が忙しいしあんまり関係ないけどさ。お前は今さら圭介と揉めらんないもんな。頑張れよ」

雅之は俯いたまま、ごめんと小さく呟いた。

男子部屋で一時間ほど時間を潰しただろうか。不意に圭介がベッドから転がり出た。ベッドは天井が低くて狭いので横に転がって降りねばならない。その降り方が身に付くまで、全員が頭を何度か打っている。

「雅之、携帯使いに行くぞ」

圭介が行くぞと言ったらそれに他の子供が逆らうことなどない。雅之も一も二もなく従う。

発令所には冬原がいたのでセイルに上がることを頼む。圭介の場合は頼むというよりも命令する口調だ。夏木ならタイミングによって喧嘩《けんか》になるが、冬原はもう何も言わない。潜望鏡で上を確認し、二人を上らせる。

もう日はとっぷりと暮れて星が出ていた。涙腺《るいせん》が少し緩み、雅之は慌てて目元をこっそり指で拭った。外に出ると改めて艦内の狭さと空気の悪さが思い知らされ、救出失敗の失望が再び胸に迫る。

「さっきの今だから手短にね」

言いつつ冬原が上に出る。電話を聞かれるのを嫌う圭介への気遣いと、見張りも兼ねているのだろう。

「あいつ来ないか見張ってろよ」

圭介が言いつつしゃがみ込んで携帯を操作する。雅之は言われた通りに冬原を警戒していたが、圭介が電話を掛ける気配はない。

忙《せわ》しく動く手元をちらりと窺うと、どうやらインターネットに接続しているようだ。

「どこ見てんの？」

「ＮＢＣテレビ」

Nippon Broadcast Center、全国ネットのテレビ局である。公式ホームページを閲覧しているらしい。

何でそんなところに、と思ったが圭介のやることに文句を付けると後が恐い。代わりに雅之はそっと声を掛けた。

「あんまり繋ぐと電池なくなっちゃうぜ」

「もう終わる」

言いつつ圭介はいくつか操作をして電源を切った。そして雅之に低い声で囁く。

「いいか、ここ出るぞ」

呆気に取られた雅之に、圭介は怒ったように吐き捨てた。

「あいつらなんかに頼ってられるか。武器も使えないんだったらいつまで待っても救出できるわけねえだろ。何もできねえくせに偉そうにしやがって、思い知らせてやる」

「……でも、どうやって」

訊いた雅之に圭介はにやりと笑った。

「考えてもみろよ。今の俺らってめちゃくちゃ商品価値あるんだぜ」

言いつつ圭介は今度こそ電話を掛けはじめた。

＊

NBCテレビ報道室にその電話が入ったのは午後七時過ぎ、夕方のニュースで『きりしお』の救助失敗が報じられた後のことである。

代表番号に入って内線で回されたその電話の主は『きりしお』に取り残されている遠藤《えんどう》圭介と名乗り、電話を受けた取材記者デスクは騒然となった。

日本中が注目する横須賀甲殻類襲来事件と『きりしお』。その渦中の未成年者からの電話とあっては、たとえイタズラとしてもそれが確認できるまで無下に切るわけにはいかない。

結果として電話の主は本人と確認できた。本人が教えた自宅連絡先と携帯番号にそれぞれ裏が取れたからである。連絡先の確認ができたころにまた掛け直すことを告げて切れた電話の主からは、二時間ほど後に再度の電話があった。

そして遠藤圭介は、子供とは思えないふてぶてしさで独占取材を交換条件とした取り引きを切り出した。

＊

毒殺作戦により駆除したレガリスは一一六四。

成果が上がったとは言い難い数字である。率直に言えば焼け石に水だ。

作戦を開始して約一時間でレガリスは毒餌にまったく反応しなくなった。第四班、第五班の設置した毒餌は設置しただけで終わった。

作戦開始直後は順調に効果を上げていた毒殺作戦が失敗に終わった原因は、相模水産研究所から招聘された芹澤斉《ひとし》によって語られた。

「サガミ・レガリスの学習能力とコミュニケーション能力によって、危険回避が行われたものと考えられます」

要するに、餌を食って死んだ仲間からその餌が毒だと学習し、更に危険な餌の情報を群れの中で伝達したということらしい。

「しかし、たかがザリガニでしょう。そこまでの知能がありますか」

幕僚団の芦屋管理官が信じ難い様子で眉をひそめる。作戦立案者として、計算違いが不本意でもあるのだろう。ほぼ全員の疑問を代表したようなその質問に芹澤は答えた。

「知能というよりは、学習能力の問題ですね。サガミ・レガリスの研究は近年始まったばかりなんですが、その学習能力の高さはすでに深海生物学の分野ではかなりの注目を集めています。しかも独特なのは、その学習能力が群れの保存に特化して発達していることです」

「群れの保存に特化した学習能力とはどういうことですかな」

合いの手は見知った人間が入れたほうが話しやすかろうと明石はそう尋ねた。会議開始から目に見えてガチガチだった芹澤がやや安堵した表情になる。

「レガリスは自然死以外の死を迎えると一種の警戒臭を出します。その臭いで他の仲間に危険を警告するわけで、通常であれば警告を受けた群れは外敵への警戒反応を起こします。ですが、警戒すべき外敵が周辺に存在しなかった場合、レガリスは『疑わしい条件』を回避するようになります」

「疑わしい条件とは？」

「群れの周辺に発生した最も新しい変化です」

例えば水槽の中のレガリスをピンセットでひねり潰したとする。数回繰り返すとレガリスは群れに発生した最も新しい変化として『定期的に水中に挿入されるようになったピンセット』を警戒すべき条件として認識するのだという。

「しかし、節足動物が新たな警戒条件を学習するほどの長期記憶を持つことは可能なんですか。それほど脳味噌《のうみそ》があるようにも思われませんが」

今度の明石の質問は純粋に興味が発させた。

「先ほど、群れの保存に特化した学習能力だと申し上げましたよね。レガリスは通常、反射と短期記憶によって活動しています。群れに危害が加えられたとき、初めてレガリスは中・長期記憶の能力を発動させます。警戒臭の中に脳を活性化させる物質が含まれているんじゃないかとも言われていますが」

答える芹澤もかなり乗ってきた。もともと自分の得意分野に関しては饒舌《じょうぜつ》な男だ。

「だとすれば、群れが警戒状態にあり続けたら際限なく学習し続けるということに？」

「いえ、そうした目先の変化ではなく。要するに探索するまでもなくやってくる死肉ですね」

さすがに全員が嫌な顔をした。

「生き餌は頂けませんな」

「テレビ中継も入りますし、批判が大きすぎます」

「愛護団体の抗議も恐いですな」

「そういった問題だけじゃなく、生き餌はやめたほうがいいと思います」

芹澤には珍しく強い反対だ。

「死肉、生き餌に拘わらず『防衛線の中に差し入れられる餌そのもの』が危険と学習した場合、おそらく次は『安全な餌は防衛線の外にしかない』という結論を下しますよ」

それに心配しなくてはならないことはそちらではない。誰も気づく様子がないので、明石は仕方なく発言した。

「芹澤さん、レガリスは今後毒餌を食わんということではなく、差し入れられる死肉そのものを食わなくなるんですな?」

するとさすがに全員気づいた。

「待て！　それじゃ防衛線への配慮はどうなるんだ！」

開始する予定だったレガリスへの給餌すら不可能になったということだ。餌の供給なくして飢えたレガリスを長期間食い止めることはできまい。

「生き餌を使うほかあるまい。情報は伏せて中継も自粛させる方向で……」

「無理です、必ずどこかがすっぱ抜きますよ」

「やむを得ん！」

「手配と予算の問題もあります」

明石は冷静に指摘した。

「必要な餌を生き餌で手配する場合、単価そのものが跳ね上がるうえ手配可能な地域の家畜は数日で買い切ってしまいますな。遠方からの輸送になるとさらに輸送費と時間が加算されます。生き餌の供給は難しいと言わざるを得ません」

餌の供給が提案された時点ですでに生き餌の試算も済ませてある。

今回の警備費用が国庫から補塡《ほてん》されるとはまだ決まっていないし、仮に補塡を約束されたとしても後に復興予算その他の圧迫を理由に警察予算から経費を分担させられる可能性もある。

懐具合を気にしている場合ではない、というのは理想論だ。それが後の組織運営を直撃するかもしれないのだから、経費を無造作に重ねるわけにはいかない。年度はまだ始まったばかりなのだ。

「それに警察官は家畜の扱いに慣れておりません。搬入も相当もたつくことが考えられますし、そのせいで防衛線がほころぶ危険も高い。生き餌の供給を長期間続けることは、あまり現実的ではありませんな。そもそも、餌を供給して被害区域にレガリスを引き止めるという作戦自体が対症療法にすぎませんでしたから」

「何か案はないんですか、芹澤先生！」

　突然すがられた芹澤は、戸惑いながら口を開いた。

「……甲羅があるから効果がどこまであるか分かりませんが、水酸化ナトリウムでたんぱく質を溶かすとか……甲羅の隙間から多少はダメージを与えられるんじゃないかと思うんですが。後はそれこそ濃硫酸で甲羅ごと溶かすとか、それくらいしか思いつきません」

　明石はそれもさっさと潰しに掛かった。

「全体を一気に殲滅《せんめつ》できない限り、現実的ではありませんな。即死させられないなら断末魔の一暴れで防衛線を破られる危険が高いですし、そこを無傷の群れに突破されたらおしまいです。取り扱い資格を持たない機動隊員に危険物を扱わせることの問題もありますし、濃硫酸などに至ってはそれを扱う機材が確保できません」

　根本的にはレガリスを殲滅しないと埒《らち》が明かないのだ。そして効果的な殲滅対策として期待された毒殺作戦は失敗に終わり、警察は完全に追い詰められた。

　かくなる上は大火力で物理的に群れを粉砕するしかなく、それはもはや警察の領分ではない。

　状況を追い詰めた男は何食わぬ顔で上座にいる。

　妙案と思われた毒殺作戦の危険性を芹澤に示唆された時点で、烏丸は官邸に断固とした中止を進言できたはずだ。それを作戦開始直前になっての再考具申にとどめ、敢えて官邸に決行を決断させている。

　烏丸は毒殺作戦が失敗することを見越したうえで、その失敗を状況の加速に利用したのだ。警備を防衛として自衛隊にシフトせざるを得ないように。

悪辣《あくらつ》だが、早急な状況の収束には最も効果的だった。

どうせ毒殺作戦を封じられた時点で警察に可能な対処はもう残されていない。各個撃破など到底現実的ではなく、そんなことをしている間に米軍が乗り出してくる。三日間を静観させていることには死に物狂いの外交努力がなされているのだろうが(基地修復予算で駆け引きしているらしい)、それも長くは保《も》つまい。

自衛隊へのリレーは急務だ。そもそもが警察の対処能力を超えていた。

烏丸がよく通る声を張った。

「予想される防衛線のほころびに備え、防衛線を二重に構築する。第二防衛線は京浜急行まで後退し末端を重ねて展開、これを死守しつつ官邸の決断を待つ」

何の決断であるか、今さら敢えて問う者はない。

明石としてはようやくここにたどり着いたかという感覚である。

「明石警部、市民の広域避難は」

災害発生時から自衛隊の軍事展開を想定して進められていた市民の広域避難は、横須賀基地から五㎞圏内の地域が対象となって進められている。

「ほぼ終了しております。現在は防衛線の外に限り家財引き取りのための一時帰宅を許可しておりますが、それを規制すれば完了です」

「規制を急がせろ」

端的な指示を最後に警備会議は終了した。

レガリスのアドバイザーとして警備本部に詰めることになった芹澤に宿舎を手配し、明石が体育室の県警警備対策室に戻ると烏丸が待っていた。

「『きりしお』の救出も失敗に終わったらしいな」

「そのようですな。失敗が二件重なれば批判も分散されてよろしいでしょう」

「うちにとってはな」

その言い方に含むものを感じ、明石は烏丸の顔を見直した。

「米軍を抑えておくのはそろそろ限界らしい。米軍の爆撃を承認するか、自衛隊を動かすかの二択が数日中にも突きつけられそうだ」

低い声は深刻な色を帯びている。

外事とネットの軍事マニア集団から、海兵隊の想定訓練や兵員輸送の予兆が報告されている。地方の米軍基地からも横須賀に向けて輸送ヘリが飛び立ったことが航空無線《エアバンド》の傍受で分かったらしい。機材、人員が集まったら横須賀爆撃は秒読み段階だ。

いざ決行となれば、米軍埠頭に停泊している日本の潜水艦への配慮など微々たるものだろう。市街への誤爆さえ懸念される——どころか。

一度出動すれば、群れ全体の殲滅を大義名分として、市街にも爆撃を強行する可能性が高い。市民の退避がすでに完了しているとなればなおさらだ。

「……それは救出成功しておいてほしかったですな」

内閣が米軍の迫る爆撃承認をあくまで拒否し、自衛隊を出動させられるかどうかは甚だ疑問だ。収拾が付かなくなることが火を見るより明らかな臨時国会を召集しないだけまだ見どころはあるが、閣議は相変わらずの堂々巡りである。今は責任の省庁分担で揉めているようだ。

「潜水艦救出については、現在SATと海自救難隊の協力体制をすり合わせているようだ」

レガリスへの対処をSATに委任する狙いだろうが、それにしても俄《にわ》かコンビとなれば息も合うまい。

更に、毒殺作戦の失敗によって地上防衛が激化することが見込まれる警察から貴重なSAT人員を貸せるかどうか。できることなら自衛隊で作戦を完結させてほしいところである。警察にも余力があるわけではない。むしろ無理を押し続けている。

「米軍は自衛隊の移送協力も断ってきたそうだ」

被害地区の孤立住民救出後に自衛隊が約束していたというシェルター内の民間人移送である。孤立住民の救出が完了したので明日からの移送開始を打診したところ、断られたらしい。

その頑《かたく》なさに苛立ちが窺える。

「もういい勝手にやる、といったところですか」

「爆撃をごり押しする以上、下手な借りを作りたくないということだろうな。後はヘリがいつ揃うかの問題だろう」

救出完了までに防衛出動が為《な》されなければ爆撃が現実のものとなることは明らかだった。

「原潜でも入港してくれていればよかったんだがな」

確かに原潜が湾内に足止めを食らっている状態では米軍も爆撃を強行できなかっただろうが、これは発言としては過激な部類と思われた。

*

Subject：来た
Date：04/09（TUE）19:27
　ただいま厚木にて米軍ＣＨ53、３機編隊確認！
　引き続き張り込むんで現職さんに連絡よろしく！
　from　イージス

トム猫☆：厚木にＣＨ53来たって!?　04/09（火）19:35
ファルコン：ええ、さっきメールが来ました。横田はどうですか？　04/09（火）19:36
トム猫☆：こっちはまだっす。いま仲間が張り付き中　04/09（火）19:36
ファルコン：現職さんの話がいよいよ実現しそうですね……どうしよう、実家にでも避難しようかな　04/09（火）19:37

トム猫☆：でも、ファルコンさんちって確か米軍基地からはちょっと離れてるでしょ？　04/09（火）19:37
ファルコン：誤爆を考えたら充分に被害範囲ですよ。警察の指定した広域避難区域からギリギリ外れた程度ですし　04/09（火）19:38
トム猫☆：でも本当に米軍機だったのかな？　横田のほうまだ全然来ないよ。もしかして見間違いとか……　04/09（火）19:39
ファルコン：でも掲示板のほうにもｒｙｕさんの書き込みがあって、近いうち救出してもらえそうだって話でしたよ　04/09（火）19:40
イージス：人がいないと思ってすきかって言ってくれるなあ　ゆだんもすきもないねここ（ｗ　04/09（火）19:41
トム猫☆：うわ、やべえとこ見つかった！（笑）　04/09（火）19:41
イージス：きち照明あるしみまちがえようがない　ＣＨ53　ゼッタイ　04/09（火）19:44
トム猫☆：疑ってスミマセンm(_ _)m　04/09（火）19:44
イージス：よろしい（ｗ　04/09（火）19:45
ファルコン：ご苦労様です、携帯からですか？　04/09（火）19:45
イージス：ごめいさつ　くとう点めんどくさい　04/09（火）19:47
トム猫☆：漢字も減ってるよ（笑）　04/09（火）19:47

イージス：あと続報　米軍ゆそう機もかくにん　ぞくぞく来てる　タイミングてきにたぶん夕方おきなわを出発した海兵隊　04/09（火）19:49

トム猫☆：……！　来た来た来た！　04/09（火）19:50

トム猫☆：イージスさん、疑ってマジごめん！　張り込み中の連れから電話、横田も来たって！　こっちはCH53の3機編隊！　04/09（火）19:51

ファルコン：いよいよですね、どうやら……救出完了がタイムリミットになるんでしょうか。できるだけ手間取ってほしいですね　04/09（火）19:52

トム猫☆：ファルコンさん、現職さんにメルよろしく！　04/09（火）19:52

イージス：こっちもひきつづきはりこみます　続報あったらまたいれる　では落ち　04/09（火）19:54

ファルコン：お疲れさまです　04/09（火）19:54

トム猫☆：おつかれー　04/09（火）19:54

トム猫☆：ファルコンさん中継点だからしばらく寝られないね、大丈夫？　04/09（火）19:55

ファルコン：外で張り込んでる皆さんに比べたら全然楽ですよ。でもメールの返信がなかったら多分寝てしまってるんで、お願いしたように直接電話してくださいよ　04/09（火）19:56

トム猫☆：オッケー、真夜中でも叩き起こしちゃる（笑）　04/09（火）19:57

四日目。

＊

〔やった‌あ！〕：ｒｙｕ　投稿日：04/10（WED）08:24
昨日も書きましたがいよいよ出所（？）できそうです！
二、三日以内に全民間人を移送するつもりみたい
女性と子供、それと具合の悪い人が救出優先されるようです
健康な若い男性である僕は何日目になるのやら……

「リミットは三日ってとこか……」

明石《あかし》は閲覧していた掲示板を見ながら呟《つぶや》いた。

市街地に取り残された住民の救出に警察と自衛隊がかけた時間が約二日、移送した総人数は米軍基地の在住民間人の約半数だ。

昨夜から厚木《あつぎ》と横田《よこた》に集結しはじめた大型輸送ヘリは早朝までに十数機、両基地の配備数を含めると救出機として二十数機が確保された計算となる。搬送人数は桜祭りの行楽客を含めて横須賀《よこすか》市街の救出住民数の二倍強としたものだが、回収場所が限定されているぶん移送作業が容易になるので、日数は倍かかるまい。

「それにしても誤差が数機以内とは……軍オタくんたちもなかなかやるもんだ」

昨夜から雨垂れ式に入ってきた報告メールの機数と横田・厚木両基地の配備数を合計すると、防衛省が開示した情報とほぼ一致した。

基地内の民間人救出終了とともに『自助努力』開始の申し入れを日本政府に対して行うとの予告も防衛省と外務省に入っているという。

申し入れに対する回答の引き延ばしは不可能だろう。日本政府に解決を期待させて今までを静観させたにも拘わらず、ろくな進展もないままに三日を空費したのだ。アメリカ本国からは爆撃を承認させる圧力も強く掛けられているらしいし、いざ動き出したらこれまでのフラストも手伝って爆撃まで一直線だろう。駆け引きした修復補助予算は今さら撤回できまいし、日本は爆撃を許した挙句に金までぶん取られるという屈辱《こうむ》を被ることになる。

爆撃回避のためには、状況を速やかに自衛隊にリレーする必要がある。爆撃の必要性自体を失わせるほかない。

「とは言え……」

もうすぐ警備会議の始まる会議室はいつもに比べ物々しい雰囲気が漂う。出動服姿の機動隊長たちが勢ぞろいしているのだ。

県警からは第一機動隊長・滝野《たきの》警部と第二機動隊長・曽根《そね》警部。警視庁も一機から九機までの隊長が全員出席している。体格のいい強面《こわもて》が十一人も雁首《がんくび》を揃えているせいか、部屋の面積までいつもより狭く感じられる。

やがて烏丸《からすま》と幕僚団が入室し、明石はノートパソコンの電源を切った。

「これが機動隊への最後の命令になる」

烏丸が初手から吹いた。

「死んでこい」

機動隊長たちより幕僚団と県警勢が目に見えて慄《おのの》いた。

「烏丸参事官ッ」

叱責《しっせき》するような抗議するような声が両陣営問わずいくつか飛んだのは、機動隊長らの激発の先を制する意図だろう。

しかし、機動隊長たちは動じない。じろりと烏丸を量るように一斉に見据えただけだ。

百戦錬磨の猛者《もさ》どもは、階級だけでは従わない。苛酷《かこく》な警備を受け持っている最中であればなおさらだ。

一体どう御す。明石はやや意地悪く見守った。

烏丸は機動隊長らの視線を真っ向受け止めたままで口を開いた。

「知ってのとおり、毒殺作戦は失敗に終わり予定していた給餌《きゅうじ》も望めなくなった。レガリスは食糧を求めて今後ますます奔騰する」

既に現場からはレガリスの凶暴化が伝えられている。

芹澤《せりざわ》によれば、レガリスはもともと歩くタイプのエビで泳ぎが得意でなく、そこに爆発的な増殖が加わって海では群れ全体を養える狩りができなくなっているという。

飢えた群れが新たな狩場として進出したのが湾岸である。

レガリスは陸上に足の遅い餌——つまり人間が存在することを学習しており、防衛線を突破すれば餌が豊富にあることも理解している。飢えるにつれて『防衛線の向こう』を今までより執拗《しつよう》に狙ってくることは確実だ。

「現在、自衛隊の協力により第二次防衛線として強度を増した電磁柵《でんじさく》を設置中だ。その設置が終わるまでは死に物狂いで第一次防衛線を守れ。そして設置が終わったら徹底的に壊走しろ。どこのどんなバカが見ても警察ではお手上げだと理解するしかないほど無様に、みっともなく、壊滅的にだ」

「——我々に醜態をさらせと仰《おつしや》るか」

初めて口を開いたのは滝野である。ほかの隊長たちも同じ意見なのか、滝野に発言を任せたように沈黙したままだ。

「戦術的退却ではなく、ただ壊走するために壊走しろと？」

機動隊が承服できる命令では到底ない。誘い込みや待ち伏せ、自衛隊との交替など何らかの戦術があったうえでの退却ならともかく、世間に醜態をさらすためだけの敗走とは。

事と次第によっては全機動隊を敵に回しかねない。

だが烏丸は、機動隊長たちの圧力を迎え撃つように挑戦的な声を発した。

「取り違えるな、我々の敵は一体何だ」

疑問を疑問で返す論法にとっさに答えられる者はいない。

「犯罪者だろうが。急場凌《しの》ぎに駆り出された事情はやむを得ないが、節足動物など本来我々の相手ではない。機動隊は暴徒を取り締まるために存在する。全国にたった三万しかいない貴重な練成隊員を、ザリガニなんぞの相手で消耗する気か。横須賀甲殻類襲来事件が終息しても、機動隊は治安警備部隊として十全に存在し続けねばならんのだぞ。消耗が回復しない間にもし暴動が起こったら、暴徒に『疲れてるので待ってください』とでも頼むつもりか」

畳みかけるような叱責の口調が逆に機動隊長たちを飲んだ。

「……しかし、それとこれとは話が違います」

ようやく反駁《はんばく》したのは警視庁第一機隊長の仁川《にがわ》警視だ。しかし明確な論拠のない反論が烏丸を説き伏せられるわけもない。

「残念ながら、諸君がどれだけ健闘しようと意気に感じて次戦力を投入してくれる人間は官邸に存在しない。諸君が健闘すればするほどこのまま何とかなるんじゃないかと日和《ひよ》る連中だ。業を煮やした米軍が横須賀爆撃の準備を着々と進めているにも拘わらずな」

「参事官！」

幕僚たちが声を荒くした。横須賀爆撃の情報は当然のことながら最重要機密であり、現場の機動隊長レベルに漏洩《ろうえい》していい話ではない。

「口が滑った」

烏丸は抜け抜けと言い放つ。しかし聞かせたことは確実、そして幕僚たちの焦り方が却《かえ》ってそれがでまかせでないことを裏付ける。

「恥をかくために恥をかけ、無体な命令であることは承知の上だ。しかし横須賀を守るために、日本を国辱から救うために必要な恥だ。早急に自衛隊の投入を決定させるためには官邸に警察の完全な敗北を見せつけるしかない」

そして誰もが目を疑った。烏丸が机に両手をつき、——額も付けた。

頼む。声は低かったのに部屋中に届いた。それほど静まり返った。

警察庁の参事官が機動隊長らに頭を下げるなど。

ここでこの手を切るか。推移を見守っていた明石は内心舌を巻いた。たとえパフォーマンスであっても、ここでそれを繰り出せることを評価せねばならない。ただでさえ機動隊員という人種は血が熱く、その熱さに訴える戦法は効果的だ。

やがて。

「……仕方がありませんな」

口を開いたのは県警第二機、曽根警部だ。滝野とは同期同格になる。

「横須賀を救えるならこれほど価値のある恥もないんじゃないか、なあ滝ちゃん」

「誰も分かっちゃくれんがな」

滝野も諦《あきら》め混じりの苦笑で返す。そして警視庁の隊長たちに向き直った。

「地元県警として私らは横須賀の爆撃を許すのは忍びない。応援のあんたがたに同じ恥をかけというのは申し訳ないが、どうにか付き合ってくださいませんか」

警視庁側の隊員たちもやはり苦笑だ。

「国辱までかかっていると言われてしまってはね」

「一生恩に着てもらいますよ、参事官」

烏丸がもう一度無言で頭を下げた。

パフォーマンスに含まれた本気の割合はそう低くなさそうだと明石は見積もった。


壊走が決定したとはいえ、第二次防衛線が構築されるまで飢えたレガリスを押さえ込まねばならないことに変わりはなく、依然として前線では厳しい警備が続く。

電磁柵の設置は昨夜から突貫工事で行われているが、設置完了まで後一日ほどかかる見込みである。

強度を増したぶん重機を多用した大規模工事になったことと、臨海まで山が迫っている地形の攻略で時間がかかっている。人力で柵の取り外しができるお手軽な第一次防衛線とはわけが違う。何しろ第二次防衛線が破られたらその先には完全に無防備な市街が広がっているのだ。レガリスは水棲《すいせい》のくせに半日以上の陸上活動が可能で、第二次防衛線が破られたら被害範囲は一気に拡大する。柵の強度は防衛の要《かなめ》だ。

レガリスは既に飢えて凶暴になりつつある。第一次防衛線がほころびる度合いも増えており、負傷者もうなぎ上りだ。補充人員が底を突きつつある現状、防衛線を死守しつつ怪我もするなという無茶な命令がまかり通っている。

「というわけで、早いところレガリスの弱点なり見つけて頂けるとありがたいんですがな」

明石のリクエストに芹澤が小さく肩を縮める。芹澤が使っている机には、各種の資料が山と積まれている。

事件発生初期の警邏《けいら》報告から機動隊の定時報告、自衛隊の観察報告まで、レガリスに関するありとあらゆる報告書類や観測データが集約されているのだ。レガリス駆除の参考になる生態や特徴の発見は急務であり、それが縄張りを度外視した資料の共有を実現している。

ことに、レガリスに関する示唆がことごとく的を射た芹澤に集まる期待は高い。

死ぬ気で探せ、とは資料の全提供を取り計らった烏丸の言である。気弱な青年研究者は完全に真に受け、昨夜からほとんど徹夜で資料を洗っているらしい。

「あの、ほかの研究機関の進捗《しんちょく》は」

「レガリスの誘導に音が使えるんじゃないかというところまでしか到達していませんな」

すでに芹澤が指摘済みのことである。音の種類まではまだ割り出せていない。

「ここまで爆発的に増殖している以上、必ず群れの中に女王エビが存在するはずなんですよ」

芹澤はそう主張する。

真社会性を特徴とするサガミ・レガリスは、女王エビを核としたコロニーを形成する。群れの全体行動を統括するのは女王エビの発するコミュニケーション音波であるらしい——ということはまだまったくの推定段階でしかないが、それ以外にすがるものがないので仕方がない。

レガリス研究は日本ではほとんど注目されておらず、レガリスに個人的な執着のあった芹澤がほとんど唯一の第一人者となってしまうというから頼りない話だ。

女王エビの命令音波のサンプルが取れればレガリスを任意に誘導することが可能になるが、

「いかんせん、女王エビは捕獲されたことがないので、コミュニケーション音波のサンプルが存在しないんですよね……」

「しかし、最初に流失したときは女王エビを捕まえてたわけでしょう」

「狙って捕まえたわけじゃないんですよ、結果的に混じってたんだろうって話で。深海で群れの中から女王エビを狙って捕獲できるわけじゃないですから。捕獲はしたいと思ってますし、そのための探索も何度も行われてますけど」

世代交代が早いなどの話も、探索のたびにサンプルの地道な遺伝子調査を重ねた結果であり、飼育個体を観察した結果ではないようだ。

あれ、と芹澤が書類を繰りながら首を傾げた。手にしているのは警察の負傷者リストである。

「何でこの人死んでないんですか」

不穏当な物言いは疲労が脳に回っているらしい。芹澤が示したその名前に明石は心当たりがあった。

八幡《やはた》美津夫《みつお》巡査部長――滝野から聞いた。瀕死《ひんし》で機動隊に回収されたという老警官である。明石もよく食われなかったものだと思ったので覚えている。

「重傷負ってから救助されるまで数時間経ってますよね、あり得ませんよ」

確かにほかの重傷者は負傷してすぐに救助された者ばかりで、負傷して数時間も経っているのに食われず回収されたのは彼一人だ。

「確か、瀕死の状態で機動隊の活動範囲まで這《は》ってきたって話でしたが」

「ますますあり得ませんよ。レガリスが血を流して這ってるような獲物を見逃すはずがない。この人に食われなかった何らかの要因があるとしか思えません」

「調べましょう」

明石は腰を上げた。助かったのは幸運ではなく助かる理由があったと考えるべきだ、という芹澤の主張には意表を衝《つ》かれた。警察官同士では仲間の生還を疑う思考回路は生じない。よく食われなかったものだと言い放った明石でさえもだ。

完全に第三者の視点を保《も》てば生還したことがおかしいと気づけたはずである。

「芹澤さんは引き続き検証のほうをお願いします」

明石は芹澤に敬礼を残して部屋を後にした。明石にしては珍しく整った敬礼だった。


「ちょっと待ってくださいよ、これホントに塗るんですか」

抗議したのは魚崎《うおざき》小隊長だが、他の中隊長、小隊長らも軒並みげんなりした顔をしている。

「本部が言っとるんだ、仕方あるまい」

滝野もそうは言いつつ内心は乗り気ではない。

彼らの前には射殺されたレガリスの死骸《しがい》がある。この体液なり肉なりを出動服に塗りたくれというのが機動隊に下された指示だ。全隊に今まで射殺したレガリスの死骸が配付されている。もう腐臭を放っているようなシロモノだ。

瀕死で回収された八幡巡査部長の奇跡的生還の理由がこのレガリスの体液だという話である。八幡巡査部長は回収されたときに何の拍子かレガリスの体液を被《かぶ》っており、そのため搬送先の病院では感染症により危篤状態に陥ったが、体液を被っていなければ回収を待たずにレガリスに食われていたという。

レガリスは臭いで仲間を識別するらしく、体液を被った八幡巡査部長は結果としてレガリスに仲間と認識されて助かったらしい。

「らしいらしいって推測ばかりじゃないですか。本当に効果があるんでしょうね」

「文句を言うな、少しでもレガリスをごまかせる可能性があるなら試すしかなかろう」

いくら臭いをごまかしてもこちらが攻撃すれば黙ってやられているとは思えないが、少なくとも孤立時に攻撃を控えれば、単独行動で片足切断の重傷を負った長田《ながた》隊員の二の舞は防げる。また、隊員が餌として認識されなくなることも重要だ。負傷者の撤退が容易になる。

「どうでもいいけどこれ既に傷んでるじゃないですか」

「レガリスの臭いは本来水中のほうがよく伝達されるらしい。空気中で臭いを認識させるには近寄るか傷んで臭いが強くなってる死骸を使うしかないとのことだ」

「昼飯食えなくなったらどうしてくれるんですか……」

ブツブツ言いながらも魚崎が率先して二つ割りの死骸から腐った肉をすくい取り、出動服になすりつける。ムードメーカーが手を付ければ後は黙々と続く。

三体支給された死骸に隊員たちが諦め顔で列を作った。

結果として、体液作戦はそれなりの効果があった。特に負傷者の撤退が容易になったことに関しては劇的と言えたが、なすりつけた体液は時間の経過に伴って強烈な悪臭を放ち、機動隊からは警備中最大の不評を買ったことは言うまでもない。

＊

変則ローテーションで昼前に起き出してきた夏木《なつき》の加わった昼食時にその爆弾は破裂した。

『……全国が安否を気遣う「きりしお」ですが、我がNBC取材班は艦内について大変な情報を入手しました』

食事時に点《つ》けることが恒例となったニュースである。昼はNHK以外に固いニュース番組がなく、NHKの堅苦しさを子供たちが嫌うのでややワイドショーじみた横須賀の特別報道番組にしてあった。

民放らしい大袈裟《おおげさ》な摑《つか》みを入れたキャスターが内容を語る前に、テロップでニュースの内容は知れた。

――『きりしお』乗員、未成年者を虐待――

『艦内の未成年者と連絡を取っていた保護者により明らかになった事実ですが、「きりしお」の乗員が事件発生初日から子供たちに虐待を繰り返しているとのことです。虐待の内容は怒鳴ったり脅したりのほか、一部の子供たちは暴力も受けているようです』

ほほう、そう来たか。夏木は半ば感心して画面を眺めた。冬原《ふゆはら》も横で肩をすくめている。二人に電話を掛けるためのセイルの上り下りを毎回頼みながら、こういう小ネタを仕込めるとはいい根性だ。

ともあれ、脱出したら査問騒ぎになることは間違いない。

「……どういうこと」

箸《はし》を止めて立ち上がったのは望《のぞみ》だ。怒りを孕《はら》んだ瞳《ひとみ》は圭介《けいすけ》をまっすぐ睨《にら》んでいる。もはや誰の仕業かなどということは訊《き》かない。

いつの間にこんな目ぇするようになったかな。意外な思いで望を見やり、夏木は声を掛けた。

「森生《もりお》姉。座れ」

「だって……!」

何故止めるのかと咎《とが》めるような声音で望は反駁し、再び圭介に向き直った。他の子供たちは事態が飲み込めていないのと、呆気《あっけ》に取られているのと、明らかにこの事情を知っていた風情の反応に分かれた。事情を知っていたらしいのは茂久《しげひさ》と玲一《れいいち》以外の中学生たちである。

「恥ずかしくないの⁉　こんな……お世話になってる人、でまかせで陥れるみたいなこと！」

「でまかせじゃねーよ」

圭介はふてぶてしく言い放った。

「夏木が怒鳴り放題怒鳴ってたのは事実だろ。それに俺は実際殴られたからな」

声を飲み込んだ望が戸惑ったように夏木と冬原のほうを振り返る。嘘ですよね？　その表情が訊いているが、夏木には答えようがない。

冬原が苦笑混じりで口を開いた。

「殴ったってのは大袈裟だけどね。胸倉摑んで突っ転ばせるくらいはしたよね、夏木くん」

「あー、したした」

頷《うなず》きながら夏木は望の機先を制した。

「理由訊くなよ。俺はこういうガキを優しく諭してやれるほど人格者じゃねえんだ」

訊かれても事情は言えない。望と翔《かける》の身の上が悪意を持って揶揄《やゆ》されたことなど。

「ほら見ろ、事実だっただろうが」

圭介が勝ち誇る。

「俺はもう救出もできないくせにいばりくさってるそいつらの言うなりにはならねーんだよ」

お前がいつ素直に言うこと聞いた例《ためし》があったんだ、と突っ込むのもバカバカしいので夏木は無視した。

圭介が望に向かって嘲《あざけ》るような半眼を向ける。

「お前、そんな奴らに一生懸命媚《こび》売ってバカじゃねーの。どっちが目当てか知らないけど」

望の頬に血が昇った。明らかに何か怒鳴ろうとして開いた口が空気を飲んで閉じる。

そして。

「下品な奴は下品な勘ぐりしかしないってホントだね」

望にしては精一杯の皮肉な口調だろう。今度は圭介が目を怒らせ、腰を浮かせた。

「座れ!」

敢《あ》えてどちらとは言わずに夏木は怒鳴った。据わった声にびくりと双方が肩をすくめる。

「お前ら今から取っ組み合いでも始めるつもりか」

渋々の風情で二人とも椅子に座り、望は初めて見せるような膨れっ面で箸を動かしはじめた。

その間にニュースは次の話題に切り替わっており、どうオチを付けたかは見逃した。

「お前の姉貴は意外と利かん気だな」

冬原と逆の側に座っていた翔に夏木が呟くと、翔は嬉《うれ》しそうに笑って頷いた。

そうか、これは翔にとっては嬉しいネタか。夏木も釣られて笑う。

亮太《りょうた》や他の子供たちは望が見せた常ならぬ強情さに意外そうな様子だが、翔にとってはこの望が本来の望なのだろう。

翔が物言いたげに何度か夏木を見上げた。お、喋《しゃべ》るか。夏木は目顔で促したが、やはり翔は何も言わず、諦めたように俯《うつむ》いた。

四年間喋らないという子供が二、三日一緒にいるだけの他人に口を開くわけもなかった。

「利かん気のほうがいいな、お前の姉貴は」

夏木のほうからそう言ってやると、翔は我が意を得たりとばかりに大きく頷いた。


食事が終わると早々に夏木が発令所へ戻った。

それを見届けた木下《きのした》玲一は、自分も食べ終わったトレイをカウンターに返して食堂を出た。冬原は電磁調理器などの始末の確認があるから、まだしばらく食堂に残っているはずである。

一度下の階へ降りてから船尾方向へ向かう。食堂の下の階、男子の部屋になっている居住区のある階は電池室も並んでおり、立ち入らないように言われている。

ここは初日にもう見たので用はない。

全階層がぶち抜きになっている機械室に行き当たったところで、玲一は閉じられた水密ドアのハンドルに手をかけた。かなり固いが、全体重をかけて丸い把手《とって》をねじると数十秒の苦闘で開く。

金属扉を細めに開けて中へ滑り込む。エンジン類が低いうなりを上げている金属コンテナのような無骨な部屋は、天井は普通の部屋より高いが、そのぶん機械がぎゅう詰めに設置されているのでやはり狭い。

機械の隙間をすり抜けるようにしてこの部屋を更に奥へ。一番奥にはまた水密ドアがあった。小さなプレートには電動機室と書いてある。

玲一はこのドアも開け、また中に入り込んだ。

モーター音が響く室内は真っ暗だ。多分この辺、と壁際を探ると電気のスイッチが見つかる。灯《あか》りを点けると機械室と同じく配管だらけで、巨大なモーターが部屋の中央に鎮座ましましてうなり声を上げている。

玲一は昨日から借りている作業服のポケットからデジタルカメラを取り出した。モーターに向けてフレームを覗《のぞ》き、シャッターを切る。ピピッと電子音がしてフラッシュが光った。

「はい、そこまで」

声はいきなり背後からかけられた。ぎょっとして振り向くと、入口に冬原が立っている。

「カメラ寄越して」

にこやかな要求にごまかして逃れる余地はない。玲一は渋々カメラを冬原に差し出した。

「メモリあるでしょ、それもね」

完全に読まれている。もう撮り切っているメモリも胸ポケットから出して渡す。

冬原はさっそくデジカメのデータを閲覧しはじめた。

「あーあー、こんなとこまで。発射管室は特に立ち入り厳禁って言ったでしょー?」

ブツブツ言いながらデータを容赦なく消去。メモリを替えて同じ作業を繰り返す。

あーあ、もったいない。玲一は溜息《ためいき》を吐《つ》きながら尋ねた。

「何で分かったの」

「決定的なのは昨日かな。防衛出動と災害出動の差ならともかく、一般的な中学生が警護出動まで把握してるわけないでしょうが。君の親だって知らないよ、多分」

　自衛隊が武器を使える前提を皆に説明してあげてくれる？　昨日、玲一に促したのは冬原だ。何で自分で説明しないのかとは思ったが、カマをかけられているとは思わなかった。

「あれで、あーこの子は軍事マニアだったかってね。だったら桜祭り来る理由なんて展示艦船しかないでしょ。カメラ持ってないわけないし、おやしお型に乗って写真撮らないわけがない。そういえば君、俺と夏木が食堂に揃ってるときに限ってよく席外してたしね」

「見回りしてないとき狙うとどうしてもそのタイミングになるんだよ」

「何の言い訳だよ、それ」

　苦笑する冬原に、玲一はちぇっと舌打ちした。

「だってバレると思わなかったし」

「だったらドアももっときつく締めないとね。ところどころで水密ドアの把手が緩んでちゃ、何か変だぞってことになるでしょうが。夏木も見回りで気づいてたよ。最初はお互いきちんと締めろって喧嘩《けんか》になったけどね」

　玲一としては出入りの後はしっかり締め直したつもりだったが、冬原たちにはまだ緩かったらしい。

「別にどっかに投稿したり悪用するつもりはなかったよ」

「そんでもダメなもんはダメなの。正規の見学者にも撮影は許してないんだよ。まあ、昨日の救出が成功してたら見過ごしちゃうところだったけどさ」

外に出るまで預かるよ、と冬原はデジカメとメモリを上着のポケットに突っ込んだ。

「ところでさ……」

電動機室を出てドアを閉めながら冬原は尋ねた。

「あの圭介くんってのは、何でああなの」

「何でって……分からない？」

「いや、望ちゃんを意識しまくってるのはよく分かるんだけどね。好きな子いじめちゃうにも限度があるし、いくら何でもちょっとひねくれすぎでしょ、あの子は。それに子供たちの関係もどっか歪《ゆが》んでるよね。望ちゃんも三つも年下の中学生相手に萎縮《いしゅく》しすぎだし、圭介くんと仲がいい子も友達っていうにはびくびくしすぎだし。何か事情があるのかと思ったんだけど」

冬原が聡いのか、初対面の人間にも分かるほど子供たちの歪みが極端なのか。おそらくその両方だ。玲一は答えた。

「遠藤《えんどう》のおばさんが強すぎるんだよ」

冬原がああとか何とか言いながら頷く。ニュースで映った圭介の母親を思い浮かべたらしい。一見して癇《かん》の強そうなオバサンだが、玲一が言ったのはそういうことではない。

「僕たちが同じ町内会で来てるのは知ってるだろ。ちょっと変なんだよ、うちの町内は」

ごくありふれた住宅団地なのだが、地理的にほかの地域から坂などで孤立した造りになっている。そのためか町内会の結束が強く、また住人への影響力も今どき珍しいくらい大きい。

「僕が小さいころに売り出した団地だけど、ちょうど当時の僕たちの親が手を出しやすい値段だったんだって。それで似たような年代の家が集まったんだけど、ものすごい序列があるんだ。先に入居した人が偉くて、その次は家が立派な順。要するに収入順ってことだけど」

「……何か、世知辛いっていうかせせこましい話だね」

「うちの母親はこんなところだって分かってたらここに家なんか買わなかったって言ってる。うち、わりと後から入ったから肩身が狭いんだ。まあ共働きだしあんまり地元と密に関わってないからまだマシだけどね」

　似たような年代、似たような生活水準の家庭が集中しているからこそ、内部の軋轢《あつれき》は大きい。少しでも自分の優越を保つために、あるいは周囲から見くびられないように、ささいな事柄で見栄《みえ》を張り合い、近所に見せつけるように家や庭に手を入れる。

　バカバカしい、と玲一の母親が口を極めて罵《ののし》るのが、クリスマスの時期に暗黙で強制されるイルミネーションだ。やらなかったら付き合いが悪いと責められるし、安い電飾だとあそこのせいで全体が貧相になると陰口を叩《たた》かれる。手間も電飾代も電気代もバカにならない。見栄の張り合いの最たるものだ。

　こんな強制労働みたいなイルミネーション、よそじゃお目にかかれないわよ。母親の愚痴ももっともで、他のところはもっと楽しみたい人が自由に楽しんでいるのだと思う。

　いっそどこかで火事でも出してくれたら中止になるのに。イルミネーションが団地で流行《はや》りだしてからこの方、十二月に母親のこの毒舌を聞かなかったことがない。

それでも足並を揃えておかないと、町内での生きにくさは無限大だ。陰口や無視は序の口で、玄関や庭にゴミを投げ込まれたり、重要な回覧板を飛ばされることさえある。庇《かば》えば庇った者も狙い撃ちだから、誰も庇えない。

まるで学校のいじめだ。学校なら登校拒否ができるが、自宅はそうはいかない。有形無形の嫌がらせに耐え兼ね、せっかく買った家を手放して引っ越してしまった人もいる。

話を聞きながら冬原が首を傾げる。

「そこまで極端な町内情勢ってのはあるもんなの？」

独身で住まいも隊舎であろう冬原には到底想像できない世界だろう。

「多かれ少なかれどこでもあるよ。特に子供が小さいと近所の付き合いって密接だしね。うちの町内ほど極端なのはちょっと珍しいと思うけど」

言いつつ玲一は軽く肩をすくめた。

「で、遠藤のおばさんが一番の古株で一番の権力者ってわけ。圭介くんは自己主張激しいけど、実際はあのおばさんにスポイルされちゃってるんだよ」

「……難しいこと言うなぁ、君」

「うちの父が教育雑誌の編集者だからね。この手の話題には事欠かない」

玲一の家が町内と密接に関わらないのにあまり迫害されていないのはこれが理由だ。編集者でも町内のおばさん連中には教育の権威と見えるらしく、子供がいる立場で迂闊《うかつ》に触って権威の批判を受けたくないのだろう。

「圭介くんに関してはすごい伝説があってさ」

「へえ?」

「幼稚園のころに圭介くんに怪我させた子がいて。公園のジャングルジムで遊んでて、何かの弾みで圭介くんを落としちゃったんだ。怪我は大したことなかったんだけど、遠藤のおばさんすごい怒ってジャングルジム撤去させて、怪我させた子の家も責め立ててほかの人にもずっと仲間外れにさせて、その子が小学校に上がる前にその家は引っ越しちゃったって」

そんなことがあって圭介に逆らえる子供がいるわけがない。親が圭介に逆らわせない。圭介に粗相があったら家族は町内から追放されるのだ。

「圭介くんは王様なんだよ。うちの町内には遠藤時空ができてて、子供はみんな自動的に圭介くんより下のカーストに入ることになってるの。町内と関係ない学校の友達はどうか知らないけどさ」

「大体分かった。でも望ちゃんがああ当たられるわけがちょっと分からないんだけど」

「母親にスポイルされてるって言ったろ。圭介くんの意志じゃない。遠藤のおばさんが望さんを嫌ってるんだよ」

「……なるほどね」

冬原が肩をすくめた。「恋心までママの手の内とは気の毒に」

機械室を出てからまたドアを閉じ、冬原は急に玲一を呼んだ。

「そこ立って。そのプレートの横」

訳も分からず機械室と書かれたプレートの横に立つと、突然フラッシュで目が眩《くら》んだ。

「事情教えてくれたから一枚ご褒美。民間人にこんな場所でのショット許さないんだけどね、普通は」

言いつつ冬原はデジカメをポケットに突っ込んで、「あちこち覗くんじゃないよ」と玲一に釘《くぎ》を刺して立ち去った。


発令所で待機中の夏木のところへやってきたのは補給長の吉田《よしだ》茂久だった。

「夏木さん」

発令所の外から窺《うかが》うような声がかかる。

「おう、どした」

あくびを噛《か》み殺しながら応じると、茂久は室内に入ってきてばつが悪そうに切り出した。

「携帯貸してくんないかな」

「お安い御用だ、そんなかしこまらなくていいぞ」

ポケットから取り出した携帯を渡しつつ、

「圭介、いよいよ電池切れか。恩に着せたりしねえから要るときは意地張らずに借りに来いって言っとけ」

「大丈夫だと思うよ。雅之《まさゆき》も持ってるし。オレが貸してもらえなくなっただけ」

何気なく言ったつもりだろうが、茂久の声は硬い。夏木は瞬時に真顔になった。

「俺ら手伝ってるせいで当たられたのか」

「ううん、そうじゃないんだ。オレがもう圭介にびくびくしてるのが嫌になったんだよ」

静かな声はやはり硬いが、誰かに宣言するように誇り高い。

「嫌なこと言われてもへらへらしたり、むかついても我慢して圭介の機嫌取ったり、そういうのもう嫌になったんだ。だって友達より他人のあんたたちのほうが親切って、変じゃん。友達じゃなかったんだよ、オレ」

吹っ切れたように話しているが言葉の最後は吐き出しながら傷ついている。俯いたのは涙腺《るいせん》が緩んだのか。

子供と触れ合う機会があまりない夏木には、こんなとき何を言ってやったものか分からない。分からないので何か言うより先に手が伸びた。茂久の頭をわしわしなでる。

「許してやれ。圭介のほうがガキなんだ。お前を傷つけてることも知らないんだ」

「でもオレ、圭介より頭悪いよ」

「テストの点がよけりゃ立派な大人になれる訳じゃない。そっちはお前のほうが早いんだから待ってやれ」

待ってたら圭介はいつかオレに謝ってくれるのかな？　茂久はあまり期待の持てなさそうな様子で呟いた。

潜望鏡で上を確認してから二人でセイルに上る。

「ゆっくり話していいぞ。料理の巧《うま》い親父を安心させてやれ」

言いつつ見張りがてらセイル上に上がると、茂久が笑った。

「救出が成功したら冬原さんと食べに来いよ。おごってやるように言っとくから」

「おう。帰るときに店名と住所書いて置いてけよ」


小学生たちはテレビにもいいかげん飽きたらしく、今日になってからかくれんぼで暇を潰《つぶ》すようになった。艦内で「もういいかい」「もういいよ」などの掛け声が飛び交う。たまに手を叩く音が聞こえるのは翔だ。掛け声代わりに拍手で合図するのである。

「閉まってるとこ入っちゃだめだよー！」

食堂脇の廊下をえらい勢いで駆け抜けていく亮太と翔に望が声を掛けると、

「分かってる――！」

と亮太の返事だけが置き去られる。狭い艦内を走り回って打ち身やアザをあちこちに作るのだろうが、それは遊び盛りの子供たちならいつものことである。

やがて、平石龍之介《ひらいしりゅうのすけ》と野々村健太《ののむらけんた》が逆の方向から駆けてきた。中立で戸惑っていた者同士、何となくコンビになっているらしい。年下の光《ひかる》がおみそで陽《あきら》と組んでいるので、ほかの四人も自然と二人ずつで動いているようだ。喋れない翔もあまり単独行動しないように大人二人から注意されている事情もある。

駆けてきた二人は途中で健太が厨房《ちゅうぼう》に入り込んで空いたダンボールを被り、龍之介がハッチのラッタルを上った。

「望ちゃん、言わないでよ！」

「言わないけど落ちないでよ！」

あまり見ているとやきもきしそうなので望はテレビに目を戻した。乗員の私物を持ち寄ったらしいビデオライブラリーから適当なものを選んで観ている。

いつもは狭く感じる食堂だが、一人だとさすがにゆったりできる。

「お、渋いもん観てるな。『眼下の敵』か」

言いつつ食堂に来たのは夏木である。

「おもしろいか」

望が頷くと夏木は嬉しそうに笑った。「艦長推薦映画だったんだ」

一瞬痛ましく目を眇《すが》めそうになって、望は慌てて笑った。

「艦長さんが二人ともかっこいいですよね」

「強いて言うならどっちがタイプだ」

「ええと、ドイツ軍のほう」

「クルト・ユルゲンスか。渋いな」

「こういうタイプ弱いんです。厳しいけど情に篤《あつ》い、みたいな」

夏木はテーブルに腰掛けながら満足そうに頷いた。

「お前いい女になるぞ、男を見る目がある」

一瞬どきりとして夏木を見上げると、他意はないらしく夏木は画面を見たままだ。

「世間の女どもは見てくれと口の巧さだけで冬原みたいなのにコロコロ行くからなぁ。ちっとは中身も見ろってんだ」

「何かそれ、冬原さんの中身がダメって言ってるみたいですよ」

「折り紙つきでダメだ、あんな奴。調子ばっか良くってな」

本気でそんなことを思ってなんかいないくせにこき下ろすのがおかしい。

「私、夏木さんもかっこいいと思いますけど……」

何の気なしに言ったはずが、途中で急に恥ずかしくなって声が尻《しり》すぼみになった。

「頼りないフォローあんがとよ。二十歳《はたち》より上の女がそう思ってくれたらいいんだけどな」

あっさり流されてほっとしたが、——同時に少し傷ついた。

「何か用だったんですか」

微妙に折れた気持ちが、ややつっけんどんな口調にさせる。どうせ夏木が何の用もなく望を探しに来たりはしない。

「おお、そうだ」

夏木は促されて上着のポケットから携帯を出し、望に差し出した。

「さっき茂久が借りに来てな。そう言えばお前も救出失敗してからまだ電話掛けに来てないなと思ったもんだから」

望は受け取るのを躊躇《ちゅうちょ》したが、夏木が有無を言わせない調子で押しつける。

「掛けとけ。すぐ家に帰れなくなったんだから」

すぐ家に帰れるからいい。救出前に携帯を貸そうとした夏木を断ったのはその理由だった。

「家の人が心配してるぞ」

その諭し方で半ば直感した。

親が、ではなく家の人。――夏木さんは私たちの事情をもう知ってる。

誰からなんて詮索《せんさく》しても仕方ない。何しろ一緒に圭介がいるのだからどこからどう漏れても不思議はない。

「――心配、してないかも」

今までずっと誰にも言えなかった不安が、せり上がるようにぽろりと漏れた。そうすると後は歯止めが利かなかった。

「夏木さん、もう知ってますよね。私と翔、今のおうちに引き取られてるんです」

夏木が知っていることを既定の事実として話すと、夏木はやはり黙ったまま訊き返そうとはしない。これが冬原なら巧くごまかすのかもしれないが。

沈黙は聞く態勢に入ってくれているような気がして望は続けた。

「実の両親は亡くなったんです。家族で車で旅行したとき、対向車線を割ってきたトラックに正面から突っ込まれて、前の席の父と母は即死で。私と翔は後ろの席で」

光景は何も覚えていない。音だけだ。

クラクションと破滅的な破砕音といろんなサイレンと、いつまでもいつまでも止まらない翔の泣き声。

いい、話すな。夏木がはしょらせ、望の肩に手を置いた。置かれて初めて自分の肩が震えていることに気づく。

「今の家は母方の叔母《おば》夫婦の家なんです。子供がいなくて私たちを引き取ってくれて。私たち叔母さんにずっとかわいがってもらってたし、仲いいと思ってたし、叔母さんに引き取られてほっとしたんですけど」

他にも引き取ってもらえそうな親戚《しんせき》はあったし、祖父母も父方なら健在だった。

しかし祖父母は望たちには今さら馴染《なじ》めないほど田舎の山間部に暮らしていたし、他の親戚も叔母ほどは気心が知れていない。母と叔母は年が近く同性だったこともあってきょうだいの中でも特に仲が良く、叔母夫婦に引き取られるのはごく自然な成行きに思えた。

望と翔も明るい叔母に小さい頃からよく懐いていたし、叔母も二人をかわいがってくれた。

うちも早く望や翔のようないい子が欲しい。素朴な願いを叔母が口にしなくなったのは望が中学に上がった頃だ。ずっと続けていた不妊治療を打ち切ったのだと母からそっと教えられた。

失意は当然あっただろうが、叔母が二人をかわいがってくれることは変わらなかった。

だから当然叔母が引き取ってくれるのだろうとも思っていた。

「でも、私たちのこと甥《おい》と姪《めい》としてはかわいがれても、家族にしたいわけじゃなかったのかもしれない。引き取ったのも仕方なくだったのかもって」

夏木は答えようがないのか、ただ黙って聞いている。

「引き取られて四年目だけど、私たち養子縁組してもらってないんです」

何不自由なく生活させてもらっているし、辛《つら》く当たられたことなどもちろんない。しかし、それだけに何故籍に入れてもらえないのかという疑問が付きまとう。

「近所でも変に思う人多いみたいだし、やっぱり私たちも何で？　って思うし」

新しい住所となった町内は近所同士の関係が親密で、叔母が身寄りを亡くした親戚の子供を引き取ったことは瞬く間に知れ渡った。そんな状態で引き取った子供を籍に入れていないことが話題に上らないわけがない。

嫌々引き取ったんじゃないの。

口さがないそんな噂を否定する根拠を望と翔は持っていない。だって苗字《みようじ》が違うじゃない、養子縁組してないじゃない。

別に森生の姓を積極的に変えたいわけではないが、籍に入れてもらえないのは拒否のしるしのような気がする。

「それで引き取られてからずっとぎくしゃくしてて、ぎこちなくて。最初に縁組できないけどって言われたからそれきり理由も訊けなくて」

縁組はできないけど、それでよかったら叔母さんとこ来る？　そう訊かれて、理由は訊かずに頷いた。

他の家や施設に行くことを思えば縁組しないことくらい些細《ささい》な問題に思えたからだが、恐くて訊けなかったということでもある。

正面切って尋ねて、救われない理由がはっきり返ってきたらどうしよう。

だが、訊かなくてもやはり縁組しない理由は悪いことしか思いつかないのだ。時間が経てば経つほど悪い想像ばかりが膨らむ。せめていい子でいようと行儀よくすればするほど叔母夫婦との関係はぎくしゃくする。気に入られようと家の手伝いをしても、亡くなった母親に甘えて家事をあまり覚えていなかったから、手際が悪くて逆に迷惑をかけるばかりだ。失敗する度にいいからいいからと執り成されるのがいたたまれなくて、どんどん家での居心地が悪くなる。

夏木はしばらく考え込み、やがて言った。

「叔母さんの苗字は」

唐突な問いに望は首を傾げた。

「須藤《すどう》ですけど……」

「よし、それで分かった。安心しろ、お前ら別に嫌われてねえよ」

その断言に飛びつきたかったが、そんなこと分かるわけがないという反感も湧き上がった。

夏木は望の気も知らず、あっさり言い放った。

「縁組したらお前ら意味なくなるんだよ」

「……意味ないってどういうことですか」

声が尖《とが》った望に夏木が苦笑いする。「頼むからそこ引っかかんな。口が悪いのは慣れろ」

確かに夏木は口が悪くて失言が多い。望はやや拗《す》ねたまま頷いた。夏木が続ける。

「お前と翔の名前、文章になってるの気づいてたか」

虚を突かれて望は目をしばたたいた。

「森生望・森生翔。——森を望み、森を翔《か》ける」

ご丁寧に遠くを眺める仕草と走る仕草が付いている。

文章として読もうと思ったことなどないので今まで気がつかなかった。

「叔母さん、名前変えさせたくなかったんだよ。お前らの母ちゃんと仲良かったんだろ?」

望は返事もできずにただひたすら頷いた。望と翔がかわいがられていた大前提だ。

「きれいな名前だし、せっかく意味が通ってるんだし、実の親がつけた名前のままでいさせてやりたかったんだろ。お前らのためにも姉さんのためにも」

須藤じゃ意味が通らないもんな、と夏木は一人ごちた。

望はすがるように夏木を見上げた。

「それ——ホントかなぁ、ホントにそうだと思いますか」

「お前な、俺が嘘だと思いながら言ってると思ってるのか。何気に無礼だな」

非難しながら夏木の声は怒っていない。

「それにな、お前ら子供引き取るってことを軽く考えすぎだ。いきなり食い扶持《ぶち》が二人増えるんだぞ。嫌々だったらそもそも引き取らねえよ。遺産が入るったって、下の子供が小二の時点で子供にこれから必要な金が全部貯まってるなんて余裕な家はそうないしな。だからって進学すんなとは言えないだろ。ぶっちゃけたとこ経済的には得することなんかいっこもないんだ。そんでも二人まとめて引き取るなんてよっぽど性根据えてないとできねえぞ」

まくし立てていた夏木が不意に望の顔を覗き込んだ。

「嬉しいか」

「え？」

「顔笑ってる」

言われて初めて望は頬が緩んでいることに気がついた。

夏木は微笑ましそうな表情で、そんな顔で見つめられることが恥ずかしい。ごまかすように俯くと、夏木は望から目を外して見るともなしにテレビの画面を見た。

「ガキどもの名前見てたら何かいろいろ籠《こ》もってんだな。茂久も吉田茂にあやかった名前だし、西山兄弟も二人で『陽光』になるんだよな。他にも縁起だの画数だのいろいろ考えてんだろ？　冬原も下の名前は春臣《はるおみ》だけど、あれなんかも苗字に寒い字が入ってっから名前はあったかい字にしてやろうとか思ったんだろうな、親」

「夏木さんは名前、何て言うんですか」

自分が訊かれるとは思っていなかったのか、夏木の返事にはやや間があった。

「大和《やまと》。海自には縁起悪いことこのうえないけどな」

苦笑の意味が一瞬分からず、考えてから気がついた。戦艦大和だ。本で読んだことがある。最強の戦艦と謳《うた》われながら戦場に到達すらせず沈んだ。

その運命を記憶でなぞって慌ててそれを振り払う。

「縁起悪くなんかなりませんよ」

「ん？」

「あの、さっきのニュースとか……もし夏木さんがあれで責任追及されたら、私、証言します。圭介くんのほうにも原因があったって言いますから」

夏木のほうは望に言われるまですっかり失念していたらしい。思い出したように頷きながらまた苦笑。

「心意気はもらっとくけどお前が心配するこっちゃない。それにしても……」

言いつつ望に顔を向ける。

「随分あいつに喧嘩腰になったたな、お前。何かあったのか」

夏木がそうしろと言ったようなものなのに今さら何を。望はちょっと不満気に唇を尖らせた。

夏木の言葉を追いかけたのはもちろん望の勝手だが。

「昨日、こっちも嫌いだって言いました。言っちゃったから今さら取り繕っても仕方ないし」

「……それはまた」

夏木が横を向きながら小さな声で何か呟く。気の毒に、と聞こえたような気がした。

「大丈夫ですよ。翔もまだ小学生だから圭介くんと学校関係ないし」

「そうじゃねえ。……まあいいや」

言いつつ夏木が腰を上げた。

「携帯は後で返しにこい。今なら冬原が発令所にいるはずだから上げてもらえ」

言うだけ言ったら後は振り向きもしないで行ってしまう。

望はもらった携帯を両手で胸元に握り締めた。

ふとテレビに目をやると、映画ではUボートの隊員たちが歌を歌っていた。

＊

明日までかかるだろうと思われていた第二次防衛線の設置は、陸自施設隊の奮闘により夕方を迎えるまでに完了した。

直径二〇㎝の鉄柱を支柱として地面に打ち込み、通電部分には厚さ二㎝もの鉄板を使用した電磁柵は、もはや柵というより檻《おり》に近い。

開閉の自由度は元より考えておらず、防衛線内への出入りは最初から造りつけてある門から行われる。開口部は16号線の上下と中間の京急線逸見《へみ》駅、安針塚《あんじんづか》駅、横須賀中央駅の五ヶ所に限られた。

高低差の激しい地形の攻略は難航したが、鉄道会社の厚意で電磁柵の一部が京急の線路上に構築できたこともあり、予想以上に工期が短縮される結果となった。

設置した電磁柵の最終確認を手分けして終えた施設隊が、守備についている県警一機に工事完了の報告に訪れた。

「第四施設群、ただ今より第二次防衛線の管理権限を機動隊へ引き渡します」

滝野の前で、陸曹の階級章を付けた自衛隊員が隙のない敬礼を決めた。座間《ざま》から派遣された施設隊の隊長である。

敬礼の切れで自衛隊に負けるわけにはいかない、滝野も踵《かかと》をかちりと合わせて敬礼を返す。

「神奈川県警第一機動隊、確かに引き継ぎました」

それから苦笑。

「こんな有り様で申し訳ない」

制服に塗りつけたレガリスの体液だ。凄《すさ》まじい臭気を放っているが、自衛隊員たちは顔色も変えない。その臭気が機動隊員を守っていることを知っているのだ。

「また、工期を縮めて頂きまして大変感謝しております。正直助かりました」

既にレガリスは空腹のため凶暴化しており、第一次防衛線は何度となく小規模・中規模崩壊を起こしている。明日までは持ちこたえられたかどうか分からない。

施設隊長はわずかに視線を落とした。

「申し訳ありません……我々のほうが適切な装備を持っておりながら」

装備も実力も持ちながら後方支援しか許されないもどかしさは言葉には尽くし難いだろう。

「仕方がありません、我々はそうした国の役人ですからな」

言いつつ滝野は笑った。

「あなたがたの出番は我々が壊走してからです」

しかし施設隊長はなおさら沈痛な表情になる。

出番を得るために機動隊壊滅という犠牲を払わねばならないことが忍びないのだ。

「心配ご無用、火器に拠《よ》らぬ戦闘なら我々に一日の長があります」

重火器を封じられた戦闘であれば自衛隊に引けは取らない。事態収束が叶《かな》わないのは警察が決定打となる装備を持たないからであって、SATの射撃以外ほとんど肉弾戦のみでレガリスを防ぎ続けたのは機動隊なればこそだ。その自負はすべての隊員が持っている。

「お手並み拝見致します」

最後にもう一度敬礼を残し、施設隊長は部隊を率いて去った。


十六時三十分。

第一次防衛線の電圧が全線に亘《わた》って低下する事故が起こった。

凶暴化したレガリスの前に電磁柵はひとたまりもなかった。

「来るぞ！　構え！」

横列の陣形を組んだ機動隊員の構えた大盾に、蹴散《けち》らされ跳ね飛ばされた電磁柵のフェンスが吹っ飛んでくる。

そして赤い群れが津波のように押し寄せた。

「突撃!!」

赤い群れに銀を構えた紺の群れが躍りかかる。その紺の一欠片《かけら》として滝野も陣頭にいた。

「押し戻せ！」

叫んで盾を振るう。角が正確に眼前のレガリスの顎《あご》を捉《とら》えた。頭を撥《は》ね上げられたレガリスが怒って泡を吹く。

レガリスの体液をつけていても、こちらから攻撃する限り反撃は免れない。臭いの識別より目先の敵対行動が優先されるのだ。

怒って振り上げられたハサミの根元をまた叩く。部下も腹肢の並ぶ腹に盾を叩き込む。腹が柔らかいのはエビのセオリー通りだ。

揉《も》み合っている内に、レガリスの区別が付かなくなる。同じ頭、同じ足、同じハサミ、同じ腹肢に腹。自分の付けた傷だけが目印だ。その傷も次々増え、どれがどの傷か飽和する。

「休むな重ねろ!!」

しかも渾身《こんしん》の打撃を。軽い打撃では弾《はじ》かれるだけだ。疲れたら離脱、体力を回復させてからまた前線へ飛び込む。

「電磁柵起こせ!」

電磁柵を立て直したところで電圧が回復することはない、回復させない設定だからだ。

しかし、外部に向けては防衛線の立て直しに全力を尽くした様を見せておかねばならない。近隣のビルの屋上にヘリで降りた各社報道がつぶさに事態を報じているのだ。

何たる茶番か。しかしこの死力を尽くした茶番を見ろ。警察力は尽きたと思い知れ。

滝野が振り下ろされたハサミを盾で受けたとき、斜めから別のハサミが降った。空いた脇腹に一直線、避けることも防ぐこともできない。

と、寸前でハサミの切っ先に別の盾が噛む。ジュラルミンを打ったハサミが引き上げられたのを追うように盾が撥ね上げられる。

見ると盾の主は西宮《にしみや》中隊長だ。朴訥《ぼくとつ》な顔がわずかに微笑み案ずる。

「援護ご苦労!」

礼を怒鳴ったときにはもう次の打撃に移っている。

早くも前線は瓦解《がかい》し、状況はレガリスと人の混じり合う乱戦に陥った。

気づくと魚崎小隊長は二、三名の隊員と共に孤立していた。目前には倍以上の数のレガリスが猛《たけ》り狂っている。本隊から突出したところを分断されたようだ。

「小隊長ッ!」

目前のレガリスを打ちながら隊員が叫ぶ。

「落ち着け!」

魚崎は動揺する隊員を叱咤《しった》した。

「一、二の三で亀の甲だ! 打て!」

全員で力の限り打ちかかりつつ、魚崎が号令を掛ける。

「一、二の三!」
三、で全員が打撃をやめ、逃げながら背中に大盾を引っ担いだ。大盾が亀の甲羅である。
「走れ、捕まるな!」

全力で走らねば追ってくるレガリスは振り切れない。重い装備に身を固めた状態では厳しい徒競走だ。

レガリスの間を縫うように走りながら、隊員の一人が足をもつれさせた。疲労の来た足元が複雑なラインについていけなかったのだ。

「止まンなッ！」

魚崎は転倒しそうになった隊員の脇に腕を差し込んだ。

「死ね、死ぬ気で走れ！　ここで止まったらどうせ死ぬんだ！」

まだ追ってくるレガリスは鎮まっていない、今追いつかれたら勢いのまま刻まれる。

「……ぉおおおおお!!」

隊員が絶叫した。絶叫しながらもつれる足を踏み締め、体勢を立て直す。魚崎に預けていた体重が自立した。追いつこうとするレガリスを直前で引き離す。

「転ぶな死んでも転ぶな！　死んでから転べ！」

矛盾する命令を怒鳴っているうち追っていたレガリスの足が止まった。敵対行動を中断して逃げているうちに臭いが認識されたのだ。

レガリスの体液を導入してから、孤立時にはこうして凌ぐことが離脱パターンとなっている。離脱が可能になったとは言え、防衛線が崩壊した今となっては簡単に離脱できるわけではない。拡散した戦場で猛るレガリスを振り切らねばならず、もし孤立しての戦闘中に重傷を負えば、生還は不可能だ。

転びかけた隊員が今度こそ路上に倒れた。足がもう限界だったのだろう。ほかの隊員たちが盾をトーチカ状にして転んだ隊員を囲む。レガリスはそのトーチカをよけて這い回った。

一度臭いを認識された以上、攻撃を再開しない限りレガリスが襲いかかってくることはないが、それにしてもあまり気持ちのいい状態ではない。

仲間の盾に囲まれた転んだ隊員もわずかに息を整えただけで立ち上がる。

「行けます」

無理をしているのはありありと分かる、しかし今が無理のしどころだ。

「本隊まで下がるぞ。後退中の戦闘は放棄。駆け足！」

最後の山はまだ終わっていない。

突然、隣から絶叫が上がった。

盾を振るいながら見ると、住之江《すみのえ》小隊長の右で部下の関目《せきめ》隊員が地面にくずおれた。

盾を取り落とした右腕から袖《そで》を突き破って白い骨が飛び出している。地面で丸まる紺の背中に彼の相手取っていたレガリスのハサミが落ちる。

させるか！　住之江はとっさに盾を背中に背負い、関目に飛びついた。覆い被さって伏せる。

自分の隊からこれ以上犠牲者を出してたまるか。足を失った長田だけで充分だ。

折れた右腕が圧迫されたか、下敷きになった関目が更に絶叫する。暴れるのを押さえ込んだとき、背中の盾にハサミの切っ先が落ちた。まるでバールかハンマーを力一杯振り下ろされたようだ。部下を潰すまいと必死に腕を立てるがこらえきれず潰れる。

ぎゃあっと叫んだ関目の体が弛緩《しかん》した。激痛で失神したのだ。そのほうが本人も楽だろう。

二度、三度と落ちるハサミの衝撃は何度も盾の上から住之江を潰した。

周囲は乱戦の真っ只中《ただなか》であり、こんな状態では住之江一人が敵対行動をやめたところで体液も認識されない。敵が飽きるか別の標的へ移るのを待つしかない。背中の上でジュラルミンの盾が軋《きし》む。盾を貫通されたらそのまま背骨を砕かれる。果たして盾は保《も》つのか。

「住之江小隊長を守れッ！」

部下が周囲からレガリスを防ごうとするが、うずくまった住之江たち自身が足場を邪魔して巧く打撃が入らない。

「やむを得ん、踏め！　小隊長踏め！」

誰かが叫んだ途端、一斉に盾が踏みしだかれた。何人踏んだか知らないが、代わりにハサミの衝撃はやんだ。落ちる前に防がれているのだ。

「二人引っこ抜けぇ！」

その号令で住之江は摑んで被っていた盾を手放し、下敷きにした関目を抱きかかえた。足元で出動靴が摑まれ、そのまま二人諸共《もろとも》に引きずり出される。関目のヘルメットがアスファルトをガリガリとこすった。その衝撃でまた意識を取り戻したのか、関目がまた一声叫ぶ。

住之江は即座に起き上がって怒鳴った。

「担架回せ！」

関目の折れて飛び出た骨は散々にこね回され、傷口は正視に耐えない。だが、

「腕ついてるぞ、腕ついてるからな！　治るぞ、気をしっかり持てよ！」

関目はもはや叫ぶ体力もなくなったのか喘《あえ》ぎながらただ頷いて、担架が来るまでに再び失神した。

夕闇が濃くなり、街灯が点きはじめた。

負傷者を出しては交替要員が突入し、その要員もいよいよ尽きた。部隊は明らかにやせ細りはじめた。

レガリスに押され、第二次防衛線の各出口に機動隊が追い込まれる。

既に壊走は始まっていた。

各出口の外側には、万が一のための応援要請を受けた自衛隊が小銃のみ携行を許されて待機していた。事件後、自衛隊が武器の携行を許された初の出動となり、緊急の人命救助に限って発砲許可も出たが、射撃方向に人がいないという条件を厳しく義務づけられて結果的に発砲を封じられている。

機動隊員の出入りのたびに開放される門扉の付近には、常にレガリスと機動隊員が混在しているためだ。完全な混戦に陥った防衛線内では、既にSATの射撃すら不可能な状態となっている。

ぼろきれのようになって転げ出てくる隊員を、やはり満身創痍《そうい》の隊員が迎え、追いすがって外へ出ようとするレガリスを寄ってたかって打ち、押し戻す。

その様子を待機する自衛隊はただ見守るしかなかった。

16号線下手の出口を守る隊は、県警第二機へ負傷者の搬送を申し入れた。指揮官の金岡《かねおか》一曹は隊の一部を割り振ることを提案したが、曽根第二機動隊長は丁重に辞退した。

「気持ちはありがたいが、まだあんたがたの手は借りん」

「しかし、負傷者の搬送だけでも。そちらの手が足りているとは思えません」

金岡は食い下がったが、曽根は頑として首を縦に振らない。

「この壊走は、我々の最後の任務だ。我々にも警察の意地がある。ここで自衛隊の手を借りたなどということになったら仲間に申し訳が立たん」

毅然《きぜん》とした口調で言い放ち、それから曽根はやや表情を緩めた。

「それに、あんたがたにはあんたがたの任務を全うしてもらわにゃならん。あんたがたは我々がレガリスを大量に外部へ取り逃がしたときのために待機しておるんでしょう」

もうこれ以上は押せない。彼らにとって自衛隊の援助を受けることは屈辱なのだ。自分たちで任務を全うすることを誇りとするのはごく自然な心情であるし、もともと警察は国内の治安維持に自衛隊を介入させたがらない。

黙り込んだ金岡に曽根は敬礼した。

「現場に戻らにゃなりませんので失礼」

言いつつ門のほうへ去る曽根を見送り、金岡は隊へ戻った。

「隊長、援助は」

「自衛隊の手は借りんそうだ」

鼻面を叩かれたように部下たちが押し黙る。

「……こんなときまで縄張り意識ですか」

誰かが悔しそうに吐き捨てた。

苦戦を援助したいという純粋な心意気を拒否されたことが感情を傷つけたのだろう。

「口を慎め」

金岡は強い口調で言った。

「彼らはこの壊走を任務と言った。誰にも言い訳できないこの不名誉を、彼らが一体誰のために任務としていると思う」

省庁の反目もあろう、縄張り意識もあろう。しかし、手を借りることさえ潔しとしない相手を担ぎ出すために彼らはこの壊走を強いられるのだ。それは一体いかばかりの屈辱か。

その屈辱を全うすることにプライドを賭《か》けている彼らに、自分たちが援助を申し出るということ自体が傲慢《ごうまん》だった。

「見届けろ。あの苦闘の上に自衛隊が出動することを胸に刻め」


十九時。

崩壊した第一次防衛線の修復はならず、ついに警備本部は機動隊の撤退を決定した。

撤退完了までにはそれから更に二時間を要した。

三日間の警備における機動隊の総負傷者数は警備動員人数とほぼ等しい。重傷者に限っても千人近くに上る。死亡者こそ出なかったものの、壊滅的な打撃であった。

また、事件発生時に急行した警邏からの死亡者は二十名以上を数え、横須賀甲殻類襲来事件は史上類を見ない犠牲を出した警備となった。

警備本部はこれ以上の警備の続行は不可能と判断、官邸対策室に自衛隊の投入を強く訴えた。

＊

機動隊壊走の一部始終はリアルタイムでテレビ中継され、そのため各報道では一部を除いて防衛出動やむなしの意見が優勢だった。

『そもそも警察では力不足だったんですよ。装備も貧弱ですしね。自衛隊だけでなく、警察もこれからは装備を強化すべきです』

深夜のニュースで得々と語るコメンテーターに、すっかり『レガリス博士』になった芹澤が不愉快そうに唇を尖らせた。

「勝手なこと言いますねえ、この人」

場所は芹澤の控え室だ。各種ＶＴＲの検証用にＡＶ機材も揃っており、明石などはテレビに用があるとこちらを訪ねるようになっている。

「まあ、世間は好き勝手言うもんですよ」

そもそもレガリスは警察が対応すべき対象ではない。レガリスに対処できなかったから警察の装備が貧弱だというのはお門違いも甚だしい。レガリスを撃破できる装備など人間相手には跡形もなく粉砕するくらいの役にしか立たないというのに。

「犯人を粉々にしてもいいってんならそういう装備も導入しますがねぇ」

「それにしても勝手じゃないですか、警察や機動隊がどれだけ苦労したか分かってないんじゃないですか。……いや、僕も内部に関わらなかったらそんなに分かってなかったかもしれないけど」

「バカに憤ってる場合か」

割って入った声は、部屋に入ってきた烏丸である。芹澤がびくっと肩をすくめて振り返る。気の弱い芹澤は押しの強い烏丸にはむやみと弱腰になる。

「君の仕事はまだまだこれからだろうが」

「わ、分かってます」

芹澤が慌てて立ち上げていたパソコンに目を戻す。

明日から警備本部は自衛隊の支援に回るが、その内容にはレガリスの検証と海に潜む群れの根本的な駆除方法の検討も含まれる。改めて各研究機関を招聘《しょうへい》し、レガリス検証チームが編成されるが、検証の主導に立つのが今や警備本部レガリス顧問となっている芹澤だ。

埒《らち》もない討論になだれ込んだテレビを消し、明石は烏丸に声をかけた。

「まだ起きておられましたか」

「そっちもな」

言いつつ烏丸が顎で出入り口をしゃくった。明石も黙って従う。

部屋の外へ出て、真夜中の静まり返った廊下で立ち話になった。

「臨時閣議で自衛隊の出動が決定した」

烏丸の話は予想通りである。まだ公表されていないから芹澤の前では話せなかったのだろう。

「防衛出動ですか」

「それを明日から協議するところだ。防衛か災害特例か……とにかく軍事的に出動させることを先に発表して米軍を牽制《けんせい》する腹だ。自衛隊では弾薬の輸送準備はすでに開始しているらしいがな」

防衛出動か災害特例、いずれにせよ出動するのは武山《たけやま》駐屯地の第三十一普通科連隊となるが、各地の駐屯地に恒常的に満足な実戦に足る弾薬が貯蔵されているわけではない。関東一円から弾薬類を武山に集中させることになる。

「米軍はそれまで抑えが効きそうですかね」

「どうやら今まで大人しくしていたにはそれなりの理由があったようだ」

烏丸は誰もいないのにそれでも声を低く抑えた。その声で何か嫌な話が来ると直感する。

「レガリスが上陸した初期段階で応戦し、日本民間人を誤射したらしい」

「……ああ」

なるほど、その弱みがあったから今まで黙っていたか。言われてみれば納得のいく話である。改めて考えてみると外交努力で抑えているという説明には無理があった。

「撃たれた民間人は──」

「軍病院で処置されて昏睡《こんすい》状態だったそうだが、昨日死亡した。これをレガリスの犠牲者数に紛れ込ませることで事態収拾の主導権を日本に委《ゆだ》ねることに同意したらしい。このうえ爆撃を今までこらえてやったと基地修復予算まで持っていくというから泥棒に追銭だな」

やりきれない話ですな、と明石は低く呟いた。

「ああ、やりきれん。だから一緒に背負《しょ》ってもらった」

しれっと言い放つ烏丸に苦笑する。それだけ信用されているということでもあろうが迷惑な話である。

「ともかく自衛隊が主導を取れるなら存分に頑張っていただきましょう。こちらの役目はもう終えましたからな」

警備の采配《さいはい》を振るっていた明石には肩の荷が下りたというところである。

本来警察では不可能な警備だったが、これだけの事件に警察が対処しないわけには行かない。せめて犠牲を減らそうと状況を積極的に操作したが、死亡者二十数名、重傷者一千名の結果は努力が実を結んだと言えるのか。

「ご苦労だった」

烏丸が不意にねぎらった。

「機動隊の初動が遅れていたら、横須賀の被害はこの程度では済まなかっただろう。防衛線の展開や封鎖措置も見事だった」

「恐れ入ります。参事官もお疲れさまでした」

警察として警備不可能という敗北宣言を出した責任者となったことは、警備事情はどうあれ経歴として残る。

「機動隊に恥をかけと命じて、俺がかかんわけにはいかんだろう。そもそもこの結果を狙って出すと公言していた以上、俺の有能さを証明しただけのことだ」

臆面《おくめん》もなく吹く烏丸に明石は答えず苦笑した。

十年ほど前は自分もこれほど尖っていただろうか。その時々で最適化していると信じる警備を実施した結果、上層部の指示に背くことが増え、明石は振り出しの警視庁から弾き出されてここにいる。烏丸とは人脈その他、手持ちのカードが違ったのだろう。

「どこまでその芸風で行かれるか楽しみですな」

茶化すと烏丸が鼻で笑った。

「警部に言われる筋合いはないな。そちらも芸風は同じだろうが、未《いま》だに」

「は？」

「バカの指図は受けんと突っ走ってその年だろう。俺もそこまでは行くさ」

言いつつ烏丸は挨拶《あいさつ》もろくに残さずさっさと立ち去る。

そうか俺も端から見ると現役か。随分悟ったつもりの明石としては苦笑するしかなかった。

＊

望が町内に越してきたのは圭介が小学校五年生のときである。

「須藤さんとこで親戚の子供さん引き取るんですってよ。事故で親御さん亡くされたんですって、かわいそうにね」

夕食のときにゴシップ好きの母親がその話を披露した。無口な父親は晩酌をしながら適度に相槌《あいづち》を打ち、圭介は町内に子供が増えることに興味を持った。

「ママ、その子いくつ？」

「お姉ちゃんと弟だって。お姉ちゃんが中二で弟さんは二年生って言ったかしらねえ？」

そういえばこの前、須藤サンの奥サンが挨拶に来ていた。子供のいない須藤サンはＰＴＡで繋《つな》がっている近所付き合いから少し縁遠くて、圭介の母親をわざわざ訪ねてくることは珍しいのだが、子供を迎えるので町内の中心的な母に挨拶に来たのだろう。

うちのママはＰＴＡでもご近所でも皆に頼られてるもんな、と圭介は少し鼻が高くなった。今まで子供のいなかった須藤サンがママを頼ってくるのは当然だ。

「あんたたちより年が上の子はご町内では初めてね」

あんたたちというのは圭介と幼なじみたちのことである。特に雅之と茂久は幼稚園に上がる前から家族ぐるみで仲がいい。ここの住宅団地に入った時期が近く、家も近かったので親同士で先に親しくなったらしい。

「須藤さんとこも大変ねえ。親戚の子だから仕方がないけど、どうせ子供をもらうならもっと小さい子がよかったでしょうに。もうとうが立っちゃってるからなかなか懐かないだろうし。下の子だけならまだしも中二なんてまた微妙な年齢だしねえ」

もっぱら頷くだけの父親に母親は一方的にまくし立てる。両親の日頃の光景だ。

「圭介もその子たちが来たら親切にしてあげなきゃね。ご両親が死んじゃったかわいそうな子なんだから、同情してあげないとね」

「分かってるよ、ママ」

下の子とは同じ小学校だろうし、放課後や休みのときなど公園に居合わせた子供たちで一緒に遊ぶこともある。いじめられたりしないように庇ってやらなくちゃ。だってオレがリーダーなんだし。

「圭介はいい子ね。PTAでもよその町内の人に羨《うらや》ましがられるのよ、今どき子供たちだけで外で遊ばせられるなんて珍しいですよって。お兄ちゃんたちが小さい子と一緒に遊んでくれるし、近所付き合いも親密だから大人の目がしっかり光ってるんでしょうね、なんて」

こういうとき「お兄ちゃんたち」の筆頭に語られるのが圭介だ。母親同様、子供たちの中でリーダー格になっている。

また、この団地は規模が小さいうえ地理的にも孤立しているため近所中が顔見知りの状態で、セールスマンなど知らない人が入ってきただけですぐ分かる。

古き良きご近所付き合いが生き残っているのだ、と母親はいつも鼻高々である。

「ここら辺は女の子は少ないけど、今は男の子だからって安心できるご時世じゃないものねえ。圭介も変な人を見かけたらすぐ大人のひとに言うのよ。女の子と一緒のときは特に気をつけてあげてね」

「うん」

女の子も男の兄弟がいる子がほとんどなので、公園で一緒になって遊ぶことはよくある。中二の女の子も一緒になるときは気をつけてあげたほうがいいのかな？　でも中学生がオレたちと一緒に遊んだりするのかな。年上の子ってどんなだろう。

町内にはまだ中学に上がった子供がいない。さ来年、圭介たちが初めて中学生になるところだ。年上の女の子とあまり接したことのない圭介には、今度来るという『中二のお姉ちゃん』というもののイメージがうまく浮かばない。

しかし、それだけに興味は津々だった。


初めて望を見たとき、すぐに分かった。団地内で中学の制服を着た女子は他に一人もいないからだ。

圭介は塾へ行く途中で望のほうは学校帰りだ。同じ道を向こうから歩いてくる望はショートヘアですらりと背が高い。

ああこれが須藤サンとこに来た中二の子だ。少し緊張しながらすれ違う。

すれ違いながら顔を窺うと、

——泣いてる？

どきりと胸が跳ねた。少し大人びたきれいな顔は、目元が泣いた後のように濡《ぬ》れていた。

両親を亡くしたばかりだという母親の話を思い出した。

望のほうは圭介を知らないので、そのまま他人のようにすれ違う。だが圭介のほうは後ろ髪を引かれた。

かわいそうだから同情してあげなさい、とママは言った。泣いている、ということは今まさにかわいそうということで、同情してあげないと、それに——

泣いている望が気になる。

「どうしたの？」

すれ違って少し距離が離れていたので大声で訊いた。望はびっくりしたように振り返った。ウサギのような赤い目がまん丸く見開いて圭介を見つめる。

「あんた、須藤さんとこに来た人だろ？　どうして泣いてんの」

泣いている年上の女の子を気遣う語彙《ごい》は圭介の中になかった。ただ疑問を投げつけるだけで、投げつけながらこれが間違っていることだけ分かってイライラした。

「あなた、近所の子？」

本来は澄んでいるのであろう声は、泣き声になって少しくぐもっている。

「遠藤圭介。同じ町内だよ。番地も近く。あんたは？」

望は少し困ったように口ごもり、それから小さな声で答えた。

「森生望」

「須藤じゃなくて？」

須藤サンが引き取ったはずなのに苗字が違うのが不可解でまた尋ねると、望はやや傷ついたような顔になった。自分の質問でその顔になったことにまた苛立《いらだ》つ。

こんな顔をさせたいのじゃないのに同情って何て難しいんだろう。

「森生なの」

「弟いるよね、マ……」

ママが、と言いかけて口ごもる。雅之なんかもママと言うし、今まであまり気にしたことはなかったが、小五にもなってママというのはひどく子供っぽいような気がした。かと言って、茂久が使う「母ちゃん」というのは母親が乱暴だと嫌っている。

「うちのお母さんが弟いるって言ってた」

「うん。翔っていうの。よろしくね」

訊くことを訊いてしまうと沈黙が訪れた。やがて、望が小さく会釈して行こうとする。

「新しい学校でいじめられたの？」

もう少し喋っていたいととっさに思いついた質問だった。振り向いた望が小さく笑って首を横に振る。——初めて笑った。泣き顔の後の笑顔は、普通に笑うのとは違って見えてどぎまぎした。

泣き顔も笑顔もコドモとはまったく違う。

「じゃあ何で泣いてるの」

またこの質問に戻ってしまい、望が困ったような顔をする。

「悲しかったこと思い出したの」

「お父さんとお母さんのこと？」

望がはっきりと傷ついた顔になった。失敗だ。圭介は顔をしかめた。知っていることだけど言ってはいけなかったのだ。

同情したいのにどうしたらいいか分からない。母親は同情してあげろと言ったがどうやって同情するのかは教えてくれなかった。

こういうときドラマとかならどうするだろう？　そうか。

圭介はズボンのポケットに手を入れた。引っ張り出したのは母親が毎日持たせるハンカチだ。きれいにアイロンが当てられたハンカチは、実際は使われることはほとんどない。濡れた手はズボンで拭《ふ》いてしまうから。いつも母親に怒られるが、今日だけはハンカチを使わないずぼらでよかった。

きれいなままのハンカチを圭介は望に突き出した。受け取らない望に更に突き出す。すると望は戸惑ったようにようやく受け取った。

「ありがとう」

ちょっと笑った。今度は正解だった。圭介はそのまま後ろも見ずに駆け出した。

やったやった。ありがとうって言った。オレに。

年上なのにオレにありがとうって。

気持ちがやけに高揚していた。


塾が終わり、家に帰ってから一番に母親に報告した。

「ねえねえお母さん！」

そう呼びかけた瞬間、母親の顔が素になった。どうしてか分からず戸惑った圭介が口ごもると、母親はすぐに笑顔になった。

「ママはやめたの？」

「うん。ちょっとコドモっぽいかなって」

望の前で恥ずかしかったのは内緒だ。

「あのさ、須藤さんとこのお姉ちゃんに会ったよ。望ちゃんっていうんだって。泣いてたから慰めてあげた。オレにありがとうって言ったよ」

食卓に着きながら言うと、台所に向かっていた母親は振り向かないままで言った。

「いいことしてあげたわね」

もっと誉めてくれると思っていたのに意外とあっさりだ。

圭介はやや不満な気持ちでお膳《ぜん》立《だ》てを待った。

次の日の夜、宿題を終えて階下へ降りていくとテーブルの上に昨日のハンカチがあった。

来たんだ。

圭介は台所で夕食の洗い物をしている母親にまとわりついた。

「お母さん、望ちゃん来たんだろ。何で呼んでくれなかったんだよ」

望はまたありがとうと言ってくれたに違いないのに。

「宿題があったでしょ。ありがとうって言ってたわよ」

だからそれが聞きたかったのに。

「呼んでくれたらちょっとくらい降りたよ」

「必要ありません」

母親の声が硬くなった。怒り出す手前の声だ。母親が怒るツボなら心得ているつもりだが、このときばかりは何故だかまったく分からなかった。

「早くお風呂《ふろ》に入って寝なさい！」

既に癇癪《かんしやく》気味の声に、圭介は訳も分からずさっさと逃げ出した。この声が始まったら逃げるが勝ちなのだ。

やがて母と父の会話に森生姉弟のことがよく出てくるようになった。と言っても、母が一方的に聞かせるだけだが。

引き取るけど養子縁組はしないんですって。だから子供さんは苗字が違うのよ。表札も二つ上がっててね。やっぱり須藤さん、引き取りたくなかったんじゃないかしら？　上の子なんて難しそうだもの、性格が。

下の子はご両親が亡くなったショックで口が利けなくなったんですって。かわいそうにねえ。でも上の子なんか、この前あたしたちに笑って挨拶したのよ。親が亡くなったばかりであんなに笑えるもんかしら。上の子はちょっと情が薄いんじゃないの。どっかツンとした感じだもの。あたしも上の子と喋ったことあるけど、何だかあんまり好きになれない感じだったわ。子供のくせにかわいげがないっていうかね。ご近所の人も皆そう言ってるのよ……

ねえ、お母さん。須藤サンちに来る子供たちはかわいそうなんじゃなかったの？　同情してあげなきゃいけないんじゃなかったの？

森生姉弟が来る前とは打って変わって望に批判的になった母親に、圭介は大いに混乱した。

「もちろん、口が利けない子はかわいそうなんだからいじめたりしちゃ駄目よ。でも上の子はどうかしらねえ。ちょっとこのご町内にはふさわしくなかったかもしれないわね」

胸がサッと冷たくなった。

ご町内に、ふ、ふ、ふさわしくない。

母がそう言ったら、それは必ず正しいのだ。ご町内にふさわしくないからその人はご町内で嫌われだす。ふさわしくなくて引っ越してしまう人もいる。

そんな家が出ると母親は決まって言う。

いいご町内なのにあの人には合わなかったのねえ。

ふさわしくない人と仲良くするのは悪いことだ。望にハンカチを貸したのも、声を聞きたいと思ったのも、あの泣き顔や笑顔にどきどきしたのも、みんな悪いことだったのだ。

だってふさわしくない人はどこかに悪いところがある人なのだ。お母さんは鋭いから誰より早くそれが分かって、他の人もそのうちみんな気づきだす。

ふさわしくない人とは仲良くしたらいけないのだ。悪い影響を受けるから。望と仲良くするのは悪いことで、——望を好きになるのも悪いことなのだ。

母親がご町内にふさわしくない人を見誤ったことなどないのだから。

大丈夫好きになんかなってない知らない子だから初めて近所に来た年上の子だからちょっと興味があっただけだどんな奴か様子を探ってやっただけだ。

まるで一緒にいる圭介にも聞かせるように、母から父への一方的な話には頻繁に望への批判が混じり、それがなくなることはなかった。

「なぁ、須藤さんちの森生望ってどう思う？」

公園で遊んでいるときに雅之がそんなことを言い出した。

「オレ話したことない。背の高い子だよね」

応じたのは茂久だ。

雅之がポテトチップの小袋に手を突っ込みながら、今ひとつ納得の行っていない顔で言う。

「うちのママがあんまり話すなって言うんだ、何でだろ」

圭介は何気ない振りで聞きながら全身を耳にしていた。

ほらやっぱり他の人も望がふさわしくない人間だと気づきはじめた。

雅之の母親には圭介の母親が教えたのだろう、そして雅之の母親もそうだと思ったのだ。

「オレ、挨拶したことあるんだけど、あんまり悪い感じじゃなかったけどなぁ」

「オレたちには分からないけど大人には何か悪いところが分かるんだよ」

圭介はそう口を挟んだ。茂久が鉄棒の上に腰掛けながら首を傾げる。

「オレんちの親は別に言ってなかったけどなぁ……」

「お前んちの親は情報が遅いんだよ、いっつも。お前のお母さんって『あらー、そんなことがあったの、あらー』ばっかりじゃん。うちや雅之のお母さんが教えてやらなかったら、お前のお母さん町内の事情に置いてかれてるぞ。感謝しろよな」

うち店が忙しいから……と茂久が曖昧《あいまい》に笑いながら口を濁す。

「でもさー、今まで大人のことはよく言ってたけどさ、子供のこと言うの初めてじゃない？」

雅之の表情は何か割り切れない様子だ。

「何かさ、どこそこの子と遊んじゃいけませんとか、そういうのって、漫画やドラマじゃ絶対悪役だろ？　わっかりやすい意地悪な大人っていうかさ。オレ、ママがそんなこと言ったの、ちょっとショックだったんだよね……」

カッと頭に血が昇った。

漫画やドラマじゃ絶対悪役。世間的には意地悪な奴の典型。

そのことを今さらのように気づかされて、やみくもな反発を覚えた。

圭介の母親が一番に言い出したのだ。だとすれば圭介の母親が一番イヤな奴ということか。

「バカじゃねーの、お前。あんなの空想の話じゃん。現実はそんなもんじゃないんだよ、大人の世界はもっとフクザツなんだよ」

「そうかなぁ。じゃあ圭介は森生望ってどう思うの？」

雅之に訊かれて、圭介は一瞬言葉に詰まった。

すれ違った瞬間の濡れた目元。何かこらえるような悲しい顔。何とかしてあげたくなるよな。しかし、あの少女の中に大人たちはイヤな何かを見つけているのだ。それが何なのか圭介には分からないが、母親がこの団地にふさわしくない人間を見誤るはずはないのだから。

「お前のお母さんに森生望のこと教えたの、うちのお母さんだぞ。うちのお母さんが間違ったこと言いふらしてるって言いたいのか？」

話題を変えた圭介に、雅之が明らかにぎくりとした。

「そんなこと言ってないよ。ただオレ、うちのママが言い出したのかと思ったから……うちのママはちょっと抜けてるから、うちが言い出したんなら間違ってるかもしれないって思ったんだ。でも圭介のおばさんが言ったんなら間違いないよ。圭介のおばさんはうちのママと違ってちゃんとしてるもんね」

そうだ、遠藤サンちの奥サンはご町内の誰よりもちゃんとしているのだ。みんなそう言っている。圭介はやっと溜飲《りゅういん》を下げた。

圭介が中学の制服を着るようになったころには、母親は弟の翔のほうもあまり良く言わないようになった。

まだ家でも学校でも喋らないんですってよ。近所の人に会っても会釈するだけでニコリともしないし。喋れなくても笑うくらいはできるんじゃないの。愛想がないったら。上の子が上の子なら下の子も下の子ね。上の子も媚びたみたいな卑屈な顔しかしないし。

二年も経ったら家の中でくらい喋りそうなものじゃない。未だに喋らないなんて引き取ってくれた人に対する恩がないんじゃないかしら。ちょっとくらい懐けばいいものをねえ。

もしかしたら、上の子が懐かないように指図してるのかもよ。須藤さんに引き取られたのがイヤで。姉弟そろって恩知らずなことねえ。

やっぱり親がいなくなると子供って歪むんじゃないの。

翔と遊ぶ近所の子はもうあまりいない。一番仲がいいのは学校でも同じクラスの中村《なかむら》亮太で、亮太の家は元から「あまりふさわしくない人」だったからお似合いだ。亮太の母親は若い頃に水商売をしていたらしく、近所の大人たちはあまり良く言わない。

後は母親が誰にでも愛想がよくて誰とも絶対諍《いさか》わない西山《にしやま》家の兄弟は望にもよく懐いている。西山兄弟の母親は望に会ったときは「いつもかまってくれてありがとう」と言うが、圭介の家で井戸端会議をしているときは絶対に森生姉弟の話はしない。森生姉弟の話が始まったときもひたすら黙って聞いている。

他には、公園で一緒になったらたまには遊ぶけど家を行き来したりはしない子供がほとんどだ。それは圭介が小学校のときからそういう感じにしてあったのだが、圭介が中学に上がって近所の子供たちと遊ばなくなっても未だに続いている。

須藤サンは昔からそうだったように、近所付き合いにはあまり関わらない。町内会とPTA関係で集まりに顔を出すくらいだ。

須藤サンの旦那《だんな》さんが県庁勤めなので、大人は須藤サンのことは悪く言わない。旦那さんが県庁に勤めているような固い家が団地にふさわしくないわけはないからだ。複雑な子供たちを引き取ることになって気の毒に、という風潮になっている。もちろんそれを須藤サンに言う人はいないので、気の毒がられていることを須藤サンは知らないが。

最初に会ったときにハンカチを貸したことなど圭介はもうなかったことにしている。だが、望のほうは覚えているからか、会う度に笑って会釈をする。

それが嫌でたまらない。

やめろよお前なんかに親切にしたのは間違っただけなんだ。この団地にふさわしくない人間に親しげにされたら迷惑だ。

雅之や茂久と一緒のときにすれ違ったら、無視して聞こえるように嫌味を言うようになった。嫌味の内容は母親が言っている話の受け売りだ。一人ですれ違うときも当然無視。

そうしているうちに、望は圭介に自分からは目を合わせなくなったし、会釈もしなくなった。

しかし、そうなってみるとそれはそれで気に食わない。

オレを無視するなんて何様なんだ。やたらと癇に障ってこちらから絡むようになった。親がいない身の上と喋らない翔は突っかかる絶好のネタだった。

望は何を言われても絶対に逆らわなかった。困ったように曖昧に笑うばかりで、それがまた気に食わない。いつも同じような反応で適当にあしらわれている。言い返してみろよヘラヘラして情けない女だな。募る苛立ちも籠めてますます絡み方はきつくなる。

だが。

私だってあなたのことが嫌いよ。

初めてまっすぐ自分のことを見た目は、怒りに満ちていた。もう二度と取り返しのつかない嫌悪がそこにあった。

こんなことになりたいわけじゃなかった、と心の隅がかすかに疼《うず》いた。だが疼いたこと自体をもう圭介は認めないようになっていた。

あり得ないのだ、望をずっと気にしていたなんて。気に食わないから当たっていただけだ。

本当は意識していたなんてそんなことは絶対にあり得ないし認めない。

こいつに嫌われたからと傷つくような自分は存在しない。逆らうのがむかついただけだ。

だが、どんなときでも圭介に折れることしかしなかった望を変えた存在は強烈に気になった。

夏木と冬原。

家ではもちろん学校でも優等生で、誉められこそすれ注意されたりしたことのない圭介を、面と向かってはっきり非難した大人だ。

そいつらが望も変えたのだ。——圭介に逆らうような望に。

気に食わない。あんな奴らに乗せられやがって。あんな奴らで変わりやがって。

オレがいくら叩いても変わらなかったのに、あいつらが望を変えるなんて。

オレで変わらなかったくせに。


望を否定しながら誰より望を観察している圭介には分かる。望は明らかに大人二人に親しみを感じていて、特に夏木に心を寄せていた。

圭介を認めないのに圭介を否定した大人を認めたのだ。それは圭介を否定することと同じだ。

あんな奴に負けるか。あんな奴の庇護《ひご》など受けるか。従うものか。望の認める奴などに。

圭介はもうそれしか考えられなくなっていた。

五日目。

＊

四月十一日(木)。

朝のニュースでは自衛隊の出動決定が報じられた。これから出動の形態を協議するというが、正式な出動命令は一両日中にも下されるというのが大方の予想である。

出動すれば米軍基地内まで含めて一日とかからず地上の群れは掃討できるという話で、それならどうしてもっと早く出動しなかったのかと望《のぞみ》などは思うが、そうも行かない事情が色々とあったのだろう。先日は救出のときでも銃が撃てなかったくらいなのだから。

「レガリスやっつけたらぼくら帰れる!?」

西山光《にしやまひかる》に訊《き》かれた冬原《ふゆはら》が眠たそうな顔で頷《うなず》く。朝食時が睡眠時間になる夏木《なつき》の姿は今は食堂にない。

冬原はニュースにもあまり興味がない様子で茂久《しげひさ》お手製の味噌《みそ》汁をすすっている。

「もしかしてもう知ってました?」

訊いてみると冬原はテンションの低い声で答えた。

「夜中に連絡入ったからね。おかげで叩《たた》き起こされちゃって」

言いつつあくび。どうやらあまり眠れなかったらしい。

「一回起こされると寝付けないんだよねぇ、俺」

「お疲れさまです」

「出動は防衛出動になるのかな」

珍しく冬原に話しかけたのは木下玲一《きのしたれいいち》だ。この少年が自分から人に話しかけるなどこの避難生活が始まってから初めてで、望は意外な思いでその様子を眺めた。

「防衛はちょっと難しいんじゃないかなー。災害特例でお茶濁すと思うけど」

「機甲科とか特科って来る？」

「富士の麓《ふもと》から戦車だの榴弾《りゅうだん》砲だの持ち出してくるわけないでしょ。そもそもそんな御大層な装備が必要な相手じゃないよ。武器の使用許可さえ下りたら武山《たけやま》の普通科装備で充分」

「ちぇっ」

と、出動決定を報じていたニュースが次の話題に切り替わった。

『「きりしお」乗員による未成年者虐待の真偽については、防衛省では乗員からの事情聴取を待たないと回答はできないとしながらも、未成年者を「きりしお」に回収した際に乗員の上官が死亡している事情から、乗員が精神的に不安定になって未成年者への対応が万全でなかった可能性は認めています』

望は反射的に圭介《けいすけ》を睨《にら》んだ。圭介のほうはテレビをやはり睨みつけるように見つめており、望が睨んだことにも気づいていない様子だ。

昏《くら》い情熱を孕《はら》んだその眼差《まなざ》しに思わず望は目を伏せた。怯《おび》えたようで不本意だが、今迂闊《うかつ》に目を合わせたら見境なしに嚙《か》み砕かれそうな凶暴な眼差しだった。

騒ぎを起こしたら夏木や冬原にも迷惑がかかる。自分にそう言い聞かせてこらえる。

そうでなくとも二人の立場はいま複雑で、たとえ子供たち同士の諍《いさか》いを止めるためとはいえ圭介と対立したら、外に出てから圭介がどんなふうに言い出すか分からない。

既に圭介が見境をなくしていることは、このときの望には思い及んでいない。


順番で回ってきていた食事の片付けを終え、一度部屋に戻った望のところへ翔《かける》がやってきたのは八時過ぎだ。

部屋にあまり入られたくない望の様子を初日から察している翔は入口のところから手振りで望を呼び、電話を掛ける仕草をした。

「家に電話?」

仕草は分かるものでも必ず一度口に出して確かめる習慣である。避難生活が始まってから、翔が家に電話したいと言うのはこれが初めてだった。

昨日の夏木の話を聞かせてから、翔は初めて家に掛けた電話の電話口に出た。

それまでどうせ喋《しゃべ》れないからと翔も出ようとしなかったし、望も翔に電話を代わらなかった。返事が聞けなくても、叔母《おば》たちは翔にも話しかけたかったのだ。素直に考えたら素直に理解できることだったのに。

思い切って尋ねた。「どうして私たちを養子にしなかったか訊いていいですか？」大丈夫、夏木は嫌がられていないと言った。渋々だったら引き取るわけがないと言った。

叔母は電話口で困ったように笑った。

ごめんね。叔母ちゃんたち、どうせ子供いないからって今まであんまり貯金してなかったんだわ。里親だったら親族でも行政から手当て出るのよ。翔が大学を出るまでのこと考えたら、ちょっとお金が心許《こころもと》なくってね。

やっぱり夏木の言った通りだった。子供をいきなり二人も引き取ったら、お金のことだって大変なのだ。伊達《だて》や酔狂で引き取れるわけがない。嫌々引き取るくらいなら最初からうちでは無理だと断ったほうがよっぽど簡単だ。望たちを引き取ることで叔母たちが得をすることなど「いっこもない」のだから。

お父さんとお母さんのお金、使ってください。

思い至らなかったことを埋め合わせるように言うと、叔母さんはまた笑った。

姉さんたちの遺産だけでやりくりしちゃったらお金がなくなっちゃうからね。あんたと翔が結婚するときできるだけ持たせてあげたいじゃないの。お金はいくらあっても邪魔にならないよ。それに……

それに？

あんたたちはやっぱり姉さんの子供だから。あんたたちの名前だって一生懸命考えて付けたの知ってるし。名前違うと不便だけど、あんたが結婚するまでは森生《もりお》望と森生翔でいてあげて。

叔母さんたちがどういう人か知っていたのに、口さがない噂に僻《ひが》んでいたのが情けなかった。妙な詮索《せんさく》をする人より望たちはずっと叔母さんのことを知っているはずだったのに。

でもまだ遅くない。自分たちが勝手に僻んで遠ざかってしまったのに、それでも叔母も叔父《おじ》も突き放そうとはしないのだから、まだいろんなものがやり直せる。

テレビで子供たちが乗員に虐待されてるって言ってたけど、あんたたち大丈夫なの？　うちにもテレビの人が何か訊きにきたけど。

望にとっては大いに不本意だが、そんなことを訊かれるのも案じられているからだ。叔父と叔母は夏木と冬原に会っていないのだから、どんな人かなんて分からない。望や翔が酷《ひど》い目に遭っていないかどうか、気になるのはそれだけだろう。

嘘だからね、叔母さん。信じないでね。圭介くんが隊員さんに突っかかっていろいろ揉《も》めて、それで行き違ったこととか叱られたこと、大袈裟《おおげさ》に言いふらしてるだけなの。二人ともいい人だからね。この電話だってその隊員さんが貸してくれたんだよ、私の電池切れちゃったから。私たち遠慮して借りられなかったのに家で心配してるから掛けなさいって。虐待なんかしてる人がわざわざ保護者に連絡取らせると思う？　もし取材されたらちゃんとそう言ってね。

多少むきになって言い募ったが、叔母は却《かえ》って安心したようだった。

望がそんなに庇《かば》うんならちゃんとした人に決まってるしね。

庇ったわけではなく事実を言っただけだが、叔母が望の意見を全面的に信用してくれていることが嬉《うれ》しかった。

翔のほうもわだかまりが溶けたのだろう。喋れなくても電話をしたいというのは、翔なりに甘えている。

「冬原さんに電話借りとく。それまで皆と遊んでて」

発令所にいてくれたらすぐだが、見回り中だったら捕まえるまでしばらくかかる。

翔は頷いて、外に待っていたらしい亮太《りょうた》と通路を駆けていった。


望が発令所に向かうと、やはり冬原はいなかった。室内の隅に持ち込まれたマットで夏木が毛布にくるまっている。ローテーション上、起きてくるのは昼前だ。

そっと何歩か室内に入り、様子を窺《うかが》ってみる。

――疲れてるのかな。

寝顔は眉間《みけん》に深く皺《しわ》が刻まれている。寝ながら苦しんでいるようでちょっといたたまれない。苦しいとしたら事情の大半は子供たちだから余計だ。

それに何だか寝苦しそうだ。発令所はマットをまっすぐ敷けるほど平坦《へいたん》な床面積が多くなく、隙間にマットを無理に押し込んでいるため、寝返りもろくに打てそうにない。

「どうしたの?」

不意に後ろから掛けられた声に、望は悲鳴を上げそうになって寸前でこらえた。振り返ると冬原である。

「起こすなら心して起こしてね、そいつ寝てる途中で起こしたらめちゃくちゃ不機嫌だから」

そんなことを言いながら冬原の声は特に抑えるでもない普通のボリュームで、望は慌てて唇の前に人差し指を立てた。

「大丈夫、眠りはそのぶん深いから。喋り声くらいじゃ起きないよ。叩くか揺するかしないと。あと反応するのは緊急発令くらいかなー」

「別に起こそうとしたわけじゃないんです、何か苦しそうだから気になって」

「あ、そいつ寝顔いっつもそんなんだから。機嫌悪そうな顔で寝てるけど心配ないよ」

聞くと拍子抜けだが、ついでなので尋ねてみる。

「あの、圭介くんの話って問題になりそうですか」

夏木に訊いても絶対に本当のところは言わない。お前が心配することじゃないと子供に余計な話は聞かせようとしないのだ。

「心配?」

率直に訊いた冬原は無遠慮に望を窺っている。どこまで本気か測っているように。

望も率直に頷いた。大人に心配ないと言われて無条件に安心できるほど子供ではない。夏木に子供の括《くく》りに入られていることは不本意だった。もう子供じゃないんだからと言いたくても、年だけ見ればまだ高校生だ。それが悔しい。

冬原は小さく笑って答えた。

「圭介くんのお母さんとその他の保護者で、司令部にかなりの剣幕で抗議が来てるみたいだね。こっちにも問い合わせ入ったから事実関係は説明したけど、外に出たら改めて事情聴取されることになるかな。情状酌量の余地はあるから免職沙汰《ざた》にはならないだろうけど、何しろ向こうの剣幕が剣幕だから落としどころとしてそれなりの処分受けることになりそう」

「情状酌量って、まるで夏木さんが悪いみたい」

悔しさを抑えきれずに呟《つぶや》くと、冬原が苦笑した。

「夏木だって悪いよ、事情はどうあれ胸倉摑《つか》んで引きずり回したのは事実だしね。まあ気持ちは分からんでもないけど」

「事情って何だったんですか」

「想像つかない？」

訊かれて望は息を飲んだ。言われてみれば充分あり得ることだった。そもそも夏木が望たちの事情を知っていたのは圭介が原因としか考えられないし、圭介が発端だったとすれば望たちを貶《おとし》めて話さないわけがないのだ。

そして夏木がそれで怒らないわけもない。

「勘違いしないでね、君たちのせいってわけじゃないよ」

先回りするように冬原が言った。

「君たちのせいで仕方なく怒ったわけじゃない。夏木が怒りたかったから怒ったんだ。その辺は見くびらないであげてね、バカだけど」

冬原は釘《くぎ》の刺し方が巧《うま》い。そんなふうに言われると気に病むことそれ自体が悪いことのようになってしまった。

「でも、私と翔を庇ってくれたのに処分受けるなんて」

「随分夏木のことだけ心配するね？　俺のことも少しは気の毒に思ってよ、夏木のとばっちりで譴責《けんせき》処分だぜ」

言われて望は顔を赤くした。

「ごめんなさい、冬原さんはあんまり関係ないかと思ってた……」

冬原は要領がいいから何となく巻き込まれないような感じがした。それもあるが、要するに夏木のことが気になるのだということに気づかされて動揺する。

「大体こういうときはセット扱いなんだよねぇ、俺と夏木って」

冬原が不本意そうにこぼした。

そう言えば何か用だったんじゃないの、と訊かれて望は頷いた。

「携帯お借りしたいなって」

「オッケ。俺この後しばらくはここにいるからその間に翔くん連れて来るといいよ」

そう言われて望は頷き、発令所を後にした。


望が食堂に向かうと、吉田《よしだ》茂久と木下玲一しかいなかった。

圭介たちはまた寝室に引っ込んでいるのだろう。暇潰《ひまつぶ》し用にと夏木と冬原が隊員の私物入れからかき集めてきて食堂に置いてある雑誌や漫画がごっそりなくなっている。掃除など共同の作業は渋々やるが、それ以外はほとんど寝室に籠《こ》もっているのだ。

小学生が全員いないのは、またかくれんぼでも始まっているのだろう。

待っていればほどなく誰か通りがかるだろうから、食堂でテレビを観ながら待つことにする。

テレビはニュースからワイドショーに切り替わる時間で、また『きりしお』乗員の虐待の真偽が面白半分に取り上げられている。

自然と仏頂面になった望に、近くに座っていた茂久が急に話しかけた。

「心配ないよ」

「え？」

「あの人たち、虐待なんかしてないじゃん。どうせこのテのことは全員に話聞いて回るから、救出されたらオレたちのとこにも取材が来るよ。オレが訊かれたらオレはちゃんと話すからさ。圭介の話は一方的で大袈裟だって言うからさ」

意外な言葉に望は少し面食らった。まさか夏木たちを庇うような発言が茂久から出るなんて思わなかった。確かに最近は食事を担当したり、夏木や冬原を手助けする場面が多かったが、こんなにはっきり夏木の肩を持つとは。

「どうせあんたんちにもテレビ局が行ってんだろ？　あんたもちゃんと話せよな」

「は、話すよもちろん。……当たり前じゃない」

言わずもがなのことを念押され、言い返すような口調になる。

「でも、茂久くんは……圭介くんと仲良かったのに大丈夫なの」

圭介くんに逆らっても大丈夫なのとはさすがに訊けず、多少取り繕った質問になる。

「気ィ遣わないでよ、みじめになるから。仲良くなんか見えてなかっただろ」

自嘲《じちょう》の混じった声はフォローされることを拒んでいる。

「間違ってることまで圭介の肩持たなきゃ仲間外れにされるなんて友達じゃないだろ。オレは圭介より夏木さんのほうが筋が通ってると思うから夏木さんに味方するだけ」

「夏木さんのほうが正しいって思うの」

圭介が揶揄《やゆ》したのは自分たちのことなのに。率先して嫌がらせをされた訳ではないが、圭介の取り巻きの子供たちだって望や翔に好意的だったことはなかった。

そんな内心が分かったのか、茂久は気まずい顔になった。

「あんたと翔には悪かったと思ってるよ。だけど、圭介があんたたちのこと嫌うからさ。圭介には誰も逆らえないんだ」

「嫌いってわけじゃないと思うけどね」

口を挟んだのは玲一だ。玲一から話しかけてくることは滅多にないので、茂久は面食らった様子だ。

「コンプレックスでグチャグチャなんだよ。自分が何をどうしたいのか分からないんじゃないかな。当たられるほうは災難だけどね」

最後の一言は一応望たちを気遣っているのだろうか。

茂久が玲一に問いかけた。

「お前はどうすんの、夏木さんたちと圭介のこと」

「別に。事実をそのまま言うよ。僕はあの二人が暴力振るってるところなんか見たことないし、僕自身は虐待された覚えもないからね」

ほら、と茂久がまた望に向き直る。

「これで圭介に反論するのが三人だし。チビたちも何人かはあの人たちの味方するだろ。圭介の話だけが一方的に通るわけない」

通るわけないと言いながらどこか不安そうなのは、まだ圭介に怯えているからだろう。

「クビにはならないだろうって冬原さん言ってた。でも何か処分はあるって」

少しは安心できるかと望はさっき聞いた話をしてやった。

「軽いといいね」

茂久が頷き、玲一も少し首を傾げるような仕草をした。もしかしたら、玲一も頷いたつもりかもしれない。

三人で何となくテレビに目を戻す。話している間に不愉快な虐待話は終わっていた。

ふと気づくと子供たちの姿が見えない。昨日はしょっちゅう誰かが食堂を通りがかったのに。

おかしいなという思いが居心地の悪さに切り替わりはじめたとき、

「望ちゃん!」

亮太が青い顔で食堂に駆け込んできた。

「翔が見つからないんだ……昨日みたいにかくれんぼしてたんだけど、翔がさっきからずっと見つからないんだ!」

いきなり枕を蹴《け》り飛ばされて夏木は飛び起きた。

「何しやがる！」

怒鳴った夏木に犯人の冬原が素っ気なく言い放つ。

「非常事態。翔くんが行方不明」

一瞬で目が覚めた。一も二もなく飛び起きて枕元の上着を羽織り、先に発令所を出た冬原を追いかける。

「行方不明ってどういうことだ」

「かくれんぼしてて翔くんだけ見つからないんだってさ。——三十分間」

平静ではいられない空白時間である。

「まさか外出てねえだろな」

「入ってきたハッチは確認したけど閉まってた。他のハッチがどこにあるかは知らないでしょ、子供たち。それに翔くんがそういうとこで羽目外すと思う？」

「思わない」

喋りこそしないが、態度や表情で翔がどんな子供かということくらいはもう分かっている。そういうところで悪ふざけをするような性格ではない。利かん気な一面も感じさせるが基本的に真面目で素直だ。

「お姉ちゃんも同じ見解だよ」

あちこちで子供たちが翔の名前を呼んでいる。

その中でも望の声はすぐ分かる。声が先に泣きだしている。夏木は軽く目を眇《すが》めた。

泣くな、すぐ探してやるから。

望が泣くと居心地が悪い。女に泣かれているようで痛い。

「最後は最下層で亮太くんと分かれたって」

「ものすごく巧みに隠れおおせたりしてないか」

「こんだけみんなで必死に呼んでたら出てくるでしょ、あの子なら」

「だな。……やばいな」

これだけ呼んで出てこないということは、どこか隠れた先で意識を失っている可能性が高い。貧血か何かならいいが、密閉性の高いところで酸欠にでもなっていたら——そして、潜水艦といえば密閉性の高いことでは折り紙つきだ。

「下から探そう。閉めてあったとこも全部開けて」

「ダクトから何から総ざらえだな。あいつチビだからその気になったら大概のとこ潜れるぞ」

「この場合は厄介だね」

最下層はまた機関部やモーターが集まっている構造上、子供が入り込んでしまいそうな狭い隙間がいくらでもあると来ている。

捜索を開始する前に、夏木は男子部屋を覗《のぞ》いた。圭介たちがいつも籠もっているから部屋の前を通りがかるところくらいは見たかもしれない。

「お前たち、翔見なかったか」

「知るかよ、あんなガキ」

見事な反射で嚙みついてくるのは圭介だ。他の中学生たちはおどおど圭介を見守るばかりで、これもいつもどおり。

苛立《いらだ》ちを懸命の努力で抑え込みながら、夏木は続けた。

「翔が行方不明なんだ。いなくなってもう三十分経つ。探すの手伝ってくれないか」

「何でオレが探さなきゃならないんだよ、あいつの弟なんか！」

今が一体どういう場合で、自分が一体どういうことを言ったか分かっているのか。翔にもし何かあったらその台詞《せりふ》を吐いた自分を振り返れるのかこいつは。

「いい加減にっ……」

しろ、と怒鳴りつけようとした夏木の肩を冬原が強く押さえた。

「相手するだけ時間の無駄だ。探そう」

冬原の声は史上最高に怒っている。

「そんなだからママに恋心まで操作されちゃうんだよ、ボク。好きな女の子に優しくする方法でも教わっとけばよかったのにね」

最も触れられたくない部分を痛烈にあげつらい、怒り狂った圭介の罵倒《ばとう》が始まる前にさっさと立ち去る。プライドの高い圭介には実は一番効果的だ。叩くとなったら子供だからと手加減するような男ではない。

日頃は夏木の大人気なさをしたり顔で揶揄するくせに、

「お前はそういうとこホントに容赦ねぇな」

「教育的指導と言ってよ」

言いつつ二手に分かれ、冬原は奥へ向かい、夏木は手前の電池室から翔を探しはじめた。


「くそっ、あいつ何バカなこと、くそっ」

言語中枢が麻痺《まひ》したように圭介は同じ言葉ばかり何回も繰り返した。

そして自分を見守っている三人に気づく。

「何見てんだよお前ら！　信じるなよ、あいつの言うことなんか！　信じてないだろうな⁉」

冬原は名前こそ出さなかったが、はっきり圭介が望を好きだと言い放った。マザコンと揶揄されたことよりもそちらのほうが屈辱だった。

圭介の剣幕に、中二の坂本達也《さかもとたつや》と中一の芦川哲平《あしかわてっぺい》は怯えたようにひたすらおどおどしている。執り成すように雅之《まさゆき》が言った。

「信じてないよ、圭介が望のこと好きなわけないじゃん。態度見てたって分かるよ、望のこと嫌いなの」

そうだオレは望のことが嫌いなんだ。

私だってあなたのことが嫌いよ。望がそう言って睨むほど、望本人に分かるほど望が嫌いな態度は明らかなはずだ。

今さら本当はそうじゃなかっただろうなどと言われても、そんなものはもう手遅れだ。あの嫌悪にはもう取り返しがつかない。

――手遅れのものなど要るか。そんなものは最初から要らなかった。

いいや、そんな気持ちは最初から存在していなかった。

「行くぞ」

言いつつ腰掛けていたベッドから立ち上がると、年下の哲平が慄《おのの》いたような顔をした。

「マジ行くの？　やばくない？」

「今さらなに怖気《おじけ》づいてんだよ。あいつら二人とも発令所から出てきたんだから今がチャンスだろ!?」

「でも、翔だってすぐ見つかっちゃうよきっと」

達也も不安気に口を添える。

「こんなことしたのバレたらめちゃくちゃ怒られるよ」

「バカ！　どうせあいつ喋れないんだからすぐ見つかるわけねえだろ！」

圭介は表の通路を窺った。奥へ向かった二人は戻ってくる様子を見せない。

圭介が部屋を出ると、他の三人も結局従った。

掛け声が聞こえる範囲だとすぐ見つかっておもしろくないので、かくれんぼのルールは鬼が百数えてから探すように変わった。

最下層まで降りて亮太と二手に分かれ、亮太は奥のほうへ走っていき、翔は男子部屋の近くのシャワー室に飛び込んだ。

扉はわざと開いたままにしておいて、その裏へ隠れる。鬼の裏をかく隠れ方は、巧《うま》くいくとけっこう最後まで残るが、下手をすると瞬殺だ。そのスリルがたまらない。

息を潜めていると、走る足音がいくつも重なって近づいた。今度は瞬殺だったかな、と舌を出すと、シャワー室に飛び込んできたのは圭介だった。

その物騒な顔つきに思わず竦《すく》み上がると圭介は力任せに翔をシャワー室から引きずり出した。外には取り巻きも一緒だ。茂久だけいない。

圭介くん、大丈夫なの。

不安そうな声は中二の達也か中一の哲平か。

うるさい、オレはちゃんと考えてんだよ。こいつがいなくなったら大騒ぎになるから時間が稼げるんだ。どうせ喋れないから好都合だしな。

どういうことか分からないが何かよからぬことに巻き込まれようとしていることは分かる。翔は中学生たちの間を割って逃げ出そうとした。しかし腕を摑んだ圭介の手が振り解《ほど》けない。

暴れる翔を圭介たちはむりやり男子部屋に引っ張り込んだ。運び込まれたというほうが近い。踏みとどまっても体ごと抱えあげ引きずられる。

イタッ！　圭介くん、こいつ嚙むよ！

だから気をつけろって言ったろ！　そいつの口、犬みたいに嚙むしか能がねえんだから！

部屋の一番奥でベッドに押し込まれ、後ろにまとめた腕がガムテープで固められた。残った足でめちゃくちゃに周囲を蹴飛ばすが多勢に無勢だ。足も制服のズボンの上からぐるぐる巻きにされる。全身ガムテープで巻かれたミイラのようになって身動き一つできない。

圭介がバカにしきった顔で翔を見下ろした。

悔しかったら喋ってみろ、助けてお姉ちゃんとか言ってみろよ。オマエを探してあいつらが間抜けに大騒ぎしてる間にオレらは外に出るんだ。せいぜい恥かかせてやる。オマエの姉貴が好きな男なんかそんな程度だ、オレに恥かかされる程度なんだよ。思い知らせてやる。

熱に浮かされたようにまくし立てる圭介は、もう何かを踏み外している。ねじ込むような声よりその箍《たが》が飛んだ様子に翔は怯えた。

ベッドからまた引っ張り出されて床に置かれる。マットの収納ケースからマットを抜きとり、抜いたマットは一番上のベッドへ。

嫌だ。

彼らが何をしようとしているか察してもがくが、何重にも巻かれたテープはびくともしない。中学生たちはもがく翔を空になったケースの中に押し込んだ。

じゃあな。空気穴の分は開けといてやるから安心しろよ。

言いつつ圭介がケースのジッパーを引き上げた。——真っ暗になった。

暗い。狭い。動けない。三重の苦痛は翔をたやすく四年前の事故に引き戻した。せめて悲鳴が出てくれるかと思ったが、大きく開いた口は激しい呼吸を繰り返すだけだ。

悲鳴はあのとき出尽くしてしまったからやっぱり声はもう出ないのだ。そう思った。

夏木の声が入口のほうでした。翔を見なかったかという問いに、圭介があんなガキ知るかよとふてぶてしく嘘を答える。圭介がいつも望と翔を毛嫌いしているからもっともらしい。誰も疑わない。

冬原が相手をするだけ無駄だと切り捨てた。

そして二人が立ち去る。その間に一言でも叫べていたらすぐ見つけてもらえたのにやっぱり声は出ない。

だってあのときもあんなに泣いてあんなに叫んだのに誰も助けてくれなかった。お父さんとお母さんは潰れて死んで、ぼくらもたくさん怪我をした。

だからぼくの声は無駄なんだ。どうせ何か言っても意味ないんだ。だって一番何とかなってほしかったときにぼくの声では何ともならなかったから。

まるで呪いのようにその絶望は声を出させない。四年前からどこにも行けない。

やがて圭介たちが部屋を出ていく気配がした。

圭介たちがいなくなったら誰か入ってきて探すだろうと思ったのに誰も来ない。圭介たちがいつもたむろしているという思い込みがあるから盲点になっているのだ。

でもそのうち見つかる。あのときだって諦《あきら》めてもう声も出なくなってから救助隊の人が翔と望をひしゃげた車から引っ張り出した。

それまでの時間をやり過ごそうと目をつぶったとき、

「翔、どこ⁉」

望の声が表から聞こえた。

「大丈夫だ、取《と》り敢《あ》えず外には出てない」

夏木は男子部屋の近くで行き会った望に真っ先に言った。子供たちが知っていると思えない機械室と発射管室のハッチまで確かめたが、全部内側からしっかり閉まっていた。もし開けて外に出たのだとしたら、外からハッチは閉められない。

望が耐えかねたように夏木にしがみつき、堰《せき》が切れたように泣きじゃくった。

「夏木さんどうしよう、翔に何かあったらどうしよう！」

一緒に遊んでいた小学生たちが探して三十分、夏木が叩き起こされてからもう二十分は経つ。一時間近く見つからないのは何か悪いことがあったに違いない、望がそう思うのも無理からぬ話だし実際何か悪いことが起こったのでなければこんな騒ぎにはなっていない。

「翔、家に電話したいって言ったのに。夏木さんのおかげでやっと……！」

「泣くなッ！」

夏木は望の顔を上げさせ、濡《ぬ》れている頬を手のひらでグイと拭《ぬぐ》った。

もし何かあったら——表現を逃げることでそれを一番怯えている。口に出したら本当になるのではないかと。

そもそもあり得ないのだから率直に言ってやる。

「うちの艦で人死になんか出すか！　バカな心配すんな！」

怒鳴ってから夏木は舌打ちした。泣かしてんのか俺は。望が泣いたら一番困惑するくせに、何でこんなときに叱るしか能がない。何故とっさに巧く言葉が出てこない。

「ごめ……なさい、」

懸命に泣き声をこらえようとする望がいたたまれない。たのむ謝るな。優しくできない俺が悪い。どうするんだこういうときは。

夏木は迷ったあげく望の頭を撫《な》でた。

「絶対見つけるし絶対無事だ。信じろ。——俺じゃ無理か、信じるの」

望が弾《はじ》かれたように顔を上げた。それから力一杯首を横に振る。

「いい子だ。もう一回奥から探すぞ」


泣くなと怒鳴る夏木の声が聞こえた。

望が泣いているのだ。

翔のせいで。——翔を閉じ込めた圭介のせいで。

喋らないから好都合だ。

喋らないことで翔に不本意な白羽の矢が立ったのだ。だとすれば、翔の声は本当に無駄か。

喋れさえすればこんなことに巻き込まれはしなかったのではないのか。

犬みたいに噛むしか能がない。悔しかったら喋ってみろ。

そんな侮辱を受けることも。圭介は翔の口を塞《ふさ》ぐことさえしなかった。

どうせ喋らないんだから必要ないと見くびられたのだ。

せいぜい恥かかせてやる。オマエの姉貴に思い知らせてやる。

圭介などが望に何を思い知らせるというのだ。

オマエの姉貴が好きな男なんかそんな程度、
望が何を好きになろうと誰を好きになろうと、それを圭介にそんな程度と嘲《あざけ》られる謂《いわ》れなど。

それでも翔がこのまま見つからなければ圭介の思う壺《つぼ》なのだ。

お姉ちゃん。

出したつもりの声はまだ出ない。お前の声に意味などない、無意識の重石《おもし》が載ったままだ。

意味ならある。

喋れたらあのときだって望に悲しい顔などさせなかった。

ごめんなさいと身振りを繰り返す翔に望は困ったような泣きたいような顔をした。

何で？　どうして謝るの？　分からないよ。

理解できないことが望を悲しませたのだ。喋れたらちゃんと説明できたのに。

救出が失敗したあのとき、子供たちを励まそうと懸命に明るく喋る望を助けたのは結局亮太だった。

本当ならその役は翔がやりたかった。望の話に合わせて、無理して声を弾ませて。

ごめんね。お姉ちゃんがみんなを励まそうと頑張ってたのに、黙って見てるだけでごめんね。亮太みたいに頼りになる弟じゃなくてごめんね。

こんなごめんなさいはちゃんと言わないと分からない。案の定、望を困らせ悲しませただけだった。

そして望は今も泣いている。

翔が喋れるだけで望が悲しまないなら、望が泣かなくて済むなら——そして望の好きなものが貶められないで済むなら、翔の声にはそれだけで意味があるのだ。

「おねえちゃんっ」

四年ぶりに出す声はかすれて音階も踏み外していた。

怯えるな。恥ずかしくなんかない。望に辛《つら》い思いをさせるほうがずっと恥ずかしい。

「お姉ちゃんっ!!」

今度こそ大きな声が出た。いつの間にか声変わりが始まっていて、覚えている四年前の自分の声とは全然違う声に聞こえた。

男子部屋の前を離れたときにその声は聞こえた。

お姉ちゃん。

記憶の中の声とはかなり変わっていたが、望をお姉ちゃんと呼ぶ声など一つしかない。夏木も気づいて男子部屋に走った。

入口のカーテンをはぐると中に圭介たちの姿はない。

「お姉ちゃん！」

不安定な声量は長年声を出していないためか。だが充分だ。

夏木が迷わず部屋の一番奥へ向かい、望も続く。

夏木が開けた収納ケースの中に、ガムテープで体中を縛り上げられた翔が押し込まれていた。

ひどい。

あんまり酷すぎて言葉が出ない。どうしてこんなこと。望が膝《ひざ》を突くと、夏木が翔をケースから抱えて出した。床に降ろされた翔の上半身を抱きかかえ、望は手に触れる端からテープをちぎった。

足のテープをものすごい勢いで引きちぎる夏木に翔が懸命に声を張る。

「夏木さん、上行って。圭介くんたち、外に出るって。夏木さんたちが、ぼくのこと探してる間に、出るって。夏木さんたちに、恥かかせるって。お姉ちゃんが好きな人なんか、圭介くんに恥かかされる程度だって。夏木さんは、そんな程度じゃないよね⁉」

望はぎくりと体を硬くした。翔は圭介の話を伝えるのに必死で、内容を斟酌《しんしゃく》するゆとりなどない。何をどう言い訳したらいいのか分からずに夏木のほうを窺うと、夏木も望のほうに顔を上げ、それから目の合う直前で翔を見た。

「ああ、任せとけ」

言いつつ夏木が立ち上がり、望の横を通り過ぎながら望の髪をぐしゃっと掻《か》き回した。

「あと任せたぞ」

夏木が立ち去ってから、望は大きく息を吐《つ》いた。

翔の腕のテープを全部ちぎってやると、足は翔が自分で取った。

「早く上行こう。みんなまだ探してるよ」

「お姉ちゃん、ごめんね」

「翔のせいじゃないもん。無事でよかった」

「さっきの、言っちゃって、ごめんね」

真っ向謝られて、望の表情は複雑になった。途中まで対象は二人だったのに、翔がどうして最後に迷わず夏木と断定したのかとか。

「──それも翔のせいじゃないからね」

元はといえば圭介が悪い。

「翔が喋ってくれたからもういい。全部いい。行こう」

言いつつ望は翔を立たせた。


「ねえ、やっぱり危ないって」

発令所で怖気づいたのは年下の二人だ。

圭介は無視して潜望鏡を上げた。夏木と冬原が使うところを何度も見ているから手順はもう覚えている。

外ではもうNBCテレビの取材班がヘリで待機している筈《はず》だ。民間のレスキューを手配して、レガリスの射撃許可をもらっている猟友会の人を二人乗せていると言っていた。

独占インタビューを受けるのと引き換えにタダでレスキューを手配しろという要求を、取材がえげつないことで知られるこのテレビ局は一も二もなく受け入れている。ここまでは圭介の思いどおりにすべてが進んでいた。

夏木たちのやっていた通り、潜望鏡を低く上げて一周して確認する。

「大丈夫だ、今レガリス登ってない」

「でも」

「やっぱりまずいんじゃねえ?」

雅之まで反対しはじめる。何だ、今さら。圭介は雅之を睨みつけた。雅之はそれでも黙ろうとはしない。

「失敗したら死んじゃうかもしれないんだぜ」

「失敗なんかしねえよ!　今度は撃てる奴らがいるんだ!」

「でも、達也と哲平のことまで責任取れるの、お前」

「責任って何だよ、お前ら反対しなかったじゃねえか!」

「失敗したら年上の責任になるって」

いつもならすぐに引く雅之がなかなか引かない。そのことにも苛立つ。オレに逆らうなんて。誰もオレに従わないなんて。

圭介の意見が孤立するなど生まれて初めての経験だった。何という不本意な経験だろう。

「やめたきゃ勝手にしろよ！　オレは強制したわけじゃないからな！」

怒鳴ると、達也と哲平がびくっと後じさった。

「オ……オレやめる！」「僕も！」

口々に叫んで発令所を飛び出していく。勝手にしろと言いつつ実際に勝手にされると無性に腹が立つ。

「お前もやめたきゃやめろよッ」

残った雅之に吐き捨てると、雅之は困ったような顔をした。

「やめようってば。今だったら夏木と冬原に頭下げるだけで済むじゃんか。すっげえ怒られるけど怒られるだけで済むじゃん。テレビ局にだって出る直前で見つかったって言えば言い訳が立つしさ」

「うるせえよ！」

圭介が昇降筒のほうへ歩き出すと、雅之が圭介の腕を摑んだ。

「お前、誰の手摑んでんだよ」

ねめつけると雅之は怯《ひる》んだ顔をしたが、それでも摑んだ圭介の手は離さない。

「やめろって。テレビの人だってお前の味方なんかじゃないぞ。あの人たち視聴率とか欲しいだけだぞ。お前のことなんか責任持ってくれっこないよ」

「お前のことなんかって、誰に向かって言ってんだお前！」

「いいかげんにしろよ！」

雅之が怒鳴り返した。そんなことは物心ついてから一度もなかったことで、一瞬びくりと体が竦んだ。その竦んだことがますます圭介を意固地にする。

「何ムキになってんだよ！ ムキになりすぎてもし死んだらどうすんだよ！ うちのお母さんだって、いくらお前のおばさんが言うことでもこんな危ないこと勝手にやるのはおかしいって言ってたぞ！ こんな話に乗るテレビ局も低俗で信用できないって！」

「ママの言うこと聞いてろ、バカ！」

「どっちがだよ！」

痛烈な皮肉を叩き返されて、頭が沸騰した。何か自分でも訳の分からない言葉を喚《わめ》きながら、足が真正面から雅之の腹を蹴飛ばした。

吹っ飛ばされた雅之が床で強く頭を打つ。頭を抱えてのたうつ雅之を見て、鳩尾《みぞおち》がすうっと冷たくなった。

そして昇降筒へ駆け込む。もう今さら引っ込みなどつかない。夏木と冬原に頭を下げるだけ、死んだほうがマシだそんなこと。

上へ長く続く銀のハシゴを、圭介は意地だけで登りはじめた。

冬原とは発令所の直前で行き会った。明らかに冬原も事情は知っている様子だ。

「翔は見つかった、望と一緒だ」

「こっちも中二と中一の子から事情聞いた。例の虐待情報売りはじめたテレビ局と結託してね、民間レスキューで感動の脱出劇やる腹だったんだってよ」

「登ってくるレガリスどうする気だ！」

「害獣駆除の特別許可もらった猟友会使うんだって。まだ許可期限切れてないんだろうね」

「素人が！　狙撃《そげき》でもできる気か！」

発令所に駆け込むと、床で雅之がのたうっている。後頭部を両手で抱え込み、どうやら頭を打ったようだ。

「大丈夫か⁉」

夏木が助け起こすと雅之は床に座り込んでコクコクと頷いた。

「オレ大丈夫だから……圭介が上に行っちゃったんだ、早く」

夏木は返事も惜しんで昇降筒に飛び込んだ。上のハッチはもう開いている。ラッタルを駆け登ると、やや遅れて冬原が続いた。「コブできてたから大丈夫」一応雅之の怪我を見たらしい。あとは圭介だ。

無事でいろよ、ガキ。

十メートルもないセイルをこれほど遠く感じたことは今までなかった。

見様見真似でハッチを開けると、いきなりヘリの爆音が降ってきた。セイルに登ると近くにホバリングしている。

ヘリはキャビンがもう開いていて、ハーネスを着けた救助のスタッフがこっちに手を振って

いる。圭介も手を振り返した。

恐る恐る下を窺うと、甲板をレガリスがぞろぞろ這《は》っている。でもこれほど高さがあるなら

そんなにすぐここまで登ってこられるはずがない。
やっぱりあいつらがヘボなんだ。そう思うと溜飲《りゅういん》が下がった。

ヘリが位置を微調整しながらセイルの斜め上に来た。そして救助員がキャビンから滑り出る。

ウィンチがケーブルを繰り出す――と。

数メートル下りたところで降下員が慌てたように上に向かってバツ印を何度も作った。また

巻き上がるのでどうしたのかと思ってセイルの縁に歩み寄ると、

喉《のど》の奥で息がかすれた音を立てた。レガリスたちが一斉にセイルを登りはじめている。甲板

のものだけではない、海中からも埠頭《ふとう》からもわさわさと艦に乗り移り、仲間同士を足がかりに

してどんどん登る。その速さは予想を遥《はる》かに超えており、瞬く間にセイルの半分以上に達した。

やっぱり駄目だ。戻らないと。夏木たちに怒られるのは業腹だが仕方ない。ハッチに戻ろう

としたら、近くで銃弾が跳ねた。どこで跳ねたか分からないが、すぐ近くだ。見るとヘリから

銃が構えられている。圭介を狙ったのではなくレガリスだろうが、狙いが甘いのだ。

恐怖で足が竦む。後の銃弾はセイルの側面に当たっているようでレガリスにも当たっている

のだろうが、また外れて近くで跳ねるかもしれないと思うと動けない。その間にもレガリスは

どんどん登ってくる。

死んだほうがマシだなんて。どれほど薄っぺらい意地だったか今さら思い知る。死んだほうがマシなんて言いながら本当に死ぬことなんか思ってもみなかったのだ。

「撃つな――――ッ!!」

怒号に振り向くと夏木がセイルに上がるところだった。

「子供が竦んで動けない、撃ち方やめろ！」

足が竦んでいることまで見抜かれている。圭介は半泣きになって夏木を見つめた。レガリスはもう足元だ。夏木がヘリに向かって何度も追い払う仕草をしながら圭介に駆け寄る。

「走れ！」

圭介を抱えて半ば引きずるようにしながら夏木が怒鳴る。

「死にたいのか、足動かせ！　男だろうが！」

固まった足を懸命に右、左と動かす。歩き方を忘れてしまったかのようで意識しないと腿《もも》が上がらない。

上部指揮所に飛び降りたときも足が立たずに潰れた。

「入れ、早くッ」

夏木の声も切羽詰っている。一段低い指揮所からはもうレガリスの上体が煽《あお》る角度で望める。

「下りろってんだ、あほう！」

がくがく震える足を何とかラッタルに乗せたがどうしても下りていけない。足をラッタルの上で交互に動かして下りるなんてそんなフクザツな動き、

「駄目だ落ちるよッ！」

「じゃあ落ちろ」

夏木が上から容赦なく蹴落とした。震えてほとんど萎《な》えている足はその衝撃をこらえきれず、あっさりとラッタルを踏み外して落下した。

上がり放題上がった悲鳴が途中で止まった。

落下が止まったのだ。

「くっそ、夏木の奴ムチャしやがって」

下から冬原の声がした。見ると冬原に受け止められている。昇降筒の途中で待ち構えていた冬原に引っかかる形で抱きとめられたのだ。

「気ィ失ってないならさっさとラッタル摑んでくれる？　柄ばっかりでかいガキ支えんの結構難儀でね」

言い返す言葉もなくラッタルを摑んだ。

「行くよ」

素っ気なく声を掛けた冬原がラッタルを下りる。数段下りるごとに圭介を待つペースだった。

ようやく全部を下りてから、よろよろと昇降筒をまろび出る。出てすぐの操縦席に座り込むと、律動的な足音がラッタルから降ってきた。冬原がそそくさとその場を逃げる。

逃げた理由はすぐに分かった。

ラッタルから下りてきた夏木が物も言わずに圭介の胸倉を掴み上げて立たせる。

そして手加減なしに引っぱたかれた。

平手だったのに吹っ飛ばされて尻餅《しりもち》を突いた。そこを再び掴み上げられ、思わず首を竦める と夏木が顔を間近に寄せて怒鳴った。

「誰が勝手に死んでいいなんて言った！」

声に殴られたようにまた首を竦める。

「いいか、お前らを助けるために艦長が死んだんだ！　艦長の代わりに助かったお前らが勝手に死ぬ権利はこの艦の中にいる限り一切ない！」

圭介は打たれたように息を潜めた。反発が頭をもたげようとして何度も萎える。

死ぬ権利がない。勝手に死ぬことを認めない。

それほどの義務を課して生かされたのだと夏木に突きつけられる。

激怒している夏木の顔も、冷たく見下ろす冬原の顔も、どちらも本気で怒っている。

あれほど日頃いがみ合って圭介がどれほど歯向かっても、圭介が勝手に危険な目に遭うことだけは夏木も冬原も絶対に許さないのだ。

下手な射撃とレガリスが迫る中、夏木は何の迷いもなく圭介を助けるために外へ飛び出した。冷たく皮肉を言いながら、冬原は昇降筒を降りる圭介をずっと支えていた。

今まで歯向かい続けてきた圭介にいい感情を持っている筈はないのに、それでも感情で義務を投げはしないのだ。

夏木が摑み上げた圭介の襟を突っ放した。よろめいてまた尻餅を突いた圭介の横をかわし、無言で発令所を出ていく。

冬原が圭介の横にしゃがみ込んだ。

「それとね。中学生の後輩くんが圭介くんを止めてって俺を呼びに来たよ。君が突き飛ばした雅之くんも君のこと必死で止めたんだろうね？　君はみんなにぞんざいなのに、みんなは君を大事にしてくれてよかったね」

いっそ優しいほどの声で語られる皮肉が突き刺さる。

もしかしたら生まれて初めて感じる恥じ入るという気持ちかもしれなかった。

室内に低く視線を巡らすと、入口に三人分の足が立っていた。雅之たちがそこに立っているのは分かったが、どうしても顔が見えるところまで視線は上がらなかった。

夏木が重い足取りで通路を歩いていると、向こうから翔と望が駆けてきた。かけるがかける、名前の通りだなとバカなダジャレを考える。

「夏木さん」

まだ不安定な声量で翔が呼ぶ。近くまで来て夏木の表情が暗いのに気づき、ぱっと翔の表情も翳《かげ》った。

「……大丈夫でしたか」

望に訊かれて、夏木は翔の前にしゃがんだ。目線を合わせて翔の頭にぽんと手を置く。

「大丈夫だった。全員無事だ」

翔に向かって答えたことに他意はない。そのはずだ。子供の言うことを真に受けるほどバカではない。

ただ、望はときどき子供に見えないのでさっきの今では表情の選択に困る。

「お前にやったことも謝らせてやりたかったけどな。今はちょっと叱れないんだ。あいつ死ぬような恐い目に遭ったから。それをもう二度とすんなってことしか言えないんだ」

「いい」

翔は頷いた。

「夏木さんたちが『そんな程度』じゃなかったから、いい」

今それを蒸し返すかと苦笑する。望も焦った様子で翔をたしなめる。

「おう。中学生のガキごときに見くびられてたまるか」

夏木さんかっこいい、と翔が笑った。

「翔！」

夏木の背後から亮太の声がした。

「よかったぁ……どうしたのそれ⁉」

安堵《あんど》の声がそのまま驚きに変調する。翔の着ているぶかぶかの制服には、まだガムテープの切れ端がたくさんくっついている。

「圭介くん。ひどい目に遭っちゃった」

「うわぁ、また？　何でこんなことするんだろうね……」

普通に話していた亮太が途中で気づいて目を丸くした。そして望を見上げ、夏木を見上げ、また翔に目を戻す。

「翔、喋ってるよ⁉」

翔が照れくさそうに笑う。亮太は焦ったように望と夏木を交互に見上げた。

「どうしてびっくりしないの⁉　翔が喋ってるんだよ⁉」

「俺たちはさっき聞いたんだ」

ああそっか、と亮太がまた翔に目を戻した。

「よかったねえ、翔！　ぼく、翔の声初めて聞いた！　ぼくより低いね、いいなあ」

「うん、声変わり始まってた」

二人ではしゃいで飛び跳ねるので窮屈な通路がますます狭い。しかしはしゃぎたいのだろうから夏木は二人を少し避《よ》けた。

そう言えば声の低さでオトナ度を測る年頃もあったなと懐かしく思い出す。

ふと気づくと、はしゃぐ二人を見ながら望がまた泣いている。

「ああもう、何でもかんでも泣くな、お前は」

夏木は袖《そで》で荒っぽく望の目元を拭った。すぐ手が届くのは数少ない狭さの利点だ。隊員同士ではまかり間違っても生かしたくない利点だが。

「お前の泣いてるとこばっか当たってる気がするぞ、俺は。たまには笑え」

「……笑ってるときだってあるじゃないですか。夏木さんの前なら」

望が涙を拭《ふ》きながら笑う。

その笑顔は今までで一番子供を逸脱していて、夏木はまた何気なく目を逸《そ》らした。

*

午後になってから自衛隊の出動についての連絡が『きりしお』にも入った。やはり防衛出動は認められず、特殊災害ということで処理したらしい。

協議の争点は火力の制限に終始し、結果として航空兵器と誘導弾の使用は禁じられた。射程についても制限が設けられ、最大射程火器は普通科配備の迫撃砲までとなる。自動的に機甲と特科の出動もなくなった。

ヘリは偵察と輸送のみ使用可、射撃の範囲はおろか角度と方位も厳しく制限される。

陸上作戦展開中の『きりしお』に対する配慮は、横須賀港に面した地区では俯角《ふかく》射撃を許可しないことと使用火器を重機関銃までとすることで対処することになった。また、米軍基地内のレガリス掃討は自衛隊と米軍の共同作戦となり、使用火器や射撃条件などの制約は米軍にも適用される。

微に入り細に入りの制約付きではあるが、軍事的な出動命令が正式に下され、現在は明朝の作戦開始に向けて第一師団の保有弾薬を武山駐屯地に集めているところだという。

警察の協力で必要な交通規制なども速やかに行われ、輸送は順調に進んでいるらしい。

「ピンですか？」

夏木は無線に問い返した。相手は『きりしお』の所属する第二潜水隊群の群司令部である。

「打つんですね？　二時間後。一六三〇《ヒトロクサンゼロ》、一回。了解しました」

「え、何、ピン打つの？　何で？」

無線を切った夏木に冬原がさっそく尋ねる。

「いや、警察からの情報でレガリスが音で操作できる可能性があるんだと」

「ああ、そういえばテレビで言ってたね。意外と頭良くて音波で意思疎通するんでしょ。でも何でピンよ」

潜水艦の音響探知機《ソナー》にはパッシブ・ソナーとアクティブ・ソナーの二種類があるが、能動的に探索音波《ピン》を打ってその反射音波で周辺情報を得るのがアクティブ・ソナーだ。パッシブより精密な情報が得られるが、他艦からも自艦の位置が明確になるため、実戦では多用されない。

「『きりしお』入港とほとんど入れ違いのタイミングで原潜が出航したの覚えてるか」

「ああ、うちらが入る前日に出たのがいたってね」

「あれが出航した直後のタイミングで何度かピン打ったらしいんだが、レガリスはそのピンをたどって横須賀基地近辺に来たんじゃないかって話だ。それを確かめるのにピン打ってほしいんだとよ」

冬原が軽く眉《まゆ》をしかめる。

「ちょっと待ってよ、何で警察がそんな情報持ってんの」

「レガリスの専門家を確保してレガリス予測がことごとく当たってるらしいからな。レガリスが釣れるってことで情報融通したんだろ」

要するに、女王エビの持つ群れ全体への命令音波とピンの音域が類似している可能性があるという話だ。生物の発振出力と潜水艦の発振出力は恐らく桁違《けたちが》いだろうし、潜水艦の発振出力に負けて結果的に群れが移動してしまったのではないかとのことである。

「そのうえ、うちのフローティングアンテナも関係してそうなんだと」

「と言うと？」

「救助活動が失敗したときのこと覚えてるか」

救助員がホイストで降下を始めた途端、レガリスがセイルを登攀《とうはん》しはじめた。

「今日のテレビ局もやっぱりウィンチ動かした途端に気づかれたらしい。どうやらウィンチでケーブル繰り出す作動音が〝働きエビ〟同士のコミュニケーション音波の音域と被《かぶ》ってんじゃないかって」

「なるほどね……」

潜水艦が海中で無線を受信するための各種アンテナもケーブル状アンテナを繰り出す形式だ。入港前は無線連絡の頻度が増えるのでアンテナの出し入れも頻繁になる。

「原潜のピンで横須賀に向かってたのを俺らが玄関まで連れてきちゃったわけね。そういえばレガリスの上陸って俺らの入港日のすぐ後だったよなぁ」

「その専門家の推測が当たってたらの話だけどな」

推測が当たっていれば、陸上の群れを掃討後に海中の群れを音で沖合いにおびき出し、爆雷で処理することになる。

「いや、もう当たっててほしいね。当たってたら掃討戦も『きりしお』が被弾しない地区までレガリスを誘導してくれるんでしょ？　まかりまちがって停泊中に被弾なんてことになったら納得できないもん、しかも携行火器なんかでさ。恥だよ恥」

冬原がやけになったように話を投げ出す。夏木はつまらなさそうに肩をすくめた。

「それが恥ならもうかいてるよ。例の猟友会はレガリス撃つよりセイル撃つほうが多かったんじゃねえか」

「うわ、むかつく！」

冬原が珍しく声を荒げる。負けず嫌いなことでは実は夏木に引けを取らない。一頻《ひとしき》りテレビ局をこき下ろしていたが、やがて溜飲が下がったのか話を変えた。

「にしても、警察は事件発生からえらく動きが良かったね」

警備の不備や損害責任を問う声もあるが、最小限の被害で食い止めたという評価が概《おおむ》ねだ。初日にものの数時間で機動隊が現着するのを夏木たちは目の当たりにしているし、レガリスの正体その他も警察が突き止めている。

「何でも、現場の采配《さいはい》振るってたのが昔警視庁で警備のカミサマって呼ばれてた人間らしい。後で合流した幕僚団の団長も切れ者だって話だしな」

「現場レベルの混乱とかほとんどなかったってね。防衛線の展開も早かったし」

そのうえ、自衛隊が出動するお膳立《ぜんだ》てまで整っていたとのことだ。不入斗《いりやまず》公園の警備本部がそのまま自衛隊の戦闘指揮所として引き継がれ、現場の地理条件など攻略に必要な詳細情報も提供されたという。

出るに出られず官邸をつつくばかりだった防衛省とは随分な差をつけられた形だ。

最終的には警備不能を宣言することになったが、これは狙って仕上げを投げられたと考えるべきだろう。

「冬原さん！」

いきなり発令所に飛び込んできたのは木下玲一だ。

「今テレビで出動決まったって！　生テープある⁉」

「何だいきなり」

呆気《あっけ》に取られた夏木に対し、冬原は落ち着いたものである。

「ないよ、そんなもん。そもそもうちのビデオは再生専用、テレビ映らないときのほうが長いんだからね」

「じゃあ電話貸してよ、家に録画頼まなきゃ！」

「はいはい」

冬原が放った携帯をキャッチして、玲一は昇降筒の中に駆け込んだ。そして「早く早く」と急《せ》き立てる。

「何だ、ありゃ」

首を傾げた夏木に、冬原が潜望鏡を出しながら答える。

「軍事マニアなんだってさ。明日の陸上作戦の中継録《と》りたいんじゃない？」

「奴があんな興奮してるの初めて見たぞ」

言われたことには逆らわないが、返事はいつも平坦で自分から話しかけることもろくにない。そういうキャラだと思っていたところへ意外な姿である。

「冷めた振りしててもちゃんと子供だよ。はしゃぐツボがあんまり一般的じゃないけどね」

冬原も苦笑している。そして潜望鏡でセイル上を確認しながらついでのように言い足す。

「そう言えば、さっき望ちゃんたちが電話掛けに来たよ」

「そうか」

「翔くんが喋ったから叔母さん泣いてたってよ。よかったね」

「……そうか」

圭介のやったことは到底許されることではない。自分勝手でわがままでしかも悪質だ。

しかし、たった一つ救いがあるとすれば、無理強いではあっても翔が喋るきっかけになったことだ。

亮太と喋るはしゃいだ翔の顔。泣きながら笑う望の顔。それに免じてその一点だけ評価してやってもいい。

「ねえ、早く！」

玲一に急かれて夏木は昇降筒に向かった。

＊

十六時三十分、『きりしお』の打ったピンに対するレガリスの反応は激烈だった。

次々と艦体に群がるレガリスが『きりしお』のフォルムそのものを変え、まるで甲殻の巨大な群体のようになった。最終的には喫水線が下がった程である。

水中で発せられた音波のためか、地上の群れには影響しない。

その様子が観測ヘリから撮影されて、映像が警備本部のレガリス検証チームに届けられた。芹澤斉博士《せりざわひとし》を中心とする検証チームは、ピンの音域が女王エビの救難要請音波と類似している可能性を指摘した。女王エビを守るために群れているようで、『きりしお』は女王エビの敵として認識されたらしい。群がった個体はそれぞれに『きりしお』を攻撃しようとしているようだが、群がりすぎて逆に身動きが取れなくなっている。

群れが散るまでに要した時間は結果的に不明。群れが散る前に翌日のレガリス海中誘導作戦が開始されたからだが、現時点でそれを知る者は未《ま》だない。

この結果を以《もっ》て、海中のレガリス群の誘導には潜水艦のアクティブ・ソナーが使われることになり、熊野灘《くまのなだ》沖を航行中だったはるしお型六番艦『ふゆしお』が横須賀《よこすか》へ針路を取った。

横須賀現着は明朝が可能だが、陸上作戦の終了まで大島近海で待機を命じられる。

陸上作戦の開始は明朝五時、作戦の終了まで八時間が見込まれている。海中の群れの殲滅《せんめつ》は陸上作戦の目処《めど》がある程度ついてからの開始となる。

米軍基地内に保護された民間人の移送は、日米の共同作戦が決定した時点で一時中断された。レガリスの徘徊《はいかい》する中を移送するよりも、シェルターに民間人を保護した状態で陸上の群れを先に掃討するほうが安全であるという判断からだ。陸上戦なら精度も威力も爆撃ほどの衝撃はない。

移送はレガリス掃討後に再開される。

また『きりしお』の救出に関しては、海中の群れの誘導後が予定されている。

＊

レガリスの掃討が順調に行けば明日には救出される。

それを聞いた子供たちは喜びながらもまだ信じきれないようで、盛り上がりは微妙だった。先日期待外れを経験させたばかりだから無理もないが、夏木たちとしては苦笑するしかない。

食事の始まる前の食堂には子供たちが勢ぞろいしている。——圭介以外。

騒ぎに関わった他の中学生たちは一応姿を見せている。この三人は騒ぎの後、しょげた様子で謝りにきた。まだ夏木たちと顔を合わせるのは気まずそうだが、茂久とはぽつぽつ喋ったり何かを手伝ったりしているようだ。

微妙な空気の中学生に対して、小学生たちは屈託がない。笑って喋っている輪の中には翔もいて、翔が喋ることは既に当たり前のことになっていた。

「圭介は？」

夏木が訊くと、雅之がやや気後れした様子で答える。

「寝てる。起きない」

「じゃあ救出の件、後で伝えてやれ」

どうせ食事にも出てこないつもりだろう。夏木は肩をすくめて通路の壁にもたれている冬原のところに戻った。夕食の支度は最終段階で、ここまで来ると夏木も冬原も出番はない。大量の剝《む》いたり切ったりが終わっているからだ。その段階が済むと、茂久にとって手伝いは却って邪魔らしい。

虐待説が取り沙汰されてから、子供にできるだけ調理などを手伝わせないようにという指示が司令部から出ている。まかり間違って怪我でもさせたらまたぞろ勘ぐられるネタになるので、刃物を使う作業はできるだけ夏木と冬原で賄っているが、茂久はおかんむりだ。下手な大人に任せることが納得行かないらしい。

「圭介の奴、不貞寝《ふてね》だとよ。意地だけはしつこく張りやがる」

ぼやくと冬原が笑った。

「まぁそういうお年頃だからね。ほっとこう。俺たちが説教する義務も権利もあるじゃなし」

ナチュラルに割り切れるところが冬原の得なところだ。

「ま、朝飯は食ってたし昼と夜食わなかったくらいで倒れたりはしないでしょ」

それよりはむしろ、と冬原が配膳の準備を手伝っている望を見る。補給長の判断により望はあまり調理に関わらせてもらえないのだ。

「俺としては、何であんたたちが意識しあってる中学生みたいになってんのか謎なんだけど。何かあったの？」

「何もあるか、ガキ相手に」

一蹴《いっしゅう》するが、自分のほうも「中学生みたい」に見えていることが不本意である。

「仕方ねえだろ、俺が見ると固まるんだから」

昼間の騒ぎから、目が合うと望が変にぎこちなくなったりするので、多分お互い微妙に視線を避けている。そうすると、却ってどこにいるかは常に意識するのだ。

配膳を手伝っていた望がこちらを向きそうになったのを視界の端で捉《とら》え、反射的にテレビの画面へ視線を逃がす。逃がしてから舌打ち。案の定冬原が喉の奥でくつくつ笑う。

お互い見てないのにそんだけタイミング外せるのもすごいね。楽しそうにからかう声がまた不本意だった。

夜のニュースでレガリスの群がった『きりしお』の様子が放送された。何かの生き物みたいになっている『きりしお』に子供たちが不安そうにざわめいた。

「何でこんなに集まってんの？」

自分の食事を取って最後に席に着いた茂久が薄気味悪そうに尋ねる。

「俺らが夕方ピン打ったからそれに反応してるらしい」

夏木が答えると子供たちからピンとは何か質問の声が上がったので、簡単に説明する。説明の要らない玲一は「何で打つとこ見せてくれないんだよ」とむくれて冬原にあしらわれた。

「ねえ、破られたりしないよね？」

亮太が心配そうに訊く。多分、全員の不安の代弁になっている。

夏木は笑った。

「外殻に瑕《きず》くらい付くかもしれないけどな」

「でも、機動隊の盾とかボコボコにされちゃったって言うよ」

「ぺらいジュラルミンと一緒にすんな、耐圧殻を。キチンのハサミ程度で穴が開くなら潜った途端にペチャンコだ」

「そっか、潜水艦って沈んでも平気なんだもんね」

「沈む言うな」

大人気ないとは思いながら亮太の言葉を訂正する。

「潜水艦は潜るんだ、沈むんじゃない」

亮太は「潜る」と「沈む」の区別があまり理解できないようだったが、潜水艦に沈むという用語が使われるのは撃沈のときだけである。縁起でもない。

艦長も見学者が「沈む」と言うといちいち訂正していたな、などとそんなことを思い出す。

「ねえ、何メートルくらい潜れるの」

「国家機密だ。口外したら刺客が来るから言えねえよ」

ニュースは明日の作戦予定や装備の詳細、交通規制の情報などを報じたが、昼間のテレビ局の醜態については軽く流した。しかも、保護者の要請を受けた民間レスキューが救出を試みて果たせなかったという内容になっており、テレビ局の関与には触れていない。

他局なら批判するのではと確かめたが、やはりスルーだ。掃討作戦の決定という大ニュースのため、些細《ささい》なトラブルとしてかすんでしまったらしい。

問題の局には防衛省から厳重な注意をしたというが、罰則や社会的制裁が伴わない抗議など報道にとっては蛙の面に水だろう。

――圭介は結局、全員の食事が終わっても姿を現さなかった。

冬原が食べ終わる早々就寝に引き上げ、子供たちの後片付けを見届けた夏木が食堂を出ると、軽い足音が追ってきた。

「夏木さん」

声を掛けられるより先に分かった。子供の走るばたばたした足音ではないからすぐ分かる。

「どうした」

「あの、」

望はちょっと困ったように俯《うつむ》いた。「電話、とか……」

夏木は顔をしかめた。

「悪いが当分出せねえぞ、外の様子テレビで見たろ。剝《は》がれる気配もねえ」

「あ、違うんです。電話は昼間も冬原さんに掛けさせてもらったんです」

「ああ、翔が家に電話したってな」

「そうなんです」

望がやっと話の接ぎ穂を見つけたように話し出した。

「叔母さん、すごく喜んでて泣いちゃって。翔の声、全然変わったって、それで」

思い切ったように望の顔が上がる。

「連絡先とか、教えてもらえませんか」

言ってからまた顔が下がる。髪の隙間から覗く耳が赤い。

「あの、叔母さんが今度お礼言いたいって。夏木さんのおかげで誤解が解けたから」

「——バカ」

理由まで用意してたんならもっと平然と訊け、と内心でぼやいて頭を掻く。でないと——いくら俺が鈍くても言い訳だって丸分かりだろうが。

「俺が何とかしたわけじゃねえ。叔母さんとのわだかまりを何とかしたいと思って電話掛けたのはお前らだろうが」

「でも、夏木さんが名前のこと言ってくれなかったらまだ拗《す》ねてたし」

「そんでも叔母さんに歩み寄るって最後に決めたのはお前らなんだよ」

望はまだ食い下がろうとしたが、夏木は先に切り上げた。

「どうしてもってんなら横須賀の総監部に礼状でも送ってくれ、そういう話は広報が喜ぶ」

望の顔は見ないで踵《きびす》を返す。ひどく傷ついた顔をするのが分かっていたからだった。


自分のベッドにずっと籠もっていた圭介のところにやってきたのは茂久だった。

うつ伏せに寝ていた姿勢からじろりと目線だけ上げて睨む。

「笑いに来たのかよ」

「笑わないよ」

茂久は真面目な顔で答えた。

「笑いごとじゃないし」

笑いごとで済むような話じゃない、と改めて突きつけられる。その重さに心の中は慄くが、

「じゃあ説教か」

口に出る言葉はやみくもに尖《とが》ったままだ。

「オレが何言ったってどうせ聞かないだろ。無駄だから言わない」

無駄だからと片付けられたことがまた気持ちを騒がせる。まるで見捨てられたようだった。

茂久なんかに見捨てられるも見捨てられないもない、こいつはみんなの中で一番バカで鈍くて女がやるみたいなことしか巧《うま》くなくて、オレがお情けで仲間にしてやってたんだから。

それでも茂久のほうから見限られるとなったら気持ちが怯んだ。

どうして。オレが仲間にしてやってたのに。別にこんな奴がいてもいなくても変わらないし、

どうでもいいのに。

どうでもいいはずなのに胸が不安なようにざわざわ騒ぐ。そのざわつくことがまた不本意で、ますますココロがひねこびる。

もう疲れた。ひねこびたココロの隅は確かにそう言っているのに、どうやったら終われるか分からない。自分が間違っていたことを認めたら楽になれると分かっているのにどうやったら折れられるのか分からない。

謝ればいいのだと常識として知っている、しかし。

謝るのは負けを認めることだ。負けるのはみっともなくて情けないことだ。だから負けるのは悪いことだ。負けを認めて謝ることも。

間違いを認めるのは負け犬になるということだ。

いつの間に植え付けられたのか分からない歪《ゆが》んだ価値観がどうしても圭介を折れさせない。

だってオレは成績だっていいしずっと優等生だったし親にも先生にもずっと認められてきたのにどうして今さら折れなきゃならない。

オレが今まで認められてきたならオレは正しいはずじゃないか。

「これ」

言いつつ茂久が枕元にアルミホイルの包みを置いた。

「おにぎりにしといたから食えよ」

「要らねえよ」

から、夜中には厨房《ちゅうぼう》使わせてくれないからさ」

「後で腹減るかもしれないだろ。置いとけよ。夏木さんたち、夜中には厨房使わせてくれないからさ」

「何でもあいつらの言いなりかよ」

もう疲れているのに意固地な言葉は止まらない。茂久が呆《あき》れたような顔をした。

「あのさ。もともとあの人たちの場所じゃん、ここは。ここのルールはあの人たちが作るのが当たり前じゃないの。言いなりとは違うだろ」

好きでここに入ったわけじゃない、とはさすがにもう言えない。艦長の代わりに助かったと昼間夏木に突きつけられた。もう一度突きつけられるのはさすがにこたえる。

「じゃあな」

茂久が立ち去りながら最後にもう一度振り向いた。

「あのさ、オレは関係ないからいいけどさ。雅之たちには謝っといたほうがいいよ」

君はみんなにぞんざいなのに、みんなは君を大事にしてくれてよかったね。冬原の優しげで冷たい皮肉がまるで今聞いたように耳に蘇《よみがえ》る。

「あと、翔にも。酷いことしたの、分かってるんだろ」

そして茂久は部屋を出ていった。

残された言葉が心を騒がせた。酷いことをしたのだと今さら思い知らされる。

だってそれは。

母親が望と翔を嫌うから。圭介の母が嫌うような子供には酷いことをしてもいいのだ。

団地にふさわしくない人間をいつも決めてきた母が、団地にふさわしくない子供だと決めたのだから。

じゃあ、自分が翔にしたことはどうだ。「ふさわしい」行いか。誰もが酷いと眉をひそめるようなあの仕打ちは。そんなことをした圭介こそ「ふさわしくない」のではないのか。

そもそも何で母親はあの二人をふさわしくないと決めた。

最初にふさわしくないと決まったのは望だった。理由は——

引き取った須藤さんが養子にしないから何かあるに違いない。両親が死んだばかりのくせに笑って挨拶《あいさつ》したから薄情だ。そういえばツンとした感じでかわいげがない。

何てことだろう、支離滅裂で無茶苦茶な難癖だ。どうしてそんな意見が通るのか、どうして近所の人は黙って同調していたのか。


そんなんだからママに恋心まで操作されちゃうんだよ。


圭介が望を好きにならないように？　いや逆だ、初めて望と会ったときのことを思い出せ。

望の声が聞きたかったから引き止め、泣いているのを何とかしてやりたくてハンカチを貸した。初めて会ったときに既に好意を抱いていた。

だから母親は望を弾こうとしたのだ。小学生の子供が年上の女の子に少し憧《あこが》れを抱いただけのことで。

ぞっとした。

母親に操作されている自分を初めて知った。これから圭介が異性を好きになったら、母親は全部弾くつもりなのか。

オレはどうしたかったんだ。

思えば、自分がどうしたいかなど一度も考えたことがないような気がした。母親が気に入るようにさえしておけば。大人が誉めるような子供でいれば。

そうしておくのが一番楽だったのだ。

もしかしたら自分は怠惰だったのかもしれない。それも酷く。

一瞬心をかすめたその可能性から逃げるように、圭介は壁側に寝返りを打って目を閉じた。

＊

夜中になると、茂久が言ったように空腹になってきた。

もらっていたおにぎりを食べようとするが、寝静まった室内にアルミホイルの包みを開く音は思いのほか大きく響く。

食事を蹴ったのに夜食をもそもそ食べているなんて気づかれたら情けないので、包みを上着の中に隠して圭介はベッドから抜け出した。軒並みカーテンが閉まっている寝棚の間を抜けて外へ出る。

夜間の赤色照明の照らす通路を近くの洗面所へ向かったが、素っ気ない造りの洗面所で水をすすりながら食べるのも侘《わび》しく、結局食堂へ行くことにする。

と、食堂に向かう通路で角から出てきた望と鉢合わせした。タオルや洗面道具を抱えていて、どうやら出てきた通路の奥のシャワーを使っていたらしい。

望の顔が瞬時に強《こわ》ばった。

胸が軋《きし》んだ。もっと違う顔をするのを知っているのに、圭介にはもうこんな顔しか見せないのだ。考えなしに悪意を投げて、望が今まで我慢して普通にしていたから気づかなかったが、本当はもうとっくの昔に嫌われていたのだ。

圭介が通り過ぎると望は狭い通路で最大限に圭介を避けた。ものすごい警戒ぶりだが、もうそんなことは知ったことか。

望との間がこうなったことにはもう取り返しなど付かないのだから、今さらいじましく和解を求めたりするものか。本当はどうなりたかったかなど関係ない。自分がこの結果を選択したのだからそこから逃げたりするものか。

せめて今さら取り返しの付かないものに媚《こ》びたりしない。

「夏木さんたちのことどうする気」

背中から望が鋭く声を掛けた。振り返ると、意を決したような顔で圭介を睨んでいる。

「どうするって、何だよ」

「外出てから、何て言う気」

そんなことはもうどうでもよかった。望が惹《ひ》かれているのが分かったので途中からことさら歯向かったが、そんなことをしてどうにもなりはしないのだ。望は自分を認めるわけではなく、陥れられた夏木たちに幻滅するわけでもない。

圭介が望に悪意をぶつけ続けた過去が改竄《かいざん》されるわけではなく、望が圭介に嫌悪を抱く現実が変わるわけでもない。

そもそも、そうすることで自分がどうしたかったのかももう分からない。

望に何か思い知らせたかったような気がするが、何をどう思い知らせたかったのか。

「どうでもいい、もう」

もう疲れた、どこかで止まりたい。うんざりするような疲労が吐き捨てさせる。

すると望の声が更に険を含んだ。

「勝手なこと言わないでよ、あなたのせいで夏木さんたち処分受けるのに！」

思いつきで言ったにしてはけっこう大袈裟なことになってるんだなと他人事《ひとごと》のように思った。テレビ局を釣るのにちょっとドギツイ言い方をしただけなのに。叩かれたらざまあ見ろだとは思ったけど。

よく考えたら、中学生の一方的な言い分なのによくニュースになったものだ。意外と世間はバカな大人たちが回している。

オレは夏木たちに目にモノ見せてやると思ってただけなのに、ちょっとドギツイこと言っただけでまんまと真に受けて大騒ぎしてバカじゃないの。

「夏木さんも短気だったかもしれないけど、あなたのほうがずっといろんなところでみんなに酷かったよ。あなたがこれ以上夏木さんのこと悪く言うなら、私もあなたのこと全部言うから。翔にしたことも避難してからの態度も。夏木さんだけ一方的に叩いて終われると思わないで」

そんなに畳みかけなくても分かってるんだよ、そんなことは。お前が夏木を守りたくて必死なことなんか。オレにもう取り返しが付かないくらい怒ってることも。

だからもうそこまで徹底的に引導渡すなよ。

「勝手にしろよ」

投げやりに圭介が呟くと、望も「勝手にする」と吐き捨てて走り去った。

食堂に置いてある湯呑《ゆの》みに水を汲《く》み、圭介は食堂の椅子に腰を下ろした。狭い狭いと思っていた食堂だが、薄暗い照明の下で一人だとがらんとしている。

おにぎりは三つ入っていて、全部きれいな三角だった。

「すげぇなあいつ。どうやったらこんな三角になるんだろ」

男が料理なんかしなくていい、男が家事をするなんてみっともない。母親はよくそう言っているが、やっぱりおにぎりが三角に握れる茂久はすごいんじゃないだろうか。

母親がよく自慢にする「テストで八十点以下を取ったことがない」子供なんて神奈川だけで掃いて捨てるほどいるが、十五人分もの食事を一日三食作れる中三男子なんか全国にそんなにいない気がする。しかも同じ献立が続けて出てきたことはなかった。もしかしたら茂久は圭介の母親よりもすごいのかもしれない。

茂久の成績が悪いのを、圭介の母は「家が商売をやっているからだ」と言う。親が忙しくて子供の教育のことを考えてやっていないのだ、店が忙しいから子供にまで家事を手伝わせて、だから茂久はオチコボレてしまったのだと。

でも、たとえばテレビで「びっくり中学生特集」的な番組をやったとしたら、選ばれるのは圭介ではなくて茂久だ。

それに今はカッコイイ俳優や男性タレントが料理の腕前を披露して持てはやされたりする。そして母親はそういうテレビは喜んで見ているのだ。男が料理できるのも悪くないわねなんて、

——何だ。勝手なこと言ってるだけじゃないか。

おにぎりをかじりながら、テーブルにぱたぱたと水が落ちた。赤色灯に照らされてピンク色の涙。

「ちくしょう」

勝手な言い分で全然正しくなんかなかったのに正しいと信じ込まされて一体今までどれだけ踏み外したのか。

ちくしょう。正しくて立派な振りしやがって。ただの身勝手なオバハンじゃねえか。

身勝手なオバハンに気に入られるようにしていたら単なる嫌な奴になるのも道理だ。

年上の女の子に憧れる無邪気な気持ちも取り上げられて、今では敵意しかやり取りできない。あげく他の奴に惹かれていることを徹底的に思い知らされる。

あの人はお前なんかと全然違う、と。

お母さんのせいだ。
望とこんなふうになってしまったことも、夏木たちへの反発を取り返しがつかなくなるまで加速させてしまったことも、雅之を蹴って怪我をさせてしまったことも、茂久を今までバカにしていたことも、翔に酷いことをしてしまったことも、
自分が間違っていることを認められないのも、こんなに疲れたのにまだ折れられないのも。

本当は違う。

母親と同じ価値観になることで楽になろうとしていたのだ。

自分のしたいことや望むことが禁止されるのは嫌だから、母親と同じ価値観になったら自分の希望するものが母親の許す範囲に重なるから。

母親の価値観が偏狭で歪んでいることを知るより、正しいと信じて重なったほうが楽だから。

やっぱり自分は怠惰だったのだ。母親や周囲の大人の顔色を窺って一番イイ顔色が出るように立ち回り、それで自分の判断や決断をしたつもりになっていたのは。

そんなのは仕込まれた芸をする犬と同じじゃないか。ちゃんと躾《しつけ》られた犬のほうが無駄に人を嚙まないだけ上等なくらいだ。

心の底では気づいていたが、今は母親を責めないことには我慢できなかった。

最終日。――そして、

＊

四月十二日(金)、未明。

練馬《ねりま》より第一普通科連隊、武山《たけやま》より第三十一普通科連隊がそれぞれ出動した。

主力は第三十一普通科連隊、国道134号で三浦《みうら》半島を南から回り込み国道16号との合流点になっている三春町《みはるちょう》を目指す。第二次防衛線の最東端の出入り口《インター》が三春町二丁目交差点付近となっており、部隊はここから突入して西進する。

防衛線に沿って必要地点に守備隊を展開し、京急田浦《けいきゅうたうら》駅付近の最西端インターでは練馬からの第一普通科連隊がレガリスのインター突破に備えるが、基本的に攻撃は東側からのみを予定している。

部隊移動中の交通規制による混乱を最小限に抑えるため、夜中に出動した両部隊は早朝四時にはそれぞれの展開位置に到着していた。


「圧倒的です」——と、中継していた各報道機関はTVカメラに向かって述べた。

一方的な殲滅《せんめつ》であり、駆除であった。

最も心配されたのは東端インターから第三十一連隊が突入するときだったが、全車線に跨《また》がる門が全開した瞬間、乗り捨てられた車両もろともその場にいたレガリスの一群が消し飛んだ。

横一線に配置された60式一〇六㎜無反動砲四門が一斉に火を噴いたのである。

小型トラックに搭載された無反動砲は予定していた砲撃を終えて後退。代わって73式装甲車が前進。搭載された重機関銃で一帯を掃射し、重機が歩兵の援護付きで前に出て放棄車両などの障害物を車道から押しのける。重機が進路を空けるとまた装甲車が前進して掃射。

その手順を繰り返すことでレガリスを面で制圧、撃ちこぼした個体を歩兵の携行火器で掃討する。小銃でも三点バーストを二、三回頭部へ叩き込めばレガリスは沈黙し、重機関銃の掃射を受けた個体は原形もとどめない。

被害区域内は、吹き飛び砕け散ったレガリスの破片とその体液で溢《あふ》れた。部隊が前進するにつれレガリスの無残な絨毯《じゆうたん》が後方へ延びる。

昇りはじめた太陽がそれらを炙《あぶ》り、米軍基地正面ゲートに到達した九時過ぎには市街全体にトロ箱をぶちまけたような凄《すさ》まじい異臭が立ち籠《こ》めていた。

大量火器を保有しない警察で対処していたからこそレガリスは強敵だったのであって、発砲を許可された自衛隊にとってレガリスの群れは単なる的の群れに等しい。

レガリスは途中から逃げ回る一方になった。向かってくる群れに敵《かな》わないと学習した結果と思われた。多くの個体が逃げ、海に逃れ損ねた個体はそのまま西へと追い詰められる。

これほど圧倒的なのに——

「何故、最初から出さないィッ！」

机を激しく叩いたのは県警第一機動隊、住之江《すみのえ》小隊長である。

自衛隊に戦闘を交替した機動隊はそれぞれの本拠に既に引き上げており、県警一機も金沢区《かなざわく》の機動隊庁舎へ戻っている。

講義室のテレビは朝からNHKのレガリス掃討中継に固定されている。安全距離からの中継のため後方からの遠景ばかりだが、それでも自衛隊が圧倒的なことは分かりすぎるほどだった。分かりすぎるために憤る住之江の気持ちは、同じ部屋で情勢を見守る各隊長も、そして滝野《たきの》も同じである。

機動隊はレガリスに対してあれほど苦闘し、傷つき、県警一機だけでも一個中隊を下らない重傷者を出し、今集っている指揮官たちも負傷していない者はない。それでも結局レガリスを退けることはできなかったのだ。

そのレガリスの群れを自衛隊はまるで紙人形でも破くように引き裂いて進んでいる。機動隊にとっての強敵は彼らには障害物でしかないのだ。

ここまで圧倒的なら、武装を持たない警察がここまで損害を強いられる意味は何だったのか。ことに住之江は自分の小隊から長田《ながた》という犠牲を出した。長田の切断された右足を思わずにはいられないのだろう。

誰も慰める言葉を持たない。無駄で重大な犠牲を強いられたことは全員が知っている。

自衛隊さえすぐに出ていればこんなことには。

誰もが思うそんな仮定には意味がないのだ。それが叶《かな》わないのがこの国の形だ。

「架空の可能性を惜しむな。長田が救われん」

滝野はむしろ自分に言い聞かせるように言った。

「俺たちはそういう国の役人だ」

陸自の施設隊にも言ったことをもう一度口にする。

「次に同じようなことがあったら今より巧《うま》くやれるようになる、そのために最初に蹴《け》つまずくのが俺たちの仕事なんだ」

＊

誰が何と言おうと玲一《れいいち》は朝起きてからテレビの前を剝《は》がれようとしなかった。冬原《ふゆはら》に聞くと、作戦が始まる予定の朝五時にはもう起きてテレビを点《つ》けていたらしい。

画面には横須賀《よこすか》を進攻する自衛隊の様子が映っている。

「あっ96式四〇㎜自動擲弾銃《てきだんじゅう》。もう撃ったのか？　迫撃砲は来てないかな、擲弾銃はちょっとした迫撃砲並みの威力はあるはずだけど……」

ぶつぶつ言いながら食い入るようにテレビを見つめている様が異様なのか、年下の子供たちは玲一を遠巻きにしてあまり近寄ろうとしない。望《のぞみ》が「詳しいね」と声を掛けたら邪魔だから話しかけないでと一蹴《いっしゅう》された。

朝食も手が完全にお留守で、食べ終わるのが一番遅かったあげく、片付け役の雅之《まさゆき》たちから早く食べろとせっつかれる。

「玲一くんてオタクだったんだねぇ」

意外な様子の翔《かける》に望は苦笑で返事を濁した。玲一は日頃からあまり近所の子供たちと積極的に交流しようとせず、どこか冷めた感じのする子供だったので、モノが何であれこれほど熱中することがあるということ自体が意外だ。

これほど我を忘れて夢中になる姿を皆にさらすことも意外である。玲一にとってはそれほどの大騒ぎらしい。

確かに見知った街並が戦争映画のようなことになっている有様はあまりにも非現実的で度肝を抜く。さっきは三笠《みかさ》公園が映っていたがモザイク模様の路面は砕けてズタボロ、吹き飛んだレガリスの死骸《しがい》が小山の群れを作り、すっきりした公園の様子は見る影もない。

「ヴェルニー公園もあんなになっちゃうのかな……」

取り立てて好きというわけでもないが、汐入《しおいり》のダイエーに行くときは友達と歩いたりする。洋風のちょっとしゃれた造りだし（岸壁の手摺《てす》りから海を覗《のぞ》くと汚くて興ざめだが）、小さな薔薇《ばら》公園になっているので花の季節はけっこう綺麗《きれい》なのだ。

「望ちゃん、薔薇はもうレガリスに踏みつけられてぐちゃぐちゃだよ」

亮太《りょうた》がしたり顔で指摘する。

「分かってるけどっ」

実は忘れていたが覚えていたことにする。確かにレガリスが花壇を避《よ》けてくれるはずもない。

テレビの中の横須賀はたった六日前が見る影もない。復興に一体どれだけ時間がかかるのか。

公園の花壇が元に戻るのはかなり先のことに思われた。

「みんな、帰る荷物の準備とか着替えとか先にしといてね。いつ作戦が終わって迎えが来るか分かんないから」

すっかり保父さんが板に付いた冬原の声で、玲一以外の子供たちが食堂から出て行く。望も自分の部屋に引き上げた。


望の準備はほとんどゴミの始末だけだ。翔から借りてあるリュックにビニールで包んだゴミをしまい、今まで借りていた制服を自分の服に着替える。

制服と剝がしたシーツは畳んで枕元に重ね、初日に使っていたマットを見る。汚したシミはできるだけ洗剤と水で叩《たた》いたし、もうすっかり乾いているがやはり気になる。血で汚した跡は取りきれない。

でも夏木《なつき》が処分しておくと言ってくれた。

ついでに近くを探して掃除道具を見つけ、ざっとだが掃除もしてしまう。チリや落ちた髪はこまめに拾うようにしていたのであまり散らかっていないが、使っていなかったところに少し埃《ほこり》が溜《た》まっていた。

いつでも持って出られるようにリュックを入口近くのベッドに置き、食堂へ戻ると子供たちも私服に着替えて全員揃っていた。テレビに釘付《くぎづ》けで、やはり横須賀が攻撃される光景は玲一ならずとも興味があるらしい。

いつもは部屋に籠もっている圭介《けいすけ》も、相変わらずのふて腐れた様子で隅のほうの席にいる。雅之たちが気遣う様子で話しかけると受け答えはするようで、一応和解らしきものが成立しているらしい。

しばらくテレビを観ていた望は、ふと思いついて食堂を出た。階層を一つ降りて男子部屋へ向かう。中へ入ると案の定、子供たちが使ったベッドは大半が使いっぱなしでほったらかしてある。

正式な整え方は分からないが、一応全部シーツを剝がして畳み、マットをケースに片付ける。制服も一応は畳んであるが折って重ねただけのものがほとんどで、結局全員の分を畳み直した。料理こそ苦手だが火や刃物を使わない洗濯や掃除なら何とか人並にできるし、洗濯物をきれいに畳むのだけは得意だ。時間がかかるのが玉に瑕《きず》だが。

圭介の分まで片付けてやっていると思うと業腹だが、夏木たちに手間を掛けさせないためだと自分に言い聞かせる。

仕上げに掃除だ。子供とはいえ十二人が一週間近く暮らしており、しかも誰も片付けることを思いつかなかったらしく、掃くとチリが小山になった。翔の後片付けをしようと思い立って来たが、結局は一仕事になってしまった。

掃除道具を片付けて上に戻ろうとすると、ものすごい爆発音が響いた。思わず悲鳴を上げてしゃがみ込むと、

「どうした、誰だ⁉」

泡を食った様子で近くの通路から夏木が現れた。見回りか何かの途中だろう。差し出された手に甘える。

「怪我でもしたのか」

「いえ、音が……急に大きかったからちょっと驚いて」

「ああ、ドンパチが近くまで来たからな。そろそろ米軍と合流して基地内の戦闘が始まるからうるさくなるけど、『きりしお』が被弾しない配慮はされてるから恐がらなくていい」

怯《おび》えたことを即座に突かれたことが少し恥ずかしい。それが顔に出たのか、夏木が笑った。

「つっても恐いもんは恐いわな」

望も照れ笑いを返す。

——ああ、今ちょっとチャンスかもしれない。

翔に言われたことで昨日からずっとぎくしゃくしているのを今なら思い切って何とかできるような気がする。

あの、と口を開いたものの、

「昨日、翔の言ってた……」

いざ切り出すとやっぱり声がしぼんだ。

と、夏木が後を引き継ぐ。

「ああ、あれな。分かってる」

心臓が体に悪いような跳ね方をした。

分かってるって——分かってるって何を。望が何を言いたいのかも分かっているということだろうか。

「ガキの言うこと真に受けやしねえから安心しろ」

拍子抜けして、それからがっかりした。子供の言うことなんか真に受けない。子供の括《くく》りにはやっぱり望も一緒に入っているのだろうか。

一瞬弾みがついた心がまたへこむ。

「上行ってろ、みんなと一緒にいたら少しはマシだろ」

階段のほうへ肩を押し出され、それがまるで突き放されたように感じられて、食堂に向かう足は自然と重たくなった。

＊

米軍基地正面ゲート前に到達した第三十一連隊は隊を二手に分け、一隊はそのまま前進して一隊は米軍基地の守備隊と合流して基地内の掃討を開始した。

十四時までに西進していた部隊は西端インターへ到達した。最大火器としては迫撃砲が用意されていたが、それも使わずじまいの圧倒ぶりである。

米軍と海上自衛隊の両基地からもレガリスはほとんどが駆逐され、臨海沿いに再上陸を阻止する警備部隊が展開された。

レガリス掃討における犠牲者は自衛隊・米軍ともに0。軽傷者すら出なかった。市街の損害は砲撃による道路と沿道施設の損壊ばかりで、レガリスが逃げ回るようになってからは砲撃の必要もあまりなくなったのでその損壊も軽微に抑えられている。

連隊の主要任務は町中に散乱した死骸の撤去作業に移行。レガリス掃討よりもこちらのほうが作業としては難航した。街路はアスファルトが見えないほどに死骸が積層し、これを集めて搬送する作業は重機を使っても遅々として進まない。

死骸は海自横須賀基地に集められ護衛艦隊により海洋投棄されることになるが、市街の洗浄と消毒までを含めた処分完了までには一週間ほどが見込まれている。

長い後片付けはまだ始まったばかりだった。

午後三時、沿岸でレガリスが一斉に動き出したのが警備部隊により確認された。

大島近海で待機していた『ふゆしお』が米軍横須賀基地の沖に到着し、最初のピンを打った時間だった。

群れは先を争うように沖へ向かう。

レガリスは基本的に泳ぐのが不得意で、海底を這《は》うエビだ。這いながらどんどん水深の深いほうへ向かうので、水中で滲《にじ》んだ甲羅の赤はやがて沈んで水上からは確認できなくなった。

事件発生後六日目にして、レガリスが横須賀から消えた瞬間だった。

やがて米軍のシェルターに立てこもった民間人の移送が再開され――

『きりしお』に取り残された未成年者の救助も開始された。

＊

子供たちは全員自分の服に着替え、荷物を持って食堂に集まっていた。

「朝も説明したとおり、出るのは小さい子から順番ね。俺が呼んだら来ること」

冬原が今度こそ先送りされることのない救助の段取りを説明する。レガリス掃討後の市街は車がまともに通行できる状態ではなく、救助には救難ヘリが出動することになった。

一人ずつ入ってきたハッチを上がり、ヘリに収容されたら次の者が上がる。甲板で収容作業を補助するのは夏木で、子供たちが上るのを下で補助するのが冬原だ。

「よし、上がるぞ。光《ひかる》と陽《あきら》からだ」

時計を見ていた夏木がハッチへ向かい、西山《にしやま》光が続く。光の足取りが軽いのは、レガリスが沖へ去ったことが中継で報じられているためだろう。

レガリスの脅威は去ったのだ。

夏木はラッタルを上がり、ハッチを開けた。艦に逃げ込んでから、このハッチを開けるのは初めてだ。同じハッチを閉めたときの絶望と痛みはまだ生々しい。まだたった六日だ。

蓋《ふた》を押し上げるとヘリのローター音が降った。艦長が上に倒れて閉めたハッチは、いつもと同じ重さしかなかった。甲板に上がっても制服の切れ端一つ見当たらず、何の痕跡《こんせき》も残らない。

まるで何もかも夢だったかのように。

夏木は気持ちを振り切るように上空にホバリングしているヘリの腹を見上げた。キャビンのドアはもう開いていて、上からガイドロープが落とされる。

ロープをラッタルの手摺りに結び、下で見上げている光を手振りで呼ぶ。冬原に補助されて上ってきた光が、甲板に出て顔をしかめた。

「くさーい！」

埠頭《ふとう》に溢れ返ったレガリスの死骸がすでに腐臭を放っているのだ。ヘリが着陸できないほど積み重なった死骸の発する臭気はかなりのものだ。

「まあそう言うな、勝った証拠だ」

そうこう言っている間にヘリから救助員が降下する。今度はホイストが作動しても海中から這い上がってくるレガリスはいない。

着地した救助員と敬礼を交わし、光に救助者用のハーネスを着けるのを手伝う。

いざ吊《つ》り上げる段になって、光がぐずった。

「恐い！」

上空のヘリまで空中を吊られることに怯えたらしい。

「恐いわけあるか、レガリスだってもういねえのに」

「やだ！」

光が首を振って夏木にしがみつく。

救助員が苦笑しながらその様子を見守る。

「随分懐かれましたね」

「いや、どっちかってぇと俺は嫌われ役だったんですが。こいつなんか最初に艦に逃げ込んだとき、俺にハッチに叩き落とされてますから」

それだけに夏木にすがるのが謎だ。

「ほら、ヘリ乗らないと家帰れねぇんだぞ。それともやめるか、帰るの」

「それもやだ」

「どっちも嫌なんて話が通るか、どっちかにしろ」

揉《も》めている様子に気づいてか下から陽と冬原も上がってきた。三人がかりで説得してやっと光が夏木から剝がれる。

「夏木さん冬原さんバイバイ、またね」

救助員に抱かれた光が手を振り、ホイストが巻き上がった瞬間ものすごい泣き声が上がった。やっぱり恐い、とか何とか言っているらしい。夏木と冬原は吹き出した。

宙を吊られる光を見上げながら、

「今度こそ、だねえ」

冬原が呟《つぶや》いてまたハッチを下りた。

光を上げてしまえば後は整然としたものだ。ぐずる奴も泣く奴もいない。いよいよ帰れるという明るい様子で、下で冬原に、上で夏木に挨拶《あいさつ》しては次々とヘリに収容されていく。

一機目の最後に収容されたのは翔だ。

「夏木さん、いろいろありがとう」

姉の望とよく似た顔を見て、夏木はしばらく言葉に迷った。

こうして翔の声を聞くことになるとは昨日より前は思ってもみなかった。昨日一日で状況は色々とめまぐるしい。

「元気でな。仲良くしろよ」

迷った挙句、結局は今さら言うまでもないような陳腐な言葉しか出てこなかった。


小学生を全員収容したところで、二機目の救難ヘリに交替となった。

「はいこれ」

二機目の一番手となる木下《きのした》玲一に、冬原は没収していたデジカメとメモリを渡した。

「くれぐれも今後はこういうおイタはしないようにね。見逃してくれる人ばっかじゃないよ」

何か言い返すかと思ったが、玲一は無言で頷《うなず》いた。

「ありがとう。お世話になりました」

それだけ言ってラッタルを上る。愛想は少なめだが基本的に人は悪くない。

上るときに「すみません」を残したのは中一の芦川哲平《あしかわてっぺい》と中二の坂本達也《さかもとたつや》だ。謝られるだけのことはあったので冬原も受けて頷く。フォローなどはされても気まずいだろう。

残りは中三の三人と望だ。

茂久《しげひさ》はラッタルを上る前にメモを一枚冬原に押し付けた。

「うちの食堂。夏木さんが住所置いてけって。あんたたち来たら奢《おご》ってやるって言ったんだ」

「へえ。じゃあありがたく」

冬原はメモをポケットにしまい、

「食事、手伝ってくれてありがとね。助かったよ。旨《うま》かったしね」

茂久は嬉《うれ》しそうに笑い、照れ隠しのように言った。

「うちの父ちゃんはもっと旨いぜ。期待しとけよ」

次の雅之《まさゆき》はやはり先の二人と同じく気まずそうに謝ったが、圭介は冬原と目を合わせることさえしなかった。

苦笑しながら最後に残った望を呼ぶ。望は大きく頭を下げた。

「六日間お世話になりました。ありがとうございました」

さっきの圭介の直後だと素直な謝辞がことさら際立つ。

「こちらこそ、よく頑張ってくれたね。みんなの面倒もよく見てくれたし助かったよ」

望が首を横に振って笑う。冬原相手には屈託がない。

「さ、行きな。忘れ物のないようにね」

望が驚いたように冬原に向き直る。窺《うかが》う表情を冬原は笑って流した。

望は勇気づけられたように頷き、そしてラッタルに手を掛けた。

上のバカはどうする気やら。冬原はラッタルを上っていく望を見上げながら肩をすくめた。

圭介は結局夏木と目も合わさなかった。

昨日今日で改心して「ごめんなさい」などと言ってくる圭介は気持ちが悪いので構わない。思うところがあるもないも圭介個人の話だし、それは夏木にも冬原にも関係のないことだった。自分に降ってくる火の粉があれば必要に応じて払うだけである。

あとは望か。ハッチの中を覗くと、望は危なげなく上ってくる。

「大丈夫か」

手を貸すと遠慮がちに手を預けたので引っ張り上げようとしたら、望は中に踏みとどまった。

「夏木さん、あの」

ありがとうございます、お世話になりました。子供たちから何度も聞いたテンプレの謝辞が出てくる気配ではない。

思い詰めたような真摯《しんし》な眼差《まなざ》しが痛い。

「私、」

「やめとけ」

機先を制したのは聞くと揺らぐからだ。

「気のせいだ。危機的状況で自分よりちょっと器用な大人が近くにいたら五割増しよく見える。早まるな」

ざっくり傷ついた顔を見るのは何度目だろう。望はいつも夏木の言葉でざっくり傷つくのだ。

「こんな状況に付け込んで女誑《たぶら》かすほど俺は落ちぶれてないし、俺は高校生をそういう対象に認識しない。それに」

望の手を引くと、今度は逆らわずに甲板に上がった。力なく。

「やっぱり俺は、お前らが来なければよかったって最初に思ったんだ。お前らが来なかったら艦長は死なずに済んだって。そんなふうに思われたのが始まりなんて嫌だろ。どうせなら幸せに出会って幸せに始まったほうがいいだろ」

ごめんなさい、と望が小さく呟いた。激しいダウンウォッシュの中、その声はかき消されて唇の動きで読めるだけだが。

夏木さんの気持ちも考えないで。そんなことを思っているのが分かる。

違うんだ、と夏木は苛立《いらだ》った。謝るな、俺は本当はもっとひどいことを思ったんだから。

今もそれをごまかして喋《しゃべ》ってるんだから。

――どれだけ聞き分けのいい良い子でも、あの子自身に何の罪もなくても、

そんでも、あの子が死んで艦長が助かったらよかったって思う俺は、ひどいか。

艦長が聞いたらきっと怒るようなひどいことを俺は確かに考えたんだから。俺が誰にもそれを言い訳できないだけなんだから。

「私たちがいなくなったら、もう我慢しないで泣いてくださいね」

望がそんなことを言った。自分も泣くところを見られていたことを思い出す。

夏木と冬原が子供たちの前で悲しむ素振りを見せなかった理由を、望は行き合ったあの夜に察していたのだろう。そしてそれを気に病んでもいたのだろう。

面倒を見ているつもりで労《いたわ》られてもいたことに初めて気づく。

「ああ。ありがとう」

素直に謝意が言葉になった。望は首を横に振り、

「一つだけお願いしていいですか」

何かの決意をしたようにまっすぐに夏木を見た。目顔で促すと、

「私のことは忘れてください」

そう言った。

夏木はややあって無言で頷いた。

覚えとくのも駄目か。一瞬いじましい気持ちがよぎったが、忘れろと言うのなら少なくとも忘れたことにはせねばなるまい。

救助員が降下してきて、望に手早くにハーネスを着ける。

「ありがとうございました。さよなら」

望の挨拶は最後の一言だけ子供たちのテンプレから外れていた。明確に別れの挨拶を述べて、望はその後は一度も夏木を振り返らなかった。

「バッカだねえ、夏木くんはー」

救難ヘリが遠ざかる中、冬原がやけに早いタイミングでハッチから顔を出した。

どうせ聞いていたのだろうがそれを突っ込むのも面倒くさい。

「高校生ってもあと二年も待てば成人じゃんよ。年齢だったら五、六歳しか離れてないのに、それが理由で弾《はじ》けるほどあんたが女に不自由してないとは知らなかった」

「うるせえな、それだけが理由じゃねえよ」

「メインの理由はもっとバカ」

冬原はあっさり切った。

「せっかく夏木の美徳を認めてくれる稀有《けう》な女の子だったのにさぁ。艦長も嘆いてるよきっと。もう合コンあんだけセッティングしてくれる人もいないっつーのに」

艦内の独身男を哀れに思ってか、亡くなった艦長はいろいろと少ないツテを使って出会いの場をセッティングしてくれたものである。ここ三年以内で結婚した乗員は、ほとんどが艦長の恩恵を受けている。

「中でもあんたのこと一番気にしてたのに、理由に艦長使って断るなんて嘆くよー」

「お前だったらどうなんだ」

あの子が死んで艦長が助かったらよかったと思う俺はひどいか。

訊《き》いた夏木に冬原だってひどくないと断言したのだ。それで向けられる気持ちをちゃっかりもらえると言うのか。

「俺ならもらうね」

冬原が胸を張る。

「最初が多少後ろめたくっても、付き合いが長くなりゃそんなもん何とでもなるなる。人間て結局はシアワセに帳尻《ちょうじり》合わせるもんよ？」

「お前の人生はさぞや生きやすかろうな、そんだけ能天気だったら」

「とかカッコつけてる夏木にむかついたから、リリースした魚がさらに惜しくなることを指摘してやる」

冬原がハッチから甲板に肘《ひじ》を突いて意地悪そうに笑った。

「お前、望ちゃんだけ絶対名前で呼ばなかったこと、自分で気づいてた？　森生《もりお》姉森生姉って不自然極まりなかったね」

「うるせえよ、そもそも子供が一時血迷ったのに付け込むような真似ができるか」

言ってから反論に失敗したことに気づく。冬原なら必要とあらば付け込むに決まっている。

だが冬原の返事は角度が微妙にずれていた。

「血迷ったわけでもないと思うけどね。たまたま居合わせた大人がかっこよく見えてのぼせるなら、相手は順当に言って当たりのいい俺じゃないの？　好き好んでガサツで乱暴なほうには行かないでしょ」

一般受けなら絶対夏木より俺が勝ってるしね。しれっとそんなことを言ってのける性格には脱帽ものだが、

——畜生。

逃がした魚が初めて惜しくなった。

遠ざかる救難ヘリの代わりに、新たなヘリの爆音が近づいてくる。夏木は対岸の逸見《へみ》庁舎を眺めた。やってくるのは陸自のCH47だ。『きりしお』のクルーを乗せているはずである。

群れ本体を叩くのは護衛艦隊の爆雷攻撃であり、吉倉桟橋に入っていた護衛艦隊はレガリスを追う形で既に出航しているが、誘導中に群れから遅れて取り残される個体を撃破する任務が『きりしお』に下っている。

有体《ありてい》に言って司令部の采配《さいはい》による艦長の弔い合戦だ。

CH47が埠頭のギリギリまで降下し、開いたキャビンからクルーが次々と飛び降りてくる。

「こんなときに水雷実習中とはね。こき使われるぞぉ」

「願ったりじゃねえか、どうせ体使うしか能がないぺーぺーだ」

死骸の山を乗り越えるように先任海曹《かいそう》が先頭になって駆けてくる。

「ガキどもご苦労！　出航だ！」

開口一番ガキ呼ばわりで、夏木と冬原は顔を見合わせて苦笑した。この六日間、子供たちの面倒を見ていっぱしに大人の義務を果たしたつもりだったが、ベテランから見ると自分たちも結局ガキで、子供が子供の面倒を見ていただけの話らしい。

たとえばこの強面《こわもて》の先任海曹が艦に残っていたのであれば、圭介を中心とする揉め事も最初から起こっていなかったのだろう。逆らう余地もなく断固として大人であり「恐いおじさん」

なのだから。歯向かわれるには歯向かわれるだけの隙と未熟があるのだ。

『きりしお』は六日ぶりにクルーを迎え、十六時過ぎに横須賀を出航した。

＊

子供たちを回収した救難ヘリは防衛大へ向かった。米軍シェルターからの移送者受け入れで混雑する厚木《あつぎ》を避けた選択である。

着陸したヘリから子供たちが降りると、保護者より先に待ち構えていたマスコミが殺到した。隊員たちが囲んで守ろうとするが、その隙間からマイクをねじ込むようにして子供たちの声を拾いに来る。

恐かった？　辛《つら》かった？

まるで恐くて辛かったことを期待するような質問が雨あられだ。

望も群がられ、叫ぶように答えた。

「大丈夫でしたっ！　乗員の方がよくしてくれたからっ！」

すると周囲のレポーターがどこか失望したような顔をする。その浅ましい顔に望は苛立った。

夏木や冬原が子供たちに親切だったことがつまらないとでも言うのか。虐待話が真実だったほうが「おいしい」とでも？

子供たちが無事だったことを何故がっかりするのだ。

「何か変なことされなかった？」

一際下世話な質問は望が女子だからだろう。

「ふざけないでッ！」

ほとんど反射で手が上がった。下世話な質問をぶつけた下世話な記者の頬にしなった平手が鞭《むち》のように炸裂《さくれつ》する。生まれて初めて人を殴ったのに、会心の一撃だった。不意打ちのようなその反撃に奔騰していた周囲が一瞬静まる。

「私が何か変なことされてたらよかった⁉　期待外れですみませんでした！『きりしお』の中は不自由だったけど、こんな嫌な思いしたこと一度もなかった！　……あの、人たちは、」

二人の名前を口走りそうになって直前で訂正する。

「親切でちゃんとしててセクハラ記者のあんたなんかとは比べ物にならなかったわよ！」

静まっていたカメラのフラッシュがまた奔騰した。今度は望にその最低な質問をした記者に向かってだ。ことに勇み立つのはその記者の着けている腕章の新聞社のライバル社で、他社の失態はいいゴシップなのだろう。その足の引っ張り合いも浅ましい。

「艦内で虐待を受けていたという話がありますが！」

圭介にマイクを突きつけたのはNBCテレビだ。子供たちが全員圭介を注目した。

圭介の蒔《ま》いた種を圭介はどう刈るのか。

「そうだよ、虐待だぜ！」

圭介が大声で言い放った。

子供たちが全員息を飲む。望が反駁《はんばく》しようとし、翔と茂久も声を上げようとしたとき、

「あいつらオレが外に出ようとしたら襟首摑《つか》んで引きずり戻したんだぜ！　すごい乱暴に！　引きずり戻してから小突かれたし！　何様だよあいつら！」

周囲の記者やレポーターが呆気《あっけ》に取られた。

「……あなたは何で外に出ようとしたんですか？」

「はァ？　電話に決まってんだろ！」

圭介が小馬鹿にしたように鼻を鳴らす。

「あんたんとこにだって電話したじゃん。セイルに上がらないと電話掛けらんねぇのに、オレが電話掛けたかったとき上げさせる役の奴がセイルんとこにいなかったんだぜ！　だから勝手に出たんだよ、悪いか⁉」

「でも危ないんじゃないんですか？」

「出るとこ高いんだから平気だろ⁉　いちいち付き添いなんてあいつら神経質すぎるんだよ！　それにあそこに入っちゃ駄目とかこれ触っちゃ駄目とかいちいちうるせぇよ！　狭い潜水艦に嫌々閉じ込められてやってるのに口うるさく注意される謂《いわ》れなんかねえよ！」

嘲笑《ちょうしょう》に近い失笑がいくつか弾け、NBCのレポーターが屈辱の表情で唇を嚙《か》む。

子供の戯言《たわごと》に乗せられて、と周囲の報道陣は明らかに嘲《あざけ》っていた。虐待疑惑の尻馬《しりうま》に乗ったことはこの瞬間すでになかったことになっている。虐待疑惑追及の旗手になったのはNBCで、それがコケたらその失態を被るのもNBCだ。

報道陣の矛先が鈍った隙に子供たちは逃げ出した。報道陣と子供たちが離れた隙に隊員たちが壁を作り、今度こそ追いすがる下らない質問からは切り離された。

＊

〔無事生還！〕：ｒｙｕ　投稿日：04/12（FRI）17:24
やっと解放されました！　今厚木です　バスで都内に送ってもらえるみたい
横須賀はすごいことになってました　テレビ中継で皆さんもう見てるかな？
またどなたかビデオ見せてください　では〜

イージス：ｒｙｕさん帰ってきたな　04/12（金）17:42
トム猫☆：今晩さっそくチャットに来るんじゃない？　04/12（金）17:43
ファルコン：知らぬが仏という奴ですね（笑）　04/12（金）17:43
トム猫☆：まさか米軍が○○する可能性があったただなんて思ってもないだろうね〜（一応伏字）　04/12（金）17:44
イージス：言ったら悔しがるだろうな、きっと。○○予測で輸送ヘリカウントしまくってたとか　04/12（金）17:45
ファルコン：趣味が生かせる機会なんて滅多にないですからねえ、私たちは。

あ、そう言えば現職さんからお礼のメールが来たので、後で皆さんにも転送しますね　04/12（金）17:47

イージス：最初はめちゃくちゃ疑ったよな　04/12（金）17:48

トム猫☆：イージスさんすげー恐かった（笑）ファルコンさんもピリピリしてるし　04/12（金）17:48

ファルコン：ピリピリもするでしょうよ、あれは……　04/12（金）17:49

イージス：『きりしお』のほうも子供が救出されたな　04/12（金）17:50

トム猫☆：あ、見た見た。あれはすごかったね、NBC大恥かかされたね　04/12（金）17:51

ファルコン：裏も取れない状態で話題性だけに釣られたんだから自業自得ですよ。子供の一方的な言い分しか聞けない状態であんなスクープ抜いて、バカ丸出しですね　04/12（金）17:52

イージス：せめて両者の言い分聞けるまで待てばよかったのにな。どうせ親に甘やかされてるんだろ、自分勝手な今時のガキだな　04/12（金）17:53

トム猫☆：あれを六日間面倒見たなんてむしろその海自隊員に同情しちゃうね。さぞやかわいげなくてワガママだったんだろうなぁ　04/12（金）17:54

ファルコン：まあ子供なんだから仕方ないでしょう。責任はやっぱりNBCが追及されるべきですよ　04/12（金）17:56

イージス：俺的には記者引っぱたいてた女の子萌《も》え。よくやった！　04/12（金）17:56
トム猫☆：あの記者サイテーだよね。何かされなかったかって何考えてんだか。
オマエの頭の中はエロ妄想で一杯か！（笑）　04/12（金）17:56
ファルコン：あんなの飼ってるからしょっちゅう誤報騒ぎを起こすんですよ、
あの新聞は　04/12（金）17:57

＊

『ふゆしお』は深深度を避けた針路で相模湾《さがみわん》に向けてレガリスを誘導し続けた。

『きりしお』は誘導航路をなぞりながら、群れの本隊からこぼれたレガリスを次々と探り出す。誘導中のレガリスを分散させてしまうのでアクティブ・ソナーは打てないものの、レガリスの独特な歩行音とコミュニケーション音波はパッシブ・ソナーだけで充分に探知可能だったし、上空から対潜哨戒機《しょうかいき》P—3Cによる赤外線探知などの探知支援も受けている。

死亡した川邊《かわなべ》艦長に代わり指揮を執るのは副長を兼ねる航海長、藤村《ふじむら》三佐である。

「副長より発す、魚雷誘導方式は有線！　ノロマな的だ、ゆっくり狙って存分に食らわすぞ！　一発たりとも艦に残弾を残すな、撃ち尽くせ！」

大盤振舞の命令に発射管室の意気は大いに上がった。そんな中で冬原が「豪気なことだね」

と首をすくめる。

折りよくと言っていいのか、発射管室には二十発近い魚雷が搭載されている。『きりしお』就役の年に積まれて使われたのは演習でわずかに数発、全弾撃ち尽くすなど環太平洋合同演習《リムパック》でもあり得ない話だ。

「感謝しろよ新米、実習中に実射が経験できるなんて滅多にないぞ！」

「はいッ！」

水雷長に小突かれた夏木はヤケクソのように大声で答えた。

まだ指示に従って体を使うしか能がない段階であり、魚雷の装塡《そうてん》は人力によるので若い夏木と冬原はひたすらこき使われる。実務上は勤続の長い海士のほうがよっぽど役に立つのだから当然だ。

魚雷攻撃は自艦と目標の相対関係によって設定される三角形「射三角」の発射諸元から魚雷の発射角度や速度、タイミングなどを算出する。

水中ではさらに目標に深度が加わるので三次元的な三角形を設定して解かねばならず、その難易度は跳ね上がるのが普通だ。しかし泳ぎを得意としないレガリスは概《おおむ》ね海底を這うため、射三角が海上から海底に沈むだけで狙いの算出は容易だった。多少の誤差は誘導で修正できる。

「一番発射管、用意！」

水測長の送ってきた射三角のデータを水雷長が魚雷制御データに変換して入力。入力された魚雷が数人がかりで発射管に送り込まれる。

発射管のバルブを閉め、注水から号令が駆け抜ける。

「前扉《ぜんぴ》開け！」

「発射！」

「撃てッ！」

撃てと同時に水雷長が発射キーを回す。

電気推進の軽いスクリュー音が艦から放たれ、やがてソナーでなくとも分かる爆発音が艦内に届く。

雑音が完全にクリアになるまで待ち、ソナーから戦果が報告される。

――目標撃破。

実際は撃破などという上等なものではない。相手は馬鹿げたサイズだけが取り得の生物で、潜水艦への反撃能力も魚雷をかわす機動力もない。そのうえ小銃の一連射で沈黙するほど脆弱《ぜいじゃく》だ。駆り出されたのは最新鋭潜水艦だが、作戦の実態は単なる駆除である。――馬鹿馬鹿しいほど大袈裟《おおげさ》な。

しかし馬鹿馬鹿しい駆除でも『きりしお』クルーは真剣だった。『きりしお』にとってこれは復讐戦《ふくしゅうせん》だったのである。

護衛艦隊の爆雷作戦ポイントまでに『きりしお』は搭載していた魚雷のほとんどを放出した。

十八時。

護衛艦隊は作戦位置に着き、レガリスを誘導する『ふゆしお』と群れからこぼれたレガリスの掃討を終えた『きりしお』は海面に浮上して艦隊に合流した。

そしてレガリスが群れている海底に向けて、対潜哨戒機から一発のデコイが投下された。

百数十m下の海底にまっすぐ沈んだデコイには、弾頭の代わりに潜水艦の探信音を録音した音響機材が仕込まれている。


……着底する前から、海の底ではレガリスたちが彼らの女王の呼び声に向かっていた。

降りてくるその声に答え、レガリスは海の底で小高い山になろうとしていた。上へ向かって伸び上がり、仲間の体を足掛かりにして登り、あるいはわずかながら不器用に泳いで、巨大な群体の円錐を作る。

その円錐の頂点は数十mにも達し、また底面は半径が数kmにも及ばんとしていた。

デコイがその円錐の頂上に下りた。レガリスが我先に魚雷の白い肌を抱く。

全長数mの魚雷はちょうど彼らの女王と同等の大きさで、レガリスはそれを守るべき彼らの女王と認識した。

魚雷は赤い群体の頂上から底へ底へと送られ沈んだ。


そして。

レガリスが群れた海底に向けて、護衛艦から次々と対潜兵器が発射された。

ことに直撃しなくても爆圧で目標を圧倒し、浅深度でも威力を発揮する対潜ロケット《ボフォース》はこの機会に使い尽くす勢いで吐き出された。

旧式で大雑把なこの兵器は現代対潜戦闘において遺物となる運命が決定しているが、無秩序な群れであるレガリスにはその大雑把さが効果的だった。レガリス掃討に有効なのは精度より即物的な火力である。

数百発の対潜兵器を飲み込んだ海面は、しばらくの間沈黙していた。

やがて、

圧倒的すぎて却《かえ》って無音に聞こえるほどの爆音とともに、暮れた海面が視界を溢れるほどの範囲で球形に白く盛り上がった。

そして、終わった。

自衛隊が出動して、わずか半日あまりの終息であった。

作戦終了後、護衛艦隊は全艦一斉に時間を合わせて黙禱《もくとう》を行った。

『きりしお』クルーたちはその後、『きりしお』艦内のみで改めて黙禱の時間を取った。

激しい悲しみの場所にはならず、こらえるように静かに悼まれた。

彼らの艦長が失われた衝撃は、何もできないもどかしい六日をかけて各々が乗り越えていた。

殲滅した群れの中に女王エビがいたかどうかが後に取《と》り沙汰《ざた》されたが、現実問題として海洋の中の女王エビの所在を確認することは不可能だった。

それに働きエビの殲滅で女王エビの養い手が失われるので、女王エビや卵が生き残っていたとしてもいずれ死滅するだろうとの見解がレガリス検証チームから出されている。

いずれにせよ、レガリスの脅威が再来するかどうかは現時点では神のみぞ知る話である。

横須賀甲殻類襲来事件はひとまず終息したと官邸対策室は判断した。

*

テレビ画面に映し出されていた海面が突如として白く盛り上がった。

その光景に沸いたのは、メインアリーナを自衛隊に明け渡してサブアリーナに本拠を移した警備対策本部の面々である。

陸上のレガリス駆逐作戦に伴う交通規制の調整に一日中奔走していた明石《あかし》もその部屋の片隅にいた。

レガリス検証チームの学者陣も同じ部屋で快哉《かいさい》を叫んでいるが、そんな中で芹澤《せりざわ》だけは複雑な表情をしている。

「どうしましたか」

明石が声を掛けると芹澤は困ったように笑った。

「残念って言ったら怒られますね」

首を傾げる明石に芹澤が自分でも言葉を迷いながら説明する。

「僕はずっとレガリスを追いかけていたので……レガリスがどういう生き物なのか知りたいと思ってずっと追いかけてて、今回の件も研究が認めてもらえるきっかけになるかもしれないと思って無理矢理食い込んだんですけど。結局はある意味進化したレガリスを駆逐しちゃったんだなあって」

「惜しいことをしたとお思いですか」

「すみません。こんなこと思っちゃ駄目ですよね。犠牲者もたくさん出たのに」

「まったくだ」

尊大な口調で割り込んだのは烏丸《からすま》である。

「奴らに進化されたら研究どころじゃないだろうが。人間が万物の霊長ヅラでのさばっていてこそ他の生物を悠長に観察するゆとりもあろうと言うもんだ」

芹澤が少し唇を尖《とが》らせる。

「個人的な感傷の問題くらいほっといてくださいよ。義務は果たしたじゃないですか」

初めての反抗的な口調に、明石は意外な思いで芹澤を見た。烏丸はといえば、意地悪そうな笑みを片頬に刻む。

「おどおど以外の顔もできるじゃないか」

あくまでも偉そうだ。

「そういう顔も覚えておけ、自信のない面をしていると機会を横からかっさらわれるぞ」

これは何か勿体《もったい》を付けている顔だ。

接した期間はわずかだが、明石には烏丸の挙動がある程度読めるようになっている。

「官邸対策室でレガリスの研究対策予算が組まれることが決まった。万一の再来に備えるそうだ。まだどこの省庁が担当することになるかは分からんが、レガリス研究に対して助成が出るようになる。今回の功績からして君の申請なら文句なしで通るが、予算の配分は声のでかい奴に左右されるのが世の常だ」

後から検証チームに参入した機関もそれぞれ自分の功績を主張するだろう。芹澤の所属する相模水産研究所は無名に近く、うかうかしていると末席に追いやられかねない。

「……ありがとうございます！」

芹澤が大きく頭を下げた。「僕も烏丸さんを見習ってもっと……」そこで一度言葉を止める。しばらく言葉に迷ってから、

「堂々とするようにします！」

よく言葉を選んだものだが、明石は「いやいや」と口を挟んだ。

「この人はあまり指針になさらんほうがよろしい。声がでかすぎて損をする典型ですから」

「……言ってくれるじゃないか」

烏丸が苦笑する。明石はしれっと言い放った。

「あなたとは非常に仕事がしやすかったので。私と馬が合う人に要領のいいタイプがいた例《ためし》はありませんからな」

嫌な保証だな、と烏丸が顔をしかめる。

「警備本部解散まで後少しだ。明石警部の手腕を期待する」

そう言って烏丸は立ち去った。頑張ってくれ、とは素直に言わない性格である。

意外といい人なんですね、と芹澤が呟く。

意外といい人なんですよ、と明石も苦笑しながら頷いた。

＊

作戦を終了した護衛艦隊は横須賀へ帰港、『きりしお』も特例で横須賀総監部側の吉倉桟橋に着けた。

桟橋には川邊艦長の遺族が待っていた。

隊の誰もが見知っている朗らかな夫人が、喪服を着て幼い子供たちを連れている。子供たちは事情がまだ飲み込めていないらしく、あどけない様子が却って悲痛だった。

『きりしお』艦内に保管されていた川邊艦長の腕は六日ぶりに下艦した。

腕は夏木と冬原から返すことになっていた。夫人に腕の包みを渡し、最後の状況を説明する。

状況をなぞるとさすがに体の内で潮が騒いだ。しかし。

泣くな。

夏木は自分を必死に律した。冬原も凍りついたように表情を動かさない。

遺族がこらえているのに俺たちが泣けるか。

やがて夫人が途中で耐えかねたように泣き出し、釣られて子供たちも泣き出した。夏木たちの背中でも黙禱のときはこらえた嗚咽《おえつ》が上がりはじめた。

腕を渡し、遺族が世話役の隊員に連れられて立ち去る。その背中を確認して、

もういいよな？


夏木に泣くことを願った労る声を思い出す。

ようやく涙が静かに流れた。号泣する激しさはもう乗り越えてしまったので戻っては来ない。しかし、泣くことを許された安堵《あんど》のように静かな涙は止まらなかった。

＊

その後、艦に戻って通常直が再開された。

副長は夏木と冬原に上陸を許可してくれようとしたが、どうせ潜水隊宿舎はレガリスの死骸が撤去されるまで正常に機能しない。結局は総監部の仮宿舎に転がり込むしかないので慌てて下艦する理由もない。

何より艦長が遺《のこ》した夏木と冬原の一週間の上陸禁止令はまだ一日残っている。それを言うと、副長も無理に二人を降ろそうとはしなかった。

そして夏木と冬原は、私物を無断借用した隊員への事後承諾を取りつけて回った。緊急事態ということで咎《とが》める者はない。

「どうせ百均のパンツだ、気にしませんよ」

鷹揚《おうよう》な意見ばかりで助かる。

食堂ではテレビが一日の作戦のダイジェスト番組を流しており、直に入っていない隊員たちがそれを眺めている。

夏木と冬原も副長の計らいで直を外されていたので、隊員たちがたむろする食堂の片隅に席を確保していた。

「景色が随分変わるな」

呟いた夏木に冬原も頷く。子供たちだと全員集まってもまだ余裕のあった空間だが、隊員が集まると満員ではないのに窮屈な風情になる。

少しテレビから目を離していると、隊員たちがどよめいた。冬原がげらげら笑いはじめる。

見逃した夏木がテレビに目を戻すと、画面に映っているのは報道陣の群れに埋もれているが服からして望のようだった。救出された子供たちが防衛大に到着したときの様子らしい。

「何だ？」

冬原に尋ねると、苦しそうに笑いながらの答えがあった。

「いや、今ね……あの子、質問した記者ぶん殴ったの。ちょっとすごい一撃だったよ。あんないい打撃持ってるの知らなかった」

「……は」

見ると望が誰かに向かって怒鳴っている様子だ。喧騒《けんそう》にまぎれて聞き取れないが、

「どうせ記者のほうが悪いんだろ」

「そらそうだね、あの子怒らせるんだから。でも……」

冬原が夏木に向かって意味ありげに笑う。

「思い切りよく怒るようになったね？　誰かさんの影響で」

「俺が悪影響与えたみたいな言い方やめろ」

「別に悪いとは言ってないじゃない」

話しながら無意識のうちに喧騒の中の望の声を拾おうとしていた。必死で張り上げる澄んだ声を辛うじて聞き分ける。……あの人たちは、
親切でちゃんとしてて。……とは比べ物にならなかった。

そんな断片だけが聞き取れた。

随分ちゃんとした大人だと思われたんだなと夏木は苦笑した。

険しい顔をしている画面の中の望に思う、――そんなに頑張って俺たちを守ろうとしなくていい、
お前が言ってくれるほど俺は立派な大人じゃなかったんだから。俺が立派な大人だったら、お前を何度もざっくり傷つけたりしなかったんだから。

と、テレビを観ていた隊員たちがこちらを振り向いた。

「避難してきた子供の中に女の子いたんですね。けっこうカワイイじゃないですか、あんまり色気ないけど」

直截《ちょくさい》な論評に夏木は顔をしかめた。

「何言ってんだバカ、相手は子供だぞ」

「夏木三尉こそ何言ってんですか、中学生でもグラビアアイドルが務まるこのご時世に」

「商品化されてるもんと素人を同列で語るんじゃねぇよ」

にやにやしながらやり取りを見守る冬原がむかつくので敢《あ》えてそちらは見ない。

「でも、女の子いたんなら納得ですよ」

「何が」

「やんちゃなガキどもが使ってたって言うから居住区さぞや荒らされてんだろうなって思ったんですけど、ちゃんと片付いてましたから」

男子部屋にしていた居住区の住人がほかにも何人か頷く。

「制服やシーツの畳み方が全部同じだったから、しっかりした子がいたんだなって思ってたんですけど。お姉ちゃん役の子がいたんですね」

午前中、男子部屋の階層で望と行き会ったことを思い出す。考えてみれば望には用のない階で、降りているのは不自然だった。

亡くなった母親に甘えて家事をあまり覚えていなかったと言っていたし、実際料理の腕前はひどいものだったが、気遣いはいろんな場面で細やかだった。

性格もあるだろうが、親の育て方がよかったのだろう。どこかでそう言ってやったら喜んだだろうか。

「いい子だったよー。素直でかわいかったしね」

冬原があっさりと言ってのけ、そのあっさり言ってのけることで却って夏木が意識していることを夏木だけに分からせる。

「——嫌な男だな、お前は」

「どういたしまして」


『そうだよ、虐待だぜ！』


いきなりテレビから圭介の怒鳴り声が聞こえた。

全員が表情を険しくして画面を振り返る。画面の中央に圭介が大写しになっていて、どれか別のカメラをふてぶてしく睨《にら》んでいる。

『あいつらオレが外に出ようとしたら襟首摑んで引きずり戻したんだぜ！　すごい乱暴に！　引きずり戻してから小突かれたし！　何様だよあいつら！』

「うっわ何だコイツむかつくー！」

隊員たちのブーイングに夏木と冬原は顔を見合わせた。——成程、今度はこう来たか。

「こいつが虐待がどうこう言い出したガキですか？」

「電話掛けに外に出たって……バカじゃねえの、殴られて当然ですよ！　食われなかっただけ感謝しろってんだ」

「夏木三尉はよくやった！」

「夏木三尉は止めずに見捨てちゃえばよかったのに」

「ちょっと待て、みんな揃いも揃って何で俺って決めつけてんだ」

夏木が不服を表明すると、冬原が笑う。

「そりゃ日頃の人徳の差でしょ」

「いえ、バカなガキ真面目に叱るんだったら夏木三尉だろうなって。冬原三尉は迷わず見放すだろうし」

「あっ、それは要するに俺が冷たいってことを言いたいわけかな？」

ねじ込む冬原に隊員が笑ってごまかすが、周囲からフォローの声は一切ない。冬原の人徳も知れたものである。

「うわぁ不本意。こう見えてもけっこう情に篤《あつ》いよ？　ねえ」

同意を求められて夏木はここぞとばかり叩き落した。

「情がないとは言わんけど、ガキ諭すときでもとことん容赦ないよな。そらもうトラウマ残す勢いでな」

やっぱり、と隊員たちが笑う。笑った連中を冬原が次々指差した。

「そことそこ、それからそっち！　今笑った奴覚えたから覚悟しとけよー」

「それはお前、この場の全員覚えたほうが確実に早いぞ」

そんな馬鹿話が終息してから誰かが呟く。

「それにしても、最低なガキですね」

今の圭介の様子を見たら自然と出てくる感想に違いない、だが夏木と冬原は顔を見合わせて苦笑した。

ややあって冬原が言う。

「……まあ、いろいろフクザツなお子だったんだよ」

圭介はどこからどう見ても全国的に分かりやすく「自分勝手なガキ」と化しただろう。報道の前でああいう態度であああいう物言いをして、その結果がどうなるか分からないような単純な子供ではない。

最後に別れるとき夏木や冬原とは目も合わさなかったし、謝罪の言葉一つなかったが、これは要するに圭介なりに借りを返したということなのだろう。

不器用な奴、と夏木は呆《あき》れて呟いた。素直に謝るよりもよほど風当たりはきついだろうに。世の中、素直に折れたほうが楽なことはたくさんあるのに。

折れ方はこれから学ぶんじゃない？　冬原がそう言って、興味をなくしたようにテレビから目を逸《そ》らした。

＊

六日ぶりの親との再会は防衛大の学舎の中の一室になった。

全員の保護者が待ち構えていて、あちこちで涙の再会が繰り広げられる。そんな中、圭介だけは顔を合わすや母親に引っぱたかれた。原因は控え室に置いてあったテレビらしい。圭介の放言をリアルタイムで見たのだ。

「あんたって子は——あんたって子は、」

どう責めたらいいのか分からないらしい。意味もなく同じ言葉をヒステリックに繰り返し、何度も引っぱたく。

感動の再会シーンが一気に異様な雰囲気になった。

「やめないか！」

存在感の薄い父親が圭介の知る限り初めて母親を怒鳴りつけ、圭介を叩き続ける手を摑んで止めた。

雅之の母親も見かねてかフォローに入る。

「そうよ奥さん、とにかく無事だったんだから」

「ほっといてっ！　この子ったらあんな、テレビの前で！　あたしに恥かかせて……！　親の顔が見たいって思われるわよッ！」

「圭介くんだって何日も閉じ込められてて気が立ってたのよ、神経質になってたから叱られたのも虐待されたって思っちゃったのよねえ」

何とか場を治めようとしているのだろうが、雅之の母親の物言いは圭介を馬鹿な子供扱いだ。「のよねえ」なんて同意を求められても頷けるものではない。

黙って俯《うつむ》いていると落ち込んでいると思われたらしい、「ほら、かわいそうじゃないの」と圭介の母親に執り成す。

母親はとうとう号泣しはじめて、父親に抱きかかえられるように外へ連れて行かれた。部屋を出てからも聞こえよがしのようなヒステリックな泣き声が響く。その泣き声が圭介に悔いて詫《わ》びろと迫る。世間を騒がせたことではなく、

母親に恥をかかせたことを心から嘆けと。

何てかわいそうなあたし息子にこんなふうに恥をかかされて今まで大事に大事に育ててきたのにこんなところで裏切って悪い子になるなんて。

その器用に圧迫してくる泣き声を聞きながら心のどこかでざまあ見ろと思った。何かに復讐したような昏《くら》い喜びが沸き上がる、しかしそれは虚《むな》しさと裏表だ。

結局、母親の自慢できるいい子じゃなかったら無事を喜んでもらうこともできないのだ。とにかく無事だったんだから。雅之の母親が言った素朴な喜びさえ自分が恥をかかされたという事実の前には飛ぶらしい。

他の家族が気まずく立ち尽くす間を抜けて、圭介は壁際に並べられた椅子の一つに腰掛けた。

溜息《ためいき》が自然と漏れる。——子供であるということは一体何て楽なんだろう。馬鹿なことをしてもその理由を追及されない。子供は馬鹿なんだから仕方ないと馬鹿であることを前提に馬鹿な行いを許されるのだ。

雅之の母親が今まさに圭介を馬鹿な子供として扱ったように。

しかし軽んじられて過ちを許されるのは大変な屈辱だった。

どうして圭介がそんなことをしたのか、母も父も雅之の母親も誰も考えようとはしないのだ。子供は本当は理由もなく馬鹿なことなんかしないのに。

あんなふうに自分勝手な言い分をぶちまけてそれが周囲にどう見えるか分からないほど馬鹿じゃないのに。

どう見えるか分かっていてああ言ったことなど、母親は一生分かりはしないのだろう。以前の圭介をしていい子だなんてご満悦だった母親には。

だって。

どうせ止まらないんだろ？　オレが今さら「ごめんなさい虐待っていうのは口が滑りました、揉めて腹が立ったから大袈裟に言っただけだったんです」なんて言っても。

あいつらにそう言えって言われたんだろうって疑うんだろ？　そのほうがテレビはおいしいから。

意地張って引っ込みがつかなくなったって、そんなふうに馬鹿だったことは認めてくれないんだろ？

だったらチャラにするにはオレがわがままで馬鹿な子供だったことにするしかないじゃないか。オレを叩いて終わらせるしかないじゃないか。

叩かせてやるよ、そうしないとチャラにならないんなら。

しばらくして、雅之が圭介のところにやってきた。隣に座って、圭介の顔を見ずに言う。

「オレたちは分かってるから。あの人たちもきっと分かるよ」

泣くつもりなんかなかったのに、それが合図だったように涙がこぼれた。

誰にも見られたくない。顔を伏せるが嗚咽はこらえようもなく漏れる。雅之は気遣う気配を残しながら席を立った。

やがて父親が戻ってきた。泣いている圭介を見て「反省してるんならいい」と言った。鷹揚だがものすごく見当ハズレで、
ああ、この人も自分のことを理解してはくれないのだ。そう思った。

一番近しい人々が一番の理解者ではないことを初めて知った。

きっとこれから、面倒くさいことをいろいろと知るのだ。気づかないほうが楽だったことを、たくさん。

それでも、気づかず楽だったときの自分が好きではなくなってしまったのだから今さら元に戻ることはできなかった。

めちゃくちゃになった横須賀は意外と早く復興した。

銃撃や砲撃で街並はかなり損壊したように見えたが、震災などと違い基礎や地盤にダメージを受けたわけではないので修復作業が容易だったらしい。

三ヶ月も経つと街は以前の様子を取り戻した。

タフな地元の商売人が「レガリスまんじゅう」なるものを作って不謹慎だと叩かれたりするようなローカルニュースもあった。しかし、何だかんだとおもしろがられて売れているようで、定着してしまいそうな気配である。

それを知った茂久のおじさんが食堂で出す天丼の名前をレガリス丼に変えようと言い出して、おばさんにこっぴどく怒られたりしたらしい。

「困ったもんだよ、うちの父ちゃんは」

肩をすくめる茂久は前と比べて少し変わった。成績が悪いのは相変わらずだが、それで卑屈な様子を見せたりはしなくなった。

オレは高校だけ行けたらいいや、どうせ店継ぐから。さっさと進路を決めてしまい一人だけ太平楽を決め込んでいるが、高校を出たら一度別の店で修業をするとか本格的なことを言っている。どこで修業するかもおじさんと相談したりしているらしい。

圭介や雅之は進路に頭を悩ませる毎日だが、それより先のことをてきぱき決めている茂久は何だか一人だけ先に大人になったようだ。

『きりしお』で絶交したことはもうなかったことになっている。圭介は覚えているし、茂久も多分覚えているが、茂久が何も言わないのでそれに甘えている。

今まで茂久をバカにしたり辛く当たったこともいつか謝らないといけないと思いつつ、面と向かうとそういうことを切り出すのが気まずい。態度を改めたことで悪いと思っていることを察してもらえるのではないかと期待している。

虐待騒ぎのことは、圭介がノイローゼ気味になっていたのだろうということで世間的なオチがついた。

しかし、圭介と母親の断絶は三ヶ月経った今でも回復していない。

むしろ諍《いさか》う度合いは増えるばかりだ。

言うことを聞かなくなった圭介に母親がヒステリックに怒り狂い、圭介に気力があるときは喧嘩《けんか》になるが、そうでないときは圭介が無視して部屋に篭もる。

圭介と母親の関係が崩れたことで、団地内の勢力図も微妙に書き換わった。

母親が誰か弾こうとしているときに、圭介が内外でそれを批判するようになったからである。

それはお母さんの言うことのほうが変なんじゃないの。やめろよそんなイジメみたいなこと。自分が嫌うのは勝手だけど近所の人まで巻き込むなよ。

必ず大喧嘩になるが、母親が望を理不尽に弾いたときのようなことを自分の知っている限り繰り返したくなかった。

そもそも母親の一存で団地にふさわしいかどうか決まるなんて歪《ゆが》んでいたのだ。過去母親が理不尽に追放した人は仕方がないが、この先そんな人が出ることは母親の傲慢《ごうまん》さを知った今となっては圭介には我慢できない。

母親を見過ごしたら自分が同類になるようで嫌だった。

「昨日、夏木さんと冬原さんがうちの食堂に来たぜ！」

茂久がそう報告したのは、もう秋口になったある月曜日だった。圭介は興味ないような顔をしたが、雅之は身を乗り出した。

「え、何で？　偶然？」

「『きりしお』出るとき、一度うちに食べに来いって店教えといたんだ」

「へえ。どうだった？」

「元気そうだった。あれから何度か航海に出て、しばらく横須賀にいなかったんだって。うちの母ちゃんがはしゃいじゃって大変。ほら、うちの客層っておっさんがメインじゃん。若い男の人が来るなんてあんまりないからさぁ」

「お前の母ちゃんミーハーだもんな」

そこだけ圭介もちょっと話に加わってみる。茂久のおばさんは年甲斐《としがい》もなくジャニーズ好きで、人数がたくさんいるグループでも完璧《かんぺき》にメンバーを把握していたりする。

「こんな若い子ナマで見るの久しぶりとかさぁ。けっこう恥ずかしかった、どんだけ飢えてんだよって。二人ともウケてたからいいけど。そんで、」

茂久が圭介に向き直った。

「あの後、別に処分とかなかったって」

「……そうか」

何気なく答えたが、気持ちの上では肩の荷がごっそり下りていた。

多分、二人はそれを伝えに来てくれたのだろう。

世間的にはもうオチが付いていたが、自衛隊の中ではどうだったのか知る手立てはなかった。騒ぎの当事者だから問い合わせたら分かったかもしれないが、さすがにみっともなくて自分で訊けなかったし、母親が協力してくれるわけもない。父親は我関せずで事なかれ主義だ。

「よかったな」

雅之が屈託なくそう言って、圭介も頷いた。

ふと望のことが頭をよぎる。

相変わらずお互い関わらない間柄だが、望はこのことを知ったのだろうかと気になった。

救助された後に新聞記者にピンタを張ったのはちょっとしたニュースになった。何度も何度も同じ映像が流されて相手の記者がちょっとかわいそうなほどだったが。

最後まで夏木を気にかけて懸命に庇《かば》っていた望は、あの二人に何も処分が下らなかったことを誰よりも知りたいに違いない。

もしかしたら夏木から直接聞いていて、圭介がこんなことを気にするのは馬鹿らしいのかもしれない。でも。

そんなことを圭介が悩んでいた数日の間に、家で受験勉強中に翔の声が表から聞こえた。

喋るようになった翔は今までがウソのようによく喋り、声も大きい。

圭介は慌てて部屋を飛び出し階段を駆け降りた。玄関を出るとちょうど翔は亮太たちと家の前を通り過ぎたばかりだった。

「おい！」

呼ぶとみんな振り向いたが、圭介が翔しか見ていなかったので翔に用だと分かったらしい。翔は警戒するような表情になった。こちらの気持ちが変わったからと言って関係が改善されるわけではないし、今さら改善するつもりもない。ただ用件を伝えるだけだ。

「夏木と冬原のことだけど。何も処分されなかったってよ。こないだ茂久んちの店にあいつら来たんだ」

翔だけではなく、亮太や事件で一緒だった子供たちの表情も明るくなった。

「それだけだ。じゃあな」

望にも伝わるはずだ。圭介はさっさと家の中に引っ込んだ。

しばらくして望と道で行き合ったとき、望が小さく会釈した。ありがとうということだろう。圭介も目線だけ少し下げてそのまますれ違った。

次の春、圭介と雅之は同じ高校に進んだが茂久とは学校が別れた。

皆それぞれ学年が上がり、今度は翔や亮太が中学の制服を着るようになった。

望は大学に進学したそうだ。地方の国立大で大学の寮に入ったらしい。長い休みなどはよく帰ってきている。保護者の須藤《すどう》さんと仲がいいのだろう。髪が少し伸び、薄く化粧などもするようになってすっかり女子大生だ。もう圭介たちとは完全に違う世界の住人である。

ちょっとした連休などでもよく帰ってくるからカレシはいなさそうだ。キレイになったから、できないわけではなく作らないのだろう。

まだ夏木のことが好きなのかな。ちらりとそう思った。

圭介のほうは同じクラスで気になる女子ができた。クラスメイトとしてはけっこう仲がいいと思うが、その先がどうも踏み込めない。

母親のことを思うと腰が引けるのだ。また望のときのようにいきり立って弾こうとすることが分かっているだけに。

そんなこんなで、いい感じになった女子も最終的には別の奴に持って行かれてばかりだった。

だからというわけではないが、進学で家を出ようと決めた。家にいる限り、母親の干渉から逃れられると思えなかったのだ。

地方でも偏差値が高い大学なら下宿を認めると読めていたので説得はあまり難しくなかった。

そしてめでたく関西の大学に進学を決めた年、来年卒業する望が就職でこちらに帰ってくると聞いた。

「久しぶり」

道で通りすがったとき、お互いそう言った。

横須賀の事件から四年、これだけ経てばさすがに普通に声を交わせる。

「関西行くんだってね」

「うん」

普通に近所の人と話すように言葉を交わす。まるで二人とも大人のような顔をして。

昔は見上げていた望を今は圭介が追い抜いていて、きれいになった望はご近所用のよそ行きの笑顔だ。

「望さんは就職したら家から通うの？」

「うん、狙ってるとこに受かれば通える距離だし」

「それもそうだね」

それじゃ、と望が立ち去ろうとしたとき、圭介はとっさに呼び止めた。

「望さん」

望が振り向く。初めて会ったときのように少し驚いた顔で。

今度は何を言えばいいのか分かっている。

「子供の頃、いろいろごめん」

今さらでも言ってしまわないと圭介にとっては終わらない。

望はずっと心にかかっていた棘《とげ》だ。圭介の間違っていた日々の象徴だ。決着《けり》をつけないまま逃げても何も変わらない。

好きとか嫌いとかそんな問題はとっくの昔に終わって、ただ望は圭介にとって越えなければならないハードルだった。

望は少し瞬《まばた》きしてから、笑った。

「もう気にしてないよ」

ああ。

やっと終わった――圭介はほっと息を吐《つ》いた。何かの負債をようやく返し終えたように。

これで母親にも立ち向かえる。望という一番触るのが恐かった棘に触れて抜くことができたのだから。

「学校、頑張ってね」

「――望さんも。就職、頑張れよ。絶対受かれよ」

圭介が返した励ましに、望は初めて全開の笑顔で力強く頷いた。

その笑顔をもらえたことで許されたと実感できた。

＊

横須賀の事件から五年目の夏が来た。

巷《ちまた》ではレガリスまんじゅうだのレガリスせんべいだのが土産物で定着し、人のしたたかさに呆れるばかりだ。

夏木と冬原は相変わらず腐れ縁で同じ艦に勤めている。おやしお型の新造艦が就役して幹部職が足りずにまとめて放り込まれた形だ。バラ売りすると別々のところで騒ぎを起こすので、まとめて管理しようという腹もあるらしい。

冬原は潜水艦記章《ドルフィン》を取った翌年に意外と早く結婚した。合コンだ何だと腰が軽いように見えて、本命はしっかり捕まえてあったらしい。移った先の官舎では愛嬌のいい働き者だと評判の奥方である。

昨年娘が生まれて意外なほどの親ばかっぷりを披露しているが、相変わらず合コンは幹事役でよく引き受ける。

だってみんな俺のツテ当てにしてるんだもん、ボランティアみたいなもんだよ。

川邊艦長が熱心だった独り者の救済は冬原に受け継がれたらしい。

「夏木も面倒見ようか？」

「お前に縁を取り持たれるなんて死んでもごめんだ」

一生恩に着せられるに決まっている。しかし意地を張る代わりに夏木は今でも独り身だ。

「だからあのときカッコつけてリリースしなきゃよかったのに」

冬原はいつまでもしつこく五年前の事件を蒸し返す。他人事《ひとごと》だから放っておけばいいのに、よほどあのリリースに異議があったらしい。

「あれはそういうんじゃねえよ、向こうだって気の迷いだ」

「もし気の迷いじゃなかったらどうする？」

「士官クラブでドンペリでも何でも奢《おご》ってやるよ」

「置いてあるわけないと思って無茶吹いてんね、あんた。事と次第によっては入れさせるよ、俺は」

「そもそも今さら確かめようがねえだろが」

夏木は一蹴して昼飯をかき込み、トレイをカウンターに下げた。

「ほら、さっさと食え。午後からまた見学だ」

入港中、最も手間を取られる業務は実は見学者の案内だ。ことにこの艦は艦内の設計を微妙に従来型と変えてあるので技官関係の見学が多い。

「夏木二尉、見学の方いらっしゃいました」

隊員に呼ばれた夏木は、一緒に案内する筈《はず》だったのにまだ飯をかき込んでいる冬原に見切りをつけてハッチに向かった。


見学者はもう埠頭で待っていた。

黒いパンツスーツの女性だ。今年入省した技官だと聞いている。新人だから案内役も艦長や副長クラスでなくていいということらしい。

お待たせしました、と言いながら舷梯《タラップ》を降りたところで夏木の足は一瞬止まった。

相手の女性が顔を上げる。――覚えているより綺麗《きれい》になった。

「初、め、ま、し、て。今年入省の森生望です」

　お忙しいときにすみません、一度個人的に新造艦を見学したかったものですから。

　そんなことを続ける望を夏木は手で制した。

「ちょっと待て。お前、」

「初めまして、ですよね？」

　望はねじ込むような口調で言った。――知らん間に要らん迫力つけやがって。

「初対面なのに口悪いですよ。そんなだからまだ彼女の一人もできないんじゃないですか」

「余計なお世話だ！　つーか何でそんなこと知ってんだ、そもそも！」

「冬原さんは連絡先教えてくれたんです、どなたかは教えてくれなかったけど」

　情報源など聞くまでもなかった。思わずハッチを振り返ると、上がってきた冬原がグラスを掲げる仕草で意地悪そうに笑った。

　もう一度望に向き直ると、望がさっきとは打って変わった不安げな眼差しですがった。

「初めてになりましたよね？」

　五年前、正にこの埠頭に着けた『きりしお』から望を救助のヘリに乗せたときが巻き戻る。

　やっぱり俺はお前らが来なければよかったって最初に思ったんだ――そんなふうに思われたのが始まりなんて嫌だろ、

どうせなら幸せに出会って幸せに始まったほうが——

そんなふうにごまかした夏木に望は最後に頼んだのだ。

私の、こ、と、は、忘、れ、て、く、だ、さ、い。


忘れろというのがこういうことだったのなら、
夏木は望に敬礼を返した。

「初めまして、本日ご案内致します夏木大和《やまと》二尉です。よろしくお願いします」

望がほっとしたように笑った。

頼むからそんなふうに笑うな。言い訳が全部引っぺがされてもう逃げ場がない。

普通に綺麗だとか思っちまうだろうが。

「足元気をつけて」

舷梯《タラップ》の段差で手を貸すと、望は昔のように遠慮がちに手を預けてきた。

華奢《きやしや》な手の感触はやはり昔と変わらない。

昔はどうして無造作に接することができたのか、今となってはもう思い出せなかった。

Fin.

あとがき

元本はアスキー・メディアワークスの単行本です。『空の中』に続いてこの本も角川文庫に移籍することになりました。

関係各位が「作品にとって最善の形を」と配慮してくださった結果、いろいろ数奇な運命をたどっております。

有川式大人ライトノベル第二弾ということで一つ。

あとがきを書くに当たって当時を振り返ると、どうでもいいことばかり思い出しました。

当時のメディアワークス会長が「女の子の純情が健気《けなげ》なお話だし、装丁はカワイイ女の子のイラストにしたらどうかな」とか言い出して担当さんも私も黙殺したことであるとか。会長、たまにすっとんきょうだったからなぁ。

しかし会長提案をフツーに「ねえよ！」と蹴《け》れるのがメディアワークスのすごいとこ。完全無視して鎌部さんのかっこいい装丁になりました（文庫カバーにも引き継いでいます）。

ちなみに『きりしお』のCGは「お金ないからプロには頼めない！　有川さんの友達でCG描ける人いたよね⁉」と描いてもらったという相変わらずの切ない台所事情でした。

このお話は架空のトンデモ事件を一つでっちあげ、その中で進む物語を各パートからライブ中継しようというようなアイデアで走り出しました。言わば嘘ドキュメンタリー的な。

どうやって架空の事件を作り上げたかというと、警察・自衛隊・行政・『きりしお』艦内・米軍・その他諸々《もろもろ》とパート分けして、時系列に従ってそれぞれのパートの動きを組み上げたんですね。友人の協力が物を言った作業です。

実際にやったのはチャット詰め将棋みたいなもの。警察役・自衛隊役・米軍役等々を分担し、「○時○分、横須賀港にレガリス上陸」「警察は通報を受けて出動」「ではその頃米軍としてはこう動く」など延々事件を展開させてログを取ってました。

米軍の出動をどう封じるか、というところなんか面白かったです。米軍役を受け持った友人が執拗《しつよう》に米軍の出動を画策して何かに取り憑かれたかのようでした。内閣・警察・自衛隊役が相談しつつこれを封じるわけですが、なだめすかしてもう必死。シミュレーションなのに奇妙な緊張感がありました。米軍役の友人を封じたときは本当にほっとした……


さて、この後に収録される『海の底・前夜祭』は『海の底』番外編です。初出は『電撃文庫MAGAZINE』創刊号ですが、文庫でようやく回収することができました。

『海の底』番外編は『クジラの彼』（角川書店）にも掲載されております（『空の中』番外編も）。

読んでくださる方々に心から感謝しつつ、この本を送り出します。行ってこい！

有川　浩

参考文献

「現代の潜水艦」(2001年　学習研究社)
「潜航─ドン亀・潜水艦幹部への道」(山内敏秀　2000年　かや書房)
「わかりやすい艦艇の基礎知識」(菊池雅之　2003年　イカロス出版)
「海上自衛隊パーフェクトガイド2002」(2002年　学習研究社)
「陸上自衛隊パーフェクトガイド2003-2004」(2003年　学習研究社)
「基地の読み方・歩き方」(「いのくら」基地部会編　1998年　明石書店)
「警察のことがわかる事典」(久保博司　2001年　日本実業出版社)
「東大落城─安田講堂攻防七十二時間─」(佐々淳行　1996年　文藝春秋)
「連合赤軍『あさま山荘』事件」(佐々淳行　1999年　文藝春秋)
「重大事件に学ぶ『危機管理』」(佐々淳行　2004年　文藝春秋)
「実践自治体の危機管理」(田中正博　2003年　時事通信社)
「日本の危機管理」(歳川隆雄　2002年　共同通信社)
「深海のパイロット─六五〇〇mの海底に何を見たか」(藤崎慎吾・田代省三・藤岡換太郎　2003年　光文社)
「深海生物学への招待」(長沼毅　1996年　日本放送出版協会)

潜水艦『きりしお」

基準排水量：	2,750t
全　長：	82m
全　幅：	8.9m
深　さ：	10.3m
喫　水：	7.4m
馬　力：	7,700ps
速　力：	20kt
定　員：	70名

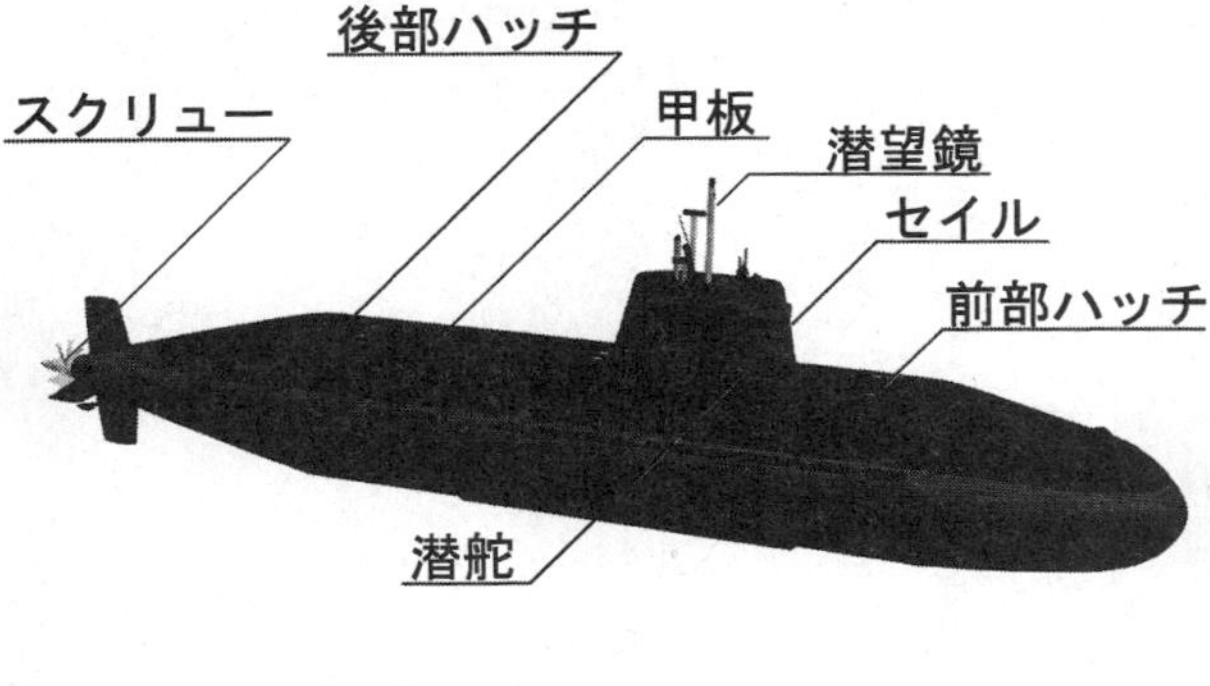

挿絵　白猫

海の底・前夜祭

四月上旬。

横須賀へ入港した潜水艦『きりしお』を占拠せよ。

なお、このメッセージは自動的に、

＊

「消去なんてされないけど、まあそんなようなことで」

冬原春臣《ふゆはらはるおみ》は九名の部下ににこやかな笑顔を向けた。潜水艦埠頭《ふとう》の第二潜水隊群司令部庁舎の陰から停泊した『きりしお』を窺《うかが》うその表情には何らの気負いも緊張もない。ただ攻略すべき拠点を獲物として眺めるのみである。――舌なめずりしながら。

「柴村《しばむら》士長、武器は」

「は！　調達できております」

敬礼した士長は若い冬原よりも更に若い。担いでいた背嚢《はいのう》を下ろし、口を開く。――周囲の者が息を飲んだ。

黒光りする拳銃《けんじゅう》やＳＭＧが乱雑に口まで投げ込まれている。

「一人一挺《ちょう》、予備弾倉も一人一つずつです。それからガスその他ですね。これでよろしかったでしょうか、もっと大物も用意できましたが……」

「充分。狭苦しい潜水艦の中じゃリーチのある銃は却《かえ》って取り回しがしにくいしね。SMGが限度でしょ」

しかし、と冬原が呆《あき》れ顔で柴村を見やる。

「こんな短時間でよくこれだけ集められたね？」

「隊内に同志もおりますから」

含むような柴村の笑みに冬原も薄く笑う。

「そうだね。何事につけても同志がいるのはいいことだ」

その同志の存在がなければこの計画が日の目を見ることもなかった。

仲間たちが武器をそれぞれ分け合う。

「SMGは突入班、できるだけ同じ銃種の者がバックアップし合うように動いて」

弾倉の共有が効くからという理由は説明するまでもない。全員がプロだ。

「欲を言えばSMGと拳銃がそれぞれ同じ型番で統一されてたらよかったね」

「すみません、さすがに時間が足りませんでした」

生真面目に謝る柴村に冬原は「いいよ、欲を言えばの話だからね」と鷹揚《おうよう》に手を振った。

そして埠頭の『きりしお』を見やる。明け方近く、黒い艦体は灯《あか》りを失いはじめた港の夜景をバックに闇の中に沈みこんでいる。

見る限り、見張りらしきものは後部ハッチの立ち番が一人だ。

「チョロいね」

冬原はぺろりと下唇を舐《な》めた。

見てろ、夏木《なつき》。その艦の脆《もろ》さを思い知らせてやる。——その呟《つぶや》きは胸の内に収め、

「それでは——出動！」

冬原は低い声でスタートを宣言した。


春先とはいえ、明け方はまだまだ冷え込む。入港早々立ち番とはツイてない——と、見張りに立っていた水瀬《みなせ》士長は内心ぼやいた。

かじかむ手指に息を掛けて温めていると、

「おぉい」

舷橋を自分と同じ青い制服が渡ってきた。見ると、入港早々上陸に当たった筈《はず》の隊員である。宿舎は埠頭の側なので抜け出してくること自体は難しくないが、一体何があったのか。

「どうしたぁ？」

「いや、さっき雨宮《あまみや》の実家から電話があって。どうやらご不幸らしい。雨宮起きてる？」

「起きてるっつーか、起こさなきゃ仕方ないだろう……」

言いつつ水瀬はハッチへ身を屈《かが》めた。——と、その背中に、

「……お前ッ……」

声がかすれた。

背中にゴツリと当たった硬い感触は、明らかに銃口のそれだった。

「まさか——」

肩越しに水瀬が振り向くと相手はにっと笑った。

「そのまさかだ」

誇らしげに宣言したのは柴村という名の士長であった。

騒いだら撃つ。その脅しは十全に効果を発揮し、水瀬が沈黙させられている間に柴村は甲板に仲間を呼び寄せた。数人がかりで水瀬が手早く簀巻《すま》きにされる。

「お前ら、こんなことしてただで済むと思ってるのか……！」

「思ってないさ」

あっさり返す柴村に水瀬は言葉を失った。柴村は自嘲《じちょう》のような笑みを閃《ひらめ》かせた。

「俺たちはあの人に選ばれた。その時点でただで済まないことなんか重々承知の上なんだよ」

「——バカな！」

水瀬は食いついた。

「何故拒否権を発動しない！　そんなバカバカしい計画に選ばれたからという理由だけで唯々諾々と従うのか！」

「唯々諾々？」

柴村の目が据わり、水瀬は息を飲んだ。柴村の銃口が頬に押し付けられたからだ。

「訂正してもらおうか。——嬉々《きき》として従ってるのさ、俺たちは」

——狂ってる。

喉《のど》まで出かかったその言葉を水瀬は飲み込んだ。言っても無意味だ。簀巻きになった水瀬の口に仕上げとしてガムテープが貼られ、柴村以下七名の隊員は無防備なハッチに次々と姿を消した。

食堂では数名の隊員が休憩を取っているところだった。

窓のない潜水艦にも時間帯を意識させる明るさの違いがある。夜間は非常時に起床した者の目が眩《くら》まないようにすべての灯りが赤色照明になっているのだ。

その赤色灯の独特の暗さが夜中であることを意識させ、談笑する声は自然と低い。その声量を抑えた会話だったから気づいたのだろう。

「今、誰か下りなかったか」

船尾側の出口付近の席に座っていた者が通路のほうを窺った。通路からは階段が上に続いており、後部ハッチの下に繋《つな》がっている。

「まさか。立ち番交替したばかりだろ」

「いや、誰か下りたって」

潜水艦の乗員はラッタルの手摺《てす》りに靴底を掛けて滑り下りるため、最後の着地は飛び下りる音が響くのだ。

音を聞いた隊員は席を立ち、通路から階段を窺った。薄暗い赤色灯の中、誰か階段を下りてきた。見張りに上がった水瀬ではなく別の隊員だ。

しかし、何故こんな時間に外から隊員が来る？　三交替直の交替時間でもない。

そもそも――

「柴村か？　お前、上陸じゃなかったのか」

入港早々上陸が当たった幸運な隊員の名を呼びかけると、相手は薄く微笑んだ。

「今から俺は柴村じゃない」

その不穏な宣言に隊員は息を飲んだ。

柴村ではないと名乗った柴村は隊員に向けて右腕を伸ばした。その腕が構えるのは、黒光りするＳＭＧだ。直接戦闘を旨としない潜水艦乗員が本来持っているはずのない直接戦闘武器を柴村が持っているその意味は。

まさか、こいつらが。

隊員が反射的に体をかわした瞬間、柴村が引金《トリガー》を引いた。

サイレンサーを付けているような軽い発射音と共に弾丸が一連射ばら撒《ま》かれる。跳弾の音に他の隊員も気づいて腰を浮かす、体をかわした隊員は叫んだ。

「敵襲だ！」

他の隊員たちも一斉に腰を浮かす。階段を複数の足音が駆け下りてくる。

射撃をかわした隊員が水密扉を閉めようとするが、その前に数に任せて押し込まれた。食堂に雨あられと弾丸が降り注ぐ。奥へと逃げる隊員たちが背中を撃たれて次々と転倒する。だが仲間が撃たれた隙に数人が通路へ逃れた。

撃ち漏らした隊員を追うように射撃が被《かぶ》せられるが、狭い通路で跳弾となって命中しない。

押し込んだ隊員たちが追いかけようとしたとき、

「いい気になるなよ!」

凄《すさ》まじい勢いで粉塵《ふんじん》が舞った。厨房《ちゅうぼう》に逃げ込んだ隊員が消火器を使ったのだ。

まともに目潰《めつぶ》しを食らった襲撃者たちが怯《ひる》んだ。真っ白く煙った部屋の中で射撃音が響くが、でたらめにばら撒かれる弾は目標を捉《とら》えない。

「よせ、同士討ちになる!」

柴村の制止で射撃が止んだ。消火器は既に放り捨てられた音がしており、使った隊員ももう厨房には居まい。

粉塵が収まると、白い粉に塗《まみ》れた襲撃者たちが残された。全員が激しく咳《せ》き込んでいる。

どうやら二、三人逃がしたようだ。あわよくば全員仕留めるつもりだったが——

「思ったよりやる」

柴村は低く呟いた。直接戦闘の職種でないとは言え腐っても自衛官ということか。

床に倒れている隊員を数えると六名。不意を突かれてこの犠牲者数で済んだのは上等としたものだろう。

「くそっ」

部下の一人が悔しげに床を蹴《け》り、柴村は宥《なだ》めた。

「気に病むな。俺たちの役目は気づかれてこそだ」

「夏木三尉、襲撃です！」

就寝中を叩《たた》き起こされた夏木はベッドを横に転がり出た。棺桶《かんおけ》を三つ重ねたような低い三段ベッドはまともに起きると頭を天井に強打する。起きて反射で横転するのは潜水艦乗りの必須《ひっす》技能だ。

他にも就寝中の隊員たちがわらわらと転がり出てくる居住区から夏木はいち早く抜け出した。襲撃を知らせた隊員が部屋の外で報告を開始する。

「後部ハッチより推定十名弱が侵入、全員銃器を所持しています。食堂で休憩中の六名が死傷。現在、食堂と居住区の間の通路にバリケードを築き侵入を阻止しています」

「最上層は」

「士官居住区側から水密扉を閉めてロックしました。後部ハッチからの侵入は不可能です」

バリケードが築かれたという通路に向かうと、洗濯機だのスチール家具だのが積み重なっている。艦内には可動できる資材は少ないが、すれ違うことも容易でない狭さなので少ない資材でも封鎖は可能だ。

「よく塞《ふさ》いだな」

夏木が思わず感嘆すると、案内してきた隊員は笑った。

「使える資材は下っ端が一番知ってるもんです」

しかし、と声が曇った。言わんとするところは一目瞭然《りょうぜん》だ。

反撃手段がない。艦に携行火器の備えはないのだ。敵の銃撃の隙を突いて一斗缶を投げたり工具を投げるのがせいぜいである。

しばらくその様子を後方の物陰から観察していた夏木は呟いた。

「奴らも弾は少ねえぞ」

「そうでしょうか」

「突入でどれだけばら撒いたか知らんけど、残弾が豊富ならこれほど惜しんだ撃ち方しねえ。しかもばら撒くしか取り得のないSMGなんか」

敵の射撃はこちらがバリケードから体を覗《のぞ》かせるときを狙っており、明らかに弾を惜しんでいる。

十名弱の小集団なら、弾切れと同時に乗員が数に物を言わせて制圧できる。敵の優位は弾が残っている間だけだ。

消極的な射撃はそのためか。

——違う。

敵が夏木の思っている男なら、ジリ貧をただ待つばかりのこんなデタラメな作戦は立てない。そもそもこの地点で膠着《こうちゃく》状態に持ち込んでも勝利条件は何ら手に入らないのだ。

残弾がわずかでも居住区を突破すれば艦前方の発射管室を占拠できるのに、なぜ強行突破を図らない。弾を使い尽くしても発射管室に立てこもればいくらでも戦い方はある。少なくとも魚雷を盾に取れば自爆だろうが脅迫だろうが自由自在だ。

だとすればこのデタラメには意味がある。ジリ貧を待つばかり、その事実に意味を持たせるとすれば——時間稼ぎだ。

「解けた。一気に制圧するぞ」

「弾切れを誘いますか」

「そんな悠長な暇はねえ。こっちも飛び道具だ」

怪訝《けげん》な顔をする隊員に夏木はにっと笑った。

「あるだろうが、艦内に一つだけ。奴らに対抗できる飛び道具が」

＊

発令所に詰めていた沖田《おきた》二士は、にわかに騒がしくなった階下を気にしてそわそわしていた。先ほど一緒に詰めていた先輩の士長が階下を見に下りたがまだ戻っておらず、状況はまったく分からない。

「下、どうなってるんだろう……」

まだ新米の沖田には自分で状況を判断するだけの経験はない。だが、士長は「何かあった」ことを断言して発令所を出た。口振りからすると、武装蜂起《ほうき》的な事件が起こる可能性が一部の隊員には数日前から警告されていたらしい。

まさかそんな。思わず否定した沖田に士長は厳しい表情で言った。

とにかく発令所には誰も入れるな。二十分経っても俺が戻らなかったら発令所を閉鎖しろ。半信半疑で見送ったものの、そろそろ士長が残した二十分のタイムリミットが近づいている。いよいよ不慮の事態を懸念せねばならないタイミングだった。

もしかしたら士長は戻れなくなったのかもしれない。だとすればいよいよ士長の残した指示が深刻になる。

士長らの与えられた警告が真実で、もし下がもう占拠されているとしたら。

思い悩んでいるうちにリミットが切れた。ともかく指示を守らねばならない。沖田は慌てて扉を閉めにかかった。

艦内のドアは平常時は開放した状態で固定されている。『きりしお』の水密扉は閉めて内側からロックすれば開かない仕様なので、万が一外から賊が侵入を企てても立《た》て籠《こ》もれる。

自分で思い浮べた賊という言葉にぎょっとする。まだ実感が湧かないが、士長が言い残した期限で戻らなかった以上、そして不穏な情報を言い残した以上、これは確かに有事になるのだ。

「どうしよう……俺、どうしたら」

もし本当に艦内で何かが起こったとしたら、何故未《いま》だに警報が鳴らないのか。静まり返っていることが逆に沖田を混乱させる。

誰も警告する余裕がないまま武装蜂起集団と戦闘状態に陥っているのか。発令所の自分だけがその混乱から切り離されているのか。しかし異変が起こっているのは下の階層で、発令所と同じ階層では士官居住区の幹部たちが起き出している気配はなかった。

だとすれば全艦に警報を鳴らすべきか。しかし、もし階下が警報を鳴らせない状態にあるとしたら？　例えば人質を取られて賊を刺激しないように交渉が始まっているとしたら、警報は状況を悪い方向へ加速させるだけだろう。

そして鳴るべき警報が鳴らない以上、警報を鳴らせない事態が発生したのだと判断するのが妥当だ。

幹部陣の様子を見に行こうかとも考えたが、士長の残した命令は発令所の閉鎖である。有事が現実のものとなりつつある現在、残された命令を破るわけにはいかない。

どうして俺が配属早々こんな目に。士官でも判断に迷うような状況を、つい先日教育隊から卒業したばかりの新米に判断できるわけがない。

お前の首から上は飾りか。ちゃんと物事を考えろ。いつも自分をどやす上官の決まり文句が脳裏に蘇《よみがえ》る。

誰にも指示を仰げない状況下なら自分が判断を下すよりほかないのだ。しっかりしろ。この状況で何がベストか考えろ。沖田は必死で考えを巡らせた。

司令部への通報——は先走りすぎか。しかし現状をありのまま報告すれば、少なくとも沖田よりは的確な判断が下せるはずだし適切な指示ももらえるはずだ。

何より、万が一発令所が占拠されたら司令部への通報自体が不可能になる。扉は閉鎖したが、もし敵が本格的な武装蜂起集団だとすれば水密扉を破壊できる武器や機材を持っていないとは限らないのだ。

「よし、取《と》り敢《あ》えず報告で間違ってないよな」

自分を鼓舞するために何度も呟きながら沖田は通信席に腰を下ろした。無線の操作は教育隊でも教わっている。

無線の周波数を合わせようとしたとき、

「何やってるの」

緊迫した状況に似合わない穏やかな声がした。びくっと体ごと声のほうを振り向くと、既に見知った実習幹部である。発令所内からセイルに上る昇降筒から出てくるところだ。

「冬原三尉！」

「いやぁ、セイルって外側から上るとなかなか恐いね。足掛かりが少ないから夜だと余計に。埠頭の照明も落ちてるし」

どうやら開放してあった上部指揮所のハッチに外部から回り込んだらしい。沖田はほぅっと息を吐いた。

「よかった、来てくださって助かりましたよ」

実習幹部とはいえ沖田より階級はずっと上だし、何しろ幹部教育中なのだからこうした場合の危機管理も教え込まれているはずだ。

「艦内は一体どうなってるんでしょうか？　様子を見に行った先輩が戻らないので状況が全然分からないんです」

「下は今ごろ攻防戦になっているんじゃないかな」

やっぱりか。青ざめた沖田に冬原が尋ねた。

「で、君は何をしようとしてたの」

「はい、司令部に状況を報告しようかと……」

「そうか。君、聞いてないんだ」

何の話か首を傾げた沖田に、冬原は笑った。

「報告は必要ないから」

沖田の返事は声になる前に凍りついた。何気なく背中に回された冬原の手は、手品のように拳銃を取り出しており、銃口はまっすぐ沖田に向けられていた。

「こういうことだから」

にこやかな笑顔と穏やかな口調とその手に握られた拳銃が、バカバカしいほど非現実な絵面を構成している。


拳銃は自衛隊制式採用のSIG-P220《シグ・ザウエル》ではない。沖田はその拳銃と正面から向き合い、ようやく事態を理解した。

「閉鎖って言われたら開放部を全部閉めなきゃね、敵はドアから入ってくるとは限らないよ。次から気をつけて。——次があればの話だけど」

言いつつ冬原は容赦なく引金を引いた。

沖田が動かなくなってから冬原は昇降筒に潜ませていた部下を呼び込んだ。

陽動に部隊の大半を割き、発令所の占拠には冬原以下三名である。

無線の使用を封じてから冬原はドアを開放した。

「後はよろしく」

「お気をつけて」

敬礼で送り出され、細く開けた扉の隙間から滑り出ると、また中から扉が閉められた。

下の階層の喧騒《けんそう》が低く響いているが、この階層はまだ静まり返っている。赤色の暗い照明の下、冬原は士官居住区の前を通り抜けて後部ハッチへ向かった。

後部ハッチに続く水密扉は閉鎖してロック済みになっている。艦内の乗員の処置だろう。

手勢に余裕があればここからもう一隊突入させて一気に艦内を制圧したいところだが、冬原に与えられた部下は十名のみだ。

「もう少し都合してくれても罰は当たらないと思うけどね……」

七十名級の艦を十名で攻略しろというのも酷な話だが、こぼしたところで始まらない。冬原は閉鎖された扉を開けにかかった。

＊

防衛一方のきりしお乗員から突然の反撃であった。

凄まじい高圧放水が柴村たちに襲いかかった。

「やった、怯むぞ！」

消火用の放水ホースをバリケード越しに掲げる隊員たちが歓声を上げる。

「怯むに決まってるだろうが！」

誰かが忌々しげに吐き捨てる。今までは壁から身を乗り出して撃っていたが、激しい水圧に叩かれて顔すらなかなか出せない。

「くそっ」

放水の隙を衝《つ》いて銃口を覗かすものの狙いなど付けられない。ほとんど目をつぶった状態で適当に引金を引くだけだ。

「当たるわけねえよ畜生ッ」

挙句こちらは残弾もわずかだ。粘っても得るものは少ない。

「弾が残ってるうちに撤退する」

柴村の決断に異を唱える者はなかった。

「ＳＭＧの予備弾倉がまだ残ってる奴」

尋ねると数人が手を挙げ、柴村はうちの一人から弾倉を取り上げた。

「俺が食い止める、その間に艦を出ろ」

「しかし……」

「どうせ誰かは捕まる、だったら一番時間を稼げる奴が残ったほうが効率がいい。俺より巧《うま》い奴がこの中にいるのか」

もともと射撃の経験の少ない海上自衛隊だ、銃の扱いに長《た》けた者は珍しい。柴村の腕は隊の中で飛び抜けている。だからこそ冬原に選ばれたのだ。

「煙幕ありったけぶち撒いて隙作るぞ、ボンベ寄越せ！」

持ち込んでいた小型のガスボンベの弁を全開にし、バリケードに転がす。白い煙が勢いよく噴き出しはじめた。

「うわっ、何だ⁉」

隊員たちの動揺した声が煙の向こうに上がり、放水の狙いがでたらめにぶれた。

「今だ、行けッ！」

柴村の掛け声で仲間が一斉に通路を走り出した。

「奴ら逃げるぞ！」

ホースを抱えてバリケードを乗り越えてこようとする人影に、柴村はＳＭＧを叩き込んだ。低くくぐもった悲鳴が上がり、取り落とされたらしいホースがのた打つ。

「放水手被弾！　賊はまだいるぞ！」

のた打って床に水流を撒いていたホースが別の隊員に保持されたらしい。視界が白く煙る中、見当だけでだろうが壁際を狙い打つ水流に戻る。しかし柴村がどこにいるかまでは分からないらしく、人が隠れそうな場所をめちゃくちゃに放水で叩いている。

盲《めくら》撃ちでもまともに手元に食らえば銃など叩き落とされる。柴村は放水の動きを見計らいつつ煙の向こうへ射撃を続けた。

柴村に逃がされた隊員たちは、一度押し入った通路をひたすらに駆け戻った。

そして最初の戦闘があった食堂にたどり着いたとき、先頭の一人が盛大に転倒した。

一人が転ぶと後はひとたまりもない。次々と団子になって転ぶ。狭い空間で折り重なるので立て直しも効かない。

「くそっ、トラップだ！」

最初に転んだ一人が叫ぶ。足元にワイヤーが張ってあった。仕掛けて待ち構えているはずの乗員に銃を向けようとするが、上に重なった仲間が邪魔で間に合わない。

「動くな！」

目の前に立ちはだかった乗員が、罠《わな》に掛かった者たちにSMGを向けていた。誰かが転んだ拍子に取り落としたものを取り上げたのだ。

「夏木三尉……」

見上げた誰かが放心したように呟く。作戦前に冬原が言ったことがあった。

夏木は必ず来るよ。気をつけて。——確かに。

「全員武器を捨てろ。それとも自決でもする設定か？」

有無を言わさぬ口調に一人が投げやりに銃を放り捨て、他の者も次々続いた。

食堂に駆け込んできた乗員たちが捨てられた銃を回収し、一人ずつ立たせて縛り上げる。

「よし、武器持って三人来い」

夏木の指示に従って三名が回収した武器を手に取り、食堂を出た夏木に続く。

その後、バリケードで一人抵抗中だった柴村は背後を衝かれて投降した。

夏木が後部ハッチを駆け上がると、上がってすぐの甲板に縛られたうえに口を塞がれた水瀬が転がされていた。夏木を見てじたばたと身動きする。

「悪い、もうちょっと転がされてろ」

塞がれているので喉にくぐもった叫び声は「そんな」と抗議している。非情に無視して夏木がセイルに駆け寄ると、続く隊員も全員放置だ。

申しわけ程度に付いている点検用の足場を頼りに十m近いセイルを登攀《とうはん》。頂上の上部指揮所はハッチが開放されたままだ。まさか同じルートで侵入されるとは思っていなかったのか冬原にしては詰めが甘い。

窺うと下は静まり返っている。もう制圧済みなのか。夏木は先頭に立ち、ラッタルを踏んで降りた。手摺りを滑り降りると音が立つので気づかれる。

昇降筒の出口から発令所の中を窺うと、中には銃を持った隊員が二名だ。一気に飛び出して制圧と行きたいところだが、昇降筒の狭い床に部下は全員降りられず二名がラッタルに取り付いたままだ。

アイコンタクトでタイミングを計り、夏木ともう一人が昇降筒を飛び出した。

「武器捨てろ!」

飛び出した物音よりも夏木の怒号に驚いたのか、発令所を占拠していた二名は慄《おのの》いたように昇降筒を振り向いた。

夏木たちに続いてラッタルで待っていた二名も飛び出し、形勢は一瞬で逆転だ。敵の二名は拳銃を挙げかけたままの姿勢で固まった。

「動くなよ、ご多分に漏れず海自隊員は射撃下手だからな。抵抗したら武器を狙うような器用な真似できねえぞ」

身も蓋《ふた》もない事実による脅しは最も効果的に作用し、占拠者は武器を捨てた。だが発令所内に冬原の姿はない。

しぶとい、と夏木は無意識に舌打ちした。

当直の沖田はもう動かない状態になっている。食堂で確認された犠牲者が六名、これで七名が犠牲になった計算だ。

「無線も封鎖されてます」

「当然だな」

無線が生きていれば司令部へ通報して決着したところだが、発令所を占拠した冬原が無線を封鎖しないわけがない。舷門《げんもん》に設営された電話も恐らく使えない状態になっているだろう。

だとすれば冬原を押さえる以外にこちらの勝利条件はない。

陽動部隊を突入させつつ発令所を占拠し、これも陽動で更にそこからもう一転。冬原らしいと言えば言える悪辣《あくらつ》さである。

「仲間は何人だ？」

主義ではないが武器で脅した問いに、返答は十名。だとすれば、このうえブラフを噛《か》ませるほどの人員はない。今ここにいない冬原が敵の最後の手勢だ。

「念のために舫門の電話確認しろ、望み薄だがもし電話が生きてりゃそれでケリだ。俺は冬原を押さえる」

「押さえるって、艦内のどこに潜んでるか分からないじゃないですか。人員投入して捜索したほうが」

「発令所取り返しただけでもう鎮圧完了したつもりか？　まだ状況は奴の手の内だ、敗北寸前に追い込まれてんのはこっちだぞ」

言い終えるなり夏木は水密扉を開けて発令所を飛び出している。

冬原は反乱部隊の残党ではない。未だ戦力を残した遊撃兵であり、自由に艦を動き回らせるには最も厄介な敵であった。

＊

化学的な刺激臭に嗅覚《きゅうかく》を刺激され、士官居住区の士官たちが次々と目を覚ました。

室内には換気口から逆流したらしい白い煙が薄く立ち込めている。

すわ火事かと全員が覚醒《かくせい》した。

「火元確認しろ！」

火元になりやすい食堂と煙缶設置場所の確認に全員が散る。

機関長と機関士が食堂へ下りると、その階層は一面白く煙っていた。もともと暗い赤色照明と相まって視界は非常に悪い。

「火事にしては焦げ臭くありませんね」

機関士が鼻をひくつかせる。刺激臭は士官居住区よりも更に強い。

食堂に火の手は確認できず、更に通路を進むと――

「止まれ！」

白い煙の中から威圧的な声が響いた。機関長と機関士に向けられたのはどうやら銃器のようであり、

「機関長、伏せて！」

叫んだ機関士が背後から機関長を巻き込んで床に飛び込んだ。

倒れたところへ銃撃が来るかと思いきや、銃の持ち主は二人に背中を向けて逃げ出した。

呆然《ぼうぜん》と後ろ姿を見送ったその一瞬で煙の中にかき消える。

「――何だ今のは！」

叫んだ機関長に機関士が律儀に「分かりません」と叫ぶ。

銃を持った不審者の侵入など火事以上の大事件だ。侵入者は一人かそれとも一味か。機関長は起き上がって近くの伝声管に向けて走った。

「総員起床！　艦内に武装ゲリラ侵入、人数不明！　直ちに警戒態勢に入れ！」

その警告が事態を更に悪化させることをこの時点で機関長は知らない。


武装ゲリラ侵入。

その不穏な警告に叩き起こされた川邊《かわなべ》艦長は、寝巻きのままで艦長室を飛び出した。部屋を出ると通路は白く煙っている。

鼻を突く刺激臭は火事の煙ではない。ガスかと思いとっさに鼻口を塞ぐが、ひとまず粘膜や目には影響がないようだ。遅効性かそれとも単なる煙幕か。

夜間赤色灯と煙の相乗効果で視界の利かない中、艦内はすでに大混乱に陥っているらしい。乱闘らしき物音に混じり、怒号や叫び声が聞こえてくる。

「艦長！」

煙の中から姿を現したのは副長だ。何はともあれ川邊と合流しようとしたらしい。

「俺は発令所へ行く、発射管室と機関室を守れ！」

返事は待たずに川邊は煙の中に突っ込んだ。

視界の悪さで敵味方の区別が付かない中、出会い頭に襲ってくる者と何回も行き会ったが、殴り倒してみると結局隊員ばかりである。

「川邊だ、発令所へ向かう！　隊員は邪魔をせぬこと！」

間抜けだが何度も繰り返し怒鳴りながら発令所へ向かう。

やがてたどり着いた発令所で、川邊は信じがたいものを目の当たりにした。

＊

武装ゲリラ侵入の報を冬原は機関室で聞いていた。

気づかれたかと軽く舌打ち。幹部陣に気取らせずに計画を完了するのが目標だったが、その目論見《もくろみ》は破れたようだ。

「こうなっちゃったものは仕方ないね」

嘯《うそぶ》きながらディーゼル主機へ歩み寄る。

エンジン破壊の措置をしようとしたとき、

「そこまでだ」

鋭い声が冬原を止めた。声のほうを振り向く前に相手は分かっている。

「最後はお前が来ると思ってたよ、夏木」

ちゃらけた冬原の物言いに、夏木は無言で銃を向けている。艦内に武器はないから、冬原の部下から奪ったものだろう。

「でも止められるの、あんたに」

「エンジンから離れろ」

夏木の命令に冬原は笑った。

「言うだけじゃなくて実力行使してみたら。俺は銃構えてないんだし、そっちが一方的に有利なはずでしょ」

「だから命令してんだ、離れろ！」

声を荒げる夏木に冬原は一向に動じない。

「この状況になったら俺の勝ちだと思ってたけど、やっぱりそうだったね。撃たない人の命令に従うバカはいないよ。あんた、俺の部下一人でも殺せたの」

揶揄《やゆ》するような冬原の声に夏木は無言だ。しかしその表情が答えている、夏木は冬原の部下を一人も撃っていない。

できることなら隊に全員帰順させたい、夏木の考えそうなことだ。しかし、そう考えていること自体が夏木の弱みだ。

「あんたは撃てないよ。だから俺の勝ちだ」

「試してみるか」

夏木の声が一段低くなった。応じて冬原も真顔になる。

夏木は冬原をよく知っている。投降に応じない以上、説得しても無駄だということもだ。互いをよく知っていることが撃つしかないという根拠となるか。

空気が張り詰める。

そのとき、艦内放送のスピーカーに通電のわずかな音が入った。

その後はお互いが完全に反射だった。

夏木は引金を引き、冬原がディーゼル主機を叩いた。

『夏木に冬原！　直ちに発令所へ出頭！』

艦長の怒声がスピーカーを震わせ、冬原が拳《こぶし》を振り上げた。

「よし勝った！」

「ちょっと待て、今のはどう考えても俺が勝ったろ！」

異を唱えた夏木を冬原が手を振っていなす。

「いーや、俺の爆破措置が早かったね」

「俺が撃ったのが先だろが！」

「撃つ前に動きましたー！」

「言ったもん勝ちかよ、こんなもんこうだ！」

夏木がディーゼル主機に貼り付けられた紙を引っぺがした。紙には極太のマーカーで二文字が大書されている。

『爆破』。

そして床には一連射分ばら撒かれたＢＢ弾だ。

「きたねえ！　自分が負けたからってそれはないよ」

「うるせえ、百歩譲ってドローだドロー！」

泥仕合になりかけたとき、再びスピーカーから艦長の怒声が降った。

『一分以内に出頭せぬ場合は腕立て百回増し！』

やべえ、とお互い呟いて機関室を飛び出す。走りながらどちらが勝ったかの論争はしつこく続けられた。

＊

五十二秒で出頭した二人に川邊艦長がA４の用紙を三枚突き出した。

「これは一体何だ！」

「はっ、見てのとおりのものであります！」

真面目くさって答えた夏木に艦長は苦虫を百匹まとめて嚙み潰したような顔をした。

一枚は『占拠』と大書してあり、発令所の水密扉に貼られていた。『破壊』と書かれた一枚は無線に貼りつけてあり、『死亡』と書かれたものは当直の沖田二士の顔に貼ってあった。

冬原がご丁寧に横から注釈を加える。

「『せんきょ』に『はかい』に『しぼう』ですね。『しぼう』はほかにも何枚か使ってるはずです、柴村に訊《き》けば枚数把握してるはずですが。あと『はかい』は舷門の電話にも一枚」

「誰が読み方を訊いたか！　何のつもりだと言っとるんだ！」

「達成条件です」

やはり真面目くさって夏木。

「停泊中の潜水艦を武装ゲリラから防衛できるかどうかの自主訓練です。自分が防衛側、冬原がゲリラ側を担当しました」

川邊は大きく溜息《ためいき》を吐《つ》いた。夏木と冬原がその想定でディスカッションに熱を入れ、若い者を巻き込んで盛り上がっていたことは記憶に新しい。

たまに真面目なことをしていると思えばこれだ。ああもちろん俺が悪かったとも、こいつらを一瞬でも信用した俺が悪かったとも。――なかなか熱心でいいことだ、などと誉め言葉までかけてしまった数日前の自分を川邊は呪った。

「武器と煙幕はどうした！」

「柴村士長が入港後に一式調達しました。サバゲーマニアなんですよ。モデルガンとはいえ、射撃の腕もなかなか確かで」

冬原が爽《さわ》やかに笑って答える。規律を破ることなど知らないような優等生ヅラが腹立たしいことこのうえない。

「煙幕は演劇用のものを入手しました。刺激臭がありますが人体に影響はありません」

口を添える夏木も生真面目ヅラで、単品それぞれの見てくれは何ら問題なさそうなのに二人がそろいもそろってやらかすことは一々ろくでもない。

このバカどもが、と吐き捨てた川邊に、夏木がさすがに恐る恐る窺った。

「あのぅ、俺たちひょっとしてクビですか」

このバカどもはこのうえ俺の血圧を上げる気か！

「上に報告できるか、こんなこと！　俺の首が先に飛ぶわ！」

怒鳴りつけると二人が反射で首をすくめる。一体どこまで恐れ入っているかは甚だ怪しい。

「夜明けまでに騒ぎに関わった全員で後始末だ！　BB弾一つ残してみろ、ただじゃおかん！

一発見つかるごとに腕立て百回だ！」

「そんなぁ！」

こんなときにあっさり不平を鳴らすのは冬原だ。

「無理ですってBB弾全回収なんて！　何発ばらまいたと思ってるんですか！」

聞きたくもないわ、あほう！　——と怒鳴りつけたいところを懸命に抑える。

「遊んだ後は片付ける、子供でも知ってることだな？　ん？　これ以上俺にくだらない説教をさせるつもりなら、」

「夏木・冬原両名、ただ今より関係者全員と艦内清掃にかかります！」

夏木が背筋を伸ばして敬礼する。冬原が体を屈めたのは夏木に足を踏まれたらしい。潮時を読むのは毎度夏木である。

部屋を出ていく二人に、川邊は狙い澄まして声を投げた。

「夏木、冬原。——お前ら夜が明けたら腕立て二百回と一週間の上陸禁止だ」

「——了解ッ！」

やけくそのような大声の夏木、肩をがっくり落とした冬原。さすがに多少はこたえたらしいその様子を、川邊はほくそ笑んで見送った。

これくらいは溜飲《りゅういん》を下げさせてもらわないと割に合わない。

「——少々甘やかしすぎじゃないですか」

控えていた副長が二人が去ってから口を開いた。処分が軽すぎると言いたいのだろう。

「まあ、そう言うな。——今日本で有事が起こったとすれば、海自の実習の中で一番使い物になるのはうちの悪ガキどもだ」

副長が苦笑する。結局のところ川邊が二人の跳ねっ返りぶりを気に入っていることは、幹部たちも周知しているのだ。

「確かに寿命が縮むようなこともあるがな」

今回は『自主訓練』の詳細を知らされていなかった沖田二士が総監部に報告を入れるところだったという。さすがにそこまで行かれては庇《かば》いきれないので危ないところだった。

「しかしまぁ、よそのお行儀だけが取り得の若手よりよっぽどマシだろう」

言い訳口調になった川邊に副長がまた笑う。

本人たちにはとても聞かせられませんな。——当たり前だ。

「このうえ調子に乗らせてどうする」

不機嫌にした声が照れ隠しであることは見抜かれている様子だった。

＊

「いやー楽しかったですねー！」

後片付けをしながら関わった隊員たちはご満悦だ。

中でも柴村士長は上機嫌である。

「まさか『きりしお』でサバゲーできるとは思いませんでしたよ」

「そりゃお前らはいいよな、楽しむだけ楽しんで処分なしなんだから」

夏木が仏頂面で雑巾《ぞうきん》を絞る。放水で水浸しの床を拭《ふ》き上げるのは気が遠くなるような作業だ。

「部下の責任を取るのは幹部の義務ですよ、実習中からその心構えが学べていいじゃないですか。俺たちがその糧になってあげてんです、感謝されても愚痴られる筋合いありませんよ」

「うるせぇよ！」

「それより、沖田君に計画教えてなかったの誰？」

冬原も雑巾がけをしながら周囲を睨《にら》む。

「ホントに総監部に連絡入れちゃうとこだったんだよ、俺止めるのギリギリだったんだから」

スミマセン、とBB弾を拾い集めていた沖田が小さくなる。

「あー、いいのいいの。沖田君は悪くないからねー、連絡回してなかった奴が悪い」

「全員回したと思ってたんですけどねえ」

「話したとき沖田いなかったっけ？」

「伝達担当したの誰だ？」

「該当者が見つからないなら連帯責任！　全員でＢＢ弾いっこも残さず集めてよ。一発につき腕立て百回かかってんだから」

冬原の声はかなり切実だ。

「腕立てくらい何だってんですか、俺なんか終わるまでずっと甲板で簀巻きですよ！」

水瀬がふて腐れた声を上げる。ついさっき甲板から回収されたばかりだ。

「何で早く回収来てくれないんですか。吹きっさらしで凍えるかと思いましたよ。柴村のバカは力任せに縛り上げるし、何か変な趣味に目覚めたらどうしてくれるんですか」

まだ縛り上げられていた体の節々が痛むのか、肩や首を回して顔をしかめている。

「あそこでお前を見捨てたからこそ冬原を止められたんだぞ。尊い犠牲じゃないか。誇れ」

執り成した夏木に冬原がむっと口を尖《とが》らせた。

「異議あり。間に合ってないよ、俺が先に勝利条件クリアしてる」

「止めた、絶対間に合ってた」

「よく言うよ、撃てないくせに」

「撃っただろが！」

「爆破が先だったね」

口論になった二人を周囲の隊員がニヤニヤ笑いながら見守る。

夏木が冬原に顎《あご》を煽《あお》った。

「もっかい試すか、ああ？」

「上等、望むところだね」

売り言葉に買い言葉、どっちも大人しく引き下がるタイプではない。

だが。

「……取り敢えず、ほとぼり冷めてからにしよう」

冬原の小声の提案に、夏木も無言で頷《うなず》いた。

泣く子も黙る先任海曹《かいそう》が恐い顔で見回りに来るところだった。

Fin.

解説

大森　望

二〇〇四年二月のデビューからわずか五年。

ライトノベルの大海で発生し、あれよあれよという間に勢力を拡大したアリカワ台風は、怒濤《どとう》の勢いでエンターテインメント大陸を席巻した。『図書館戦争』シリーズで大ブームを巻き起こし、早くもTVアニメ化を果たしたかと思えば、『阪急電車』では〝普通の人々〟の日常を鮮やかに切り取り、『三匹のおっさん』では還暦の（でも意外と若い）オヤジたちの活躍を描き……と、一作ごとに新分野を開拓しつづけている。

その有川浩の驚くべき実力を天下に知らしめたのが、第10回電撃小説大賞受賞作『塩の街』に始まる自衛隊三部作（通称）。第二作『空の中』は、橋本大二郎と恩田陸の推薦文を付し、四六判ハードカバーで大々的に売り出された。それと同じ体裁で二〇〇五年六月に刊行されたのが第三長篇の本書、『海の底』。作家・有川浩の初期を代表する三部作の完結篇にあたる。

あわてて断っておくと、三部作といっても話はそれぞれ完全に独立している。背景となる世界も違えばモチーフも違うし、登場人物も共通しないので、前二作を未読の方もご心配なく。この三冊は、どの順番で読んでも問題ありません（どれでも一冊読めば、あとの二冊を読みたくなるのはほぼ確実)。

じゃあいったいなにが共通しているのかというと、〝怪獣〟またはそれに準じるもの(現実にはありえない非日常的な存在)が登場することと、自衛隊員が活躍すること。『塩の街』では陸上自衛隊、『空の中』では航空自衛隊、この『海の底』では海上自衛隊の隊員が物語の軸になる。陸・空・海の三部作というわけだ。

三作それぞれ、突拍子もないモノの出現によって人間社会がたいへんなことになるんですが、三作の中でいちばん現実密着度が高いのが本書。現代文明が崩壊した世界を描く『塩の街』や、ユニークなファースト・コンタクトSFでもある『空の中』と違って、本書の場合は、サスペンス仕立てのリアルなパニック小説と読めなくもない(ので、現実離れした設定が苦手な人は、本書から自衛隊三部作を読みはじめるのが正解かも)。

物語は、春爛漫《らんまん》の米軍横須賀基地で幕を開ける。おりしもこの日は、桜祭りの日曜日。横須賀基地の一般開放日にあたり、敷地内はおおぜいの見物客でごった返していた。

われらが主人公は、海上自衛隊の若き実習幹部、夏木大和三尉と冬原春臣三尉。米軍基地の中の海自潜水艦埠頭《ふとう》に停泊する、おやしお型潜水艦『きりしお』の乗員である。ふたりとも、実習成績はきわめて優秀ながら、問題児として隊内にその名を轟《とどろ》かせている。今日もまた、艦内で引き起こした大騒動の罰として、甲板で腕立て二百回をこなしたところに、とつぜん警報が鳴り響く。時ならぬ緊急の出航命令。いったいなにが起きたのか?

命令を受け、『きりしお』の機関が始動。が、障害物が噛《か》み込み、スクリューが回らない。川邉艦長は、ただちに全員退去の命令を下す。艦上に出た乗員たちが目にしたのは、人間サイズの甲殻類の群れが基地の人々を捕食する凄惨《せいさん》な光景だった……。

というわけで、今回の〝怪獣〟は、〝海の底〟からやってきた巨大ザリガニの大群。夏木・冬原コンビは、逃げ遅れた民間人の子供たち十三人を保護するが、すでに基地外に退去する道は断たれていた。やむなく子供たちを連れて潜水艦埠頭に引き返し、分厚い船殻に守られた『きりしお』に逃げ込む。

こうして、停泊中の潜水艦にはからずも閉じ込められた十五人の話が『海の底』のメイン・ストーリー（の一方）になる。

避難した子供たちは、女子高校生の森生望を除くと、あとはすべて小中学生の男子。中でも、母親にスポイルされたボス気取りの中学生・圭介が、じつにリアルな〝イヤなガキ〟ぶりを発揮して、密室のドラマを（『中学生日記』的に）盛り上げてくれる。

潜水艦ものが密室劇になるのはお約束と言えばお約束ですが、その潜水艦が最初から最後までほとんど動かず、潜航さえしないというのも珍しい。本書のいちばん最初のコンセプトは、〝潜水艦で十五少年漂流記〟だったそうですが、最終形はむしろ〝十五少年停泊記〟。結果的に、主人公コンビの主な任務は子守りということになり、炊事や洗濯や子供たちのもめごとが〝困難な敵〟として立ちはだかる。

一方、地上側の主役は、〝警備の神様〟の異名をとる（県警きっての問題児とも言われる）、神奈川県警警備部の警備課長補佐、明石亨警部。現地対策本部の指揮を執るのは、警察庁警備部参事官のキャリア官僚、烏丸俊哉警視正。次期警察庁長官の秘蔵っ子と言われる烏丸は、目的達成のためにはあらゆる手練手管《てくだ》を使う徹底したマキャベリスト。歯に衣《きぬ》着せぬ物言いで、これまた問題児のレッテルを貼られている。ふつうならまず接点がないはずのこの二人がタッグを組み、『横須賀甲殻類襲来事件』に立ち向かう。

といっても、現場で実際に巨大ザリガニ群と戦うのは、神奈川県警の機動隊。明石と同期の滝野錬太郎警部が率いる第一機動隊の面々が戦いの最前線に立つ（ちなみに警察サイドの名字は、西宮、住之江、芦屋、魚崎、豊岡、長田……と、いずれも関西の地名が使われている）。だが、彼らにしても警察官である以上、使える武器は限られている。しかも、相手は短銃の銃弾がほとんど効かない甲殻類。結局、いちばん役に立つのは大盾という体たらくで、映画『３００』もかくやの肉弾戦が（局地的に）展開する。

自衛隊は出動したものの、災害救助の名目なので武器使用が法的に認められない。人間を襲う怪獣を目の前にしながら、武力を行使できない不条理。したがって、圧倒的な火力を有する自衛隊をいかにして軍事出動させるかが物語の焦点になり、（ソマリアの海賊をめぐる海上自衛隊の護衛艦派遣問題とも通底する）迫真の議論と駆け引きが展開される。突拍子もない怪獣SFを書いているようで、有川浩は意外と硬派というか、隠れ社会派なのである（ライトノベル的なキャラ立ち＋社会的なメッセージ性という組み合わせは、二年遅れでデビューした『チーム・バチスタの栄光』の海堂尊とも共通する。新世紀エンターテインメントの特徴かもしれない)。

ともあれ、『海の底』では、ヒーローがかっこよく怪獣と戦って勝つ道は最初から封じられている。最近のハリウッド製スペクタクルや、日本の（主にテレビ局主導の）大作映画だと、立場や職業に関係なく主人公が最前線に顔を出し、つねに事件の中心で活躍するパターンばっかりですが、ちょっと考えればわかるとおり、現実にそんなことはありえない。それに対して、有川作品の主人公は、つねに組織の一員として、みずからの職分を守り、与えられた場所で最善を尽くす。その姿がものすごくかっこよく見えるのがポイント。つまり、派手に活躍するからかっこいいんじゃなくて、プロがプロとしてベストを尽くすからかっこいい――というのが有川作品を貫くヒーロー観なのである。

警察には警察の、機動隊には機動隊の、自衛隊には自衛隊の、中学生には中学生の役割があり、果たすべき義務がある。時には無惨に敗退することがベストの選択になるし（だからここでは、負けることもかっこよく描かれる)、かっこ悪く見せることさえ必要になるかもしれない（だから、かっこ悪さを引き受ける勇気がかっこよく描かれる)。

こういう、ある意味モラリスト的な姿勢が説教くさく見えないのは、アクチュアルな設定とリアルなディテールの賜物《たまもの》だろう。小説の前提としてひとつだけ大きなウソをつき、それ以外の部分は徹底してホントでかためるというのが自衛隊三部作の特徴になっている。著者いわく、「ホラを吹くために周囲の事実関係を詰めていく。そういう書き方が自分には合っているし面白い。と、いうことに『空の中』を書いたとき気がついて、『海の底』で定着しました」

実際、海上幕僚監部広報室に電話して、「横須賀基地が怪獣に襲われたとしたら自衛隊は銃を撃ちますか」と質問、相手に大爆笑されたそうですが、そういう徹底した（?）実証主義が本書のリアリティを支えている。

この方法論を、著者は金子修介監督の平成ガメラ三部作、『ガメラ 大怪獣空中決戦』『ガメラ2 レギオン襲来』『ガメラ3 邪神〈イリス〉覚醒』で学んだという。金子監督との対談で、著者はこんなふうに語っている。

「ああいう（『大怪獣空中決戦』に見られるような）現実の積み重ねが、SF的な大仕掛けを動かすうえでいかに大切か、ということを教わった気がします。アクチュアルを詰めることの重要さというか。（中略）小説内の〝現実〟部分をイメージや空想で書かないこと、ですね」

平成ガメラ三部作は、子供向けにつくられていた昭和のガメラ・シリーズから大きく方向転換し、〝怪獣映画のお約束〟をぜんぶ捨て去って、〝もし現実に怪獣が出現したら、警察や自衛隊やマスコミはどう対応するか?〟をリアルにシミュレートすることで、〝大人のための怪獣映画〟をみごとに実現してみせた。それと同じことを小説でやってのけたのが、有川浩の自衛隊三部作（とりわけ、著者が〝大人ライトノベル〟と位置づける『空の中』と『海の底』）

というわけだ。

『空の中』がどちらかといえば『大怪獣空中決戦』へのオマージュだとしたら、『海の底』は当然、『レギオン襲来』へのオマージュだろう。人間サイズの怪獣に一般市民が次々に襲われるという大枠はそのまま踏襲。怪獣の通称も、レギオンに近いレガリスという名前がわざと選ばれている。レガリスの専門家として貴重なアドバイスを与える気弱な芹澤博士は（名前こそ『ゴジラ』由来ですが）、レギオンの生態解明に協力するNTT社員、帯津（吹越満）をなんとなく彷彿《ほうふつ》とさせる。

もっとも、共通点はそのぐらいで、『海の底』のプロットは、過去のどんな怪獣映画にも似ていない。なにしろ、暴れまわる怪獣から逃げて潜水艦に立てこもるのだから、従来のゴジラ映画やガメラ映画とはほとんど対極に位置している。むしろ、本書刊行後に公開された映画『クローバーフィールド』や『ミスト』の生々しい迫力を先取りしたような小説というべきか。『海の底』は、怪獣小説の新たなスタンダードを単独で確立したのである。

その証拠に、怪獣オタクとしても小説家としてもはるかに先輩にあたるSF作家の山本弘が、怪獣小説『MM9』（東京創元社）の第一話を書いたあとで『海の底』を読み、「ネタがかぶっててへこんだ（笑）。しかもあっちの方が面白いし」と自身のウェブサイト上で負けを認めているほど。これこそ、同業者から贈られる最大の賛辞だろう。

ちなみに山本弘の『MM9』は、〝怪獣がまるで台風のように日常的に出現するもうひとつの日本〟を舞台に、怪獣出現の予報および対策立案を担当する気象庁特異生物対策部（略称・

気特対）の活躍を描く本格怪獣ＳＦ。『海の底』『空の中』で怪獣小説の魅力に目覚めた人はぜひどうぞ。〝海の底〟の怪物と戦う話では、（怪獣度は低めながら）ジョン・ウインダムの古典『海竜めざめる』（福音館書店）や、ドイツ発のミリオンセラー、フランク・シェッツィング『深海のＹｒｒ』上中下（ハヤカワ文庫ＮＶ）もおすすめです。

新しいタイプのリアルな怪獣小説としての魅力のほかに、本書で見逃せないのがキャラクターの魅力。おっさん萌《も》えを公言するだけあって、川邊艦長や滝野隊長、明石警部など、脇役の中年組も短い出番の中でそれぞれ輝く個性が与えられている。たくさん出てくる子供たちの描き分けも鮮やかで、森生姉弟や圭介はもちろん、軍事オタクの木下玲一や、炊事担当として隠れた能力を発揮する吉田茂久（食堂の息子）が要所要所でいい味を出している。

　この文庫版には、『海の底』開幕直前の騒動を描いた短篇が特別ボーナスとして収録されてますが、本書の登場人物たちの〝その後〟が気になる人は、自衛隊恋愛小説集『クジラの彼』をどうぞ。冬原のその後は表題作「クジラの彼」に、夏木（ともうひとり）のその後は「有能な彼女」に出てきます（ついでに言うと、「ファイターパイロットの君」には『空の中』の高巳と光稀が登場する）。

　さらに言うと、不器用で一本気な夏木（直情径行タイプ）と、人あたりが柔らかで如才ない冬原とのゴールデン・コンビは、『図書館戦争』の堂上・小牧コンビとキャラ的にけっこう重なる。本書の場合、どちらかというとシリアス系なのでラブコメ成分は希薄ですが（いやまあ、望も意外とドジっ子だったりするけど）、一種の市街戦ものでもあり、『図書館戦争』シリーズにつながる重要なジャンピングボードとして読むこともできるだろう。

『図書館戦争』シリーズを六冊で完結させた有川浩は、いよいよ第二ステージに入り、新たな分野への挑戦をはじめている。破竹の快進撃から目が離せない。

【有川浩・既刊著書一覧】

1『塩の街　wish on my precious』２００４年２月　電撃文庫→『塩の街』２００７年６月　メディアワークス（スピンオフ短篇４篇を追加した単行本）
2『空の中』２００４年11月　メディアワークス→２００８年６月　角川文庫（短篇１篇を追加）
3『海の底』２００５年６月　メディアワークス→２００９年４月　角川文庫（短篇１篇を追加）
4『図書館戦争』２００６年３月　メディアワークス
5『レインツリーの国』２００６年９月　新潮社
6『図書館内乱』２００６年９月　メディアワークス
7『クジラの彼』２００７年１月　角川書店　＊短篇集
8『図書館危機』２００７年３月　メディアワークス
9『図書館革命』２００７年11月　メディアワークス
10『阪急電車』２００８年１月　幻冬舎

11『別冊図書館戦争Ⅰ』２００８年４月　アスキー・メディアワークス　＊スピンオフ短篇集
12『ラブコメ今昔』２００８年６月　角川書店　＊短篇集
13『別冊図書館戦争Ⅱ』２００８年８月　アスキー・メディアワークス　＊スピンオフ短篇集
14『三匹のおっさん』２００９年３月　文藝春秋

この作品は二〇〇五年六月、メディアワークスより刊行されました。
オリジナル編集は徳田《とくだ》直巳《なおみ》氏によります。
文庫化にあたり、加筆、訂正を加えています。

海《うみ》の底《そこ》

有川《ありかわ》 浩《ひろ》

角川文庫 15659

平成二十一年四月二十五日 初版発行
平成二十四年六月三十日 十一版発行

発行者—井上伸一郎
発行所—株式会社角川書店
東京都千代田区富士見二—十三—三
電話・編集 (〇三)三二三八—八五五五
〒一〇二—八〇七八
発売元—株式会社角川グループパブリッシング
東京都千代田区富士見二—十三—三
電話・営業 (〇三)三二三八—八五二一
〒一〇二—八一七七
http://www.kadokawa.co.jp

印刷所—暁印刷 製本所—本間製本
装幀者—杉浦康平

あ 48-2 ISBN978-4-04-389802-2 C0193

角川文庫発刊に際して

角川源義

第二次世界大戦の敗北は、軍事力の敗北であった以上に、私たちの若い文化力の敗退であった。私たちの文化が戦争に対して如何に無力であり、単なるあだ花に過ぎなかったかを、私たちは身を以て体験し痛感した。西洋近代文化の摂取にとって、明治以後八十年の歳月は決して短かすぎたとは言えない。にもかかわらず、近代文化の伝統を確立し、自由な批判と柔軟な良識に富む文化層として自らを形成することに私たちは失敗して来た。そしてこれは、各層への文化の普及滲透を任務とする出版人の責任でもあった。

一九四五年以来、私たちは再び振出しに戻り、第一歩から踏み出すことを余儀なくされた。これは大きな不幸ではあるが、反面、これまでの混沌・未熟・歪曲の中にあった我が国の文化に秩序と確たる基礎を齎らすためには絶好の機会でもある。角川書店は、このような祖国の文化的危機にあたり、微力をも顧みず再建の礎石たるべき抱負と決意とをもって出発したが、ここに創立以来の念願を果すべく角川文庫を発刊する。これまで刊行されたあらゆる全集叢書文庫類の長所と短所とを検討し、古今東西の不朽の典籍を、良心的編集のもとに、廉価に、そして書架にふさわしい美本として、多くのひとびとに提供しようとする。しかし私たちは徒らに百科全書的な知識のジレッタントを作ることを目的とせず、あくまで祖国の文化に秩序と再建への道を示し、この文庫を角川書店の栄ある事業として、今後永久に継続発展せしめ、学芸と教養との殿堂として大成せんことを期したい。多くの読書子の愛情ある忠言と支持とによって、この希望と抱負とを完遂せしめられんことを願う。

一九四九年五月三日

角川文庫ベストセラー

空の中　有川浩
二〇〇X年、謎の航空機事故が相次ぐ。調査のため高度二万メートルに飛んだ二人が出逢ったのは!?　有川浩が放つ〈自衛隊三部作〉、第二弾！

800　川島誠
まったく対照的な二人の高校生が800mを走り、競い、恋をする――。型破りにエネルギッシュなノンストップ青春小説！（解説・江國香織）

もういちど走り出そう　川島誠
インターハイ三位の実力を持つ元400mハードル選手が順調な人生の半ばで出逢った挫折と再生を、繊細にほろ苦く描いた感動作。（解説・重松清）

忘れ雪　新堂冬樹
「春先に降る雪に願い事をすると必ず叶う」という祖母の言葉を信じて、傷ついた犬を抱えた少女は雪を見上げた。涙の止まらない純恋小説。

ある愛の詩　新堂冬樹
小笠原の青い海でイルカのテティスと共に育った青年・拓海。東京からやってきた女神の歌声を持つ流香。二人が奏でる優しくて哀しい愛の旋律。

ロマンス小説の七日間　三浦しをん
海外ロマンス小説翻訳家のあかり。恋人に対するイライラを思わず翻訳中の小説にぶつけてしまって……！　注目作家が書き下ろす新感覚恋愛小説。

月魚　三浦しをん
古書店『無窮堂』の若き当主真志喜とその友人で同じ業界に身を置く瀬名垣。二人は密かな罪の意識を共有してきた。〈解説：あさのあつこ〉